CW00401418

INNA

DU MÊME AUTEUR

LIBRE CHERCHEUR, Flammarion, 2013 (avec Etienne-Emile Baulieu).

QUAND LA GAUCHE A DU COURAGE / Chroniques résolument laïques, progressistes et républicaines, Grasset, 2012.

LA VIE SECRÈTE DE MARINE LE PEN, Grasset-Drugstore, 2012 (avec Jean-Christophe Chauzy).

MARINE LE PEN, Grasset, 2011 (avec Fiammetta Venner) ; Le Livre de Poche, 2012.

LIBRES DE LE DIRE, avec Taslima Nasreen, Flammarion, 2010.

LES INTERDITS RELIGIEUX, Dalloz, 2010 (avec Fiammetta Venner).

LA DERNIÈRE UTOPIE. Menaces sur l'universalisme, Grasset, 2009.

LA TENTATION OBSCURANTISTE, Grasset, 2005 ; Le Livre de Poche, 2008.

LES NOUVEAUX SOLDATS DU PAPE. Légion du Christ, Opus Dei, traditionalistes, Panama, 2008 ; Le Livre de Poche, 2010 (avec Fiammetta Venner).

LE CHOC DES PRÉJUGÉS. L'impasse des postures sécuritaires et victimaires, Calmann-Lévy, 2007.

CHARLIE BLASPHÈME, Charlie Hebdo Éditions, 2006 (avec Fiammetta Venner).

FRÈRE TARIQ. Discours, stratégie et méthode de Tariq Ramadan, Grasset, 2005 ; Le Livre de Poche, 2010.

FACE AU BOYCOTT, Dunod, 2005.

TIRS CROISÉS. La laïcité à l'épreuve des intégrismes juif, chrétien et musulman, Calmann-Lévy, 2003 ; Le Livre de Poche, 2005 (avec Fiammetta Venner).

FOI CONTRE CHOIX. La droite religieuse et le mouvement prolife aux États-Unis, Villeurbanne, Golias, 2001.

LES ANTI-PACS OU LA DERNIÈRE CROISADE HOMOPHOBE, Paris, Éditions ProChoix, 1999 (avec Fiammetta Venner).

LE GUIDE DES SPONSORS DU FRONT NATIONAL ET DE SES AMIS, Paris, Raymond Castells, 1997 (avec Fiammetta Venner).

CAROLINE FOUREST

INNA

BERNARD GRASSET
PARIS

Photo de couverture : © JF Paga/Grasset.

ISBN 978-2-246-80732-2

Inna Shevchenko est un personnage romanesque. Elle a un corps sculpté, qu'elle a transformé en arme. Des émotions qu'elle tait pour combattre. Sa silhouette furieuse, cheveux au vent, seins à l'air, a déjà bousculé l'iconographie de ce siècle. Jusqu'à notre timbre national, dont la nouvelle Marianne est inspirée. Un scandale pour ceux qu'elle hérisse. Ils sont nombreux.

En action ou sur papier glacé, le mouvement Femen ne donne à voir que sa surface : des seins et des slogans chocs, provocants et grossiers. Comme beaucoup, je n'ai pas tout de suite perçu ce que cette vitrine masquait : des militantes ukrainiennes incroyablement politisées. Un mélange d'idéologie marxiste héritée d'un monde ancien et un mode de protestation pacifique calibré pour le monde moderne, teinté de cet imaginaire slave si doué pour offrir au monde des destins tourmentés.

À 23 ans, Inna a déjà un passé. Elle a défié tant de services secrets, subi une centaine d'arrestations, et même été kidnappée en Biolérussie, après une action devant le siège du KGB. C'est à Paris, en exil, que nos destins se sont croisés. Inna venait de tronçonner une croix en soutien des Pussy Riot et de fuir son pays. Comme réalisatrice, j'ai suivi ses premiers pas et ses premières actions en France. Jusqu'à passer ensemble sous les bottes de néo-fascistes lors d'une manifestation d'opposants au mariage pour tous. Comme féministes, nous nous sommes bagarrées côte à côte, parfois l'une contre l'autre, pour sauver Amina et trois autres militantes Femen des geôles tunisiennes.

Sa fureur révolutionnaire heurte parfois mon goût pour la philosophie des Lumières et peut-être plus encore un certain hédonisme, qu'elle trouve si français. Nihiliste ou fanatique ? J'hésite encore. Les journalistes voudraient qu'elle se déshabille davantage, mais se heurtent à une robe de plomb. Inna parle facilement, du monde et au monde, elle peut enlever le haut mais jamais son armure. Il fallait sans doute cet état hybride, journaliste et féministe, pour s'y essayer. Bien plus pour contourner sa méfiance maladive. De longs mois de tournage pour un film, suivis d'autres à l'interviewer pour ce livre, mais surtout cent soirées et moments de vie partagés, où j'ai fini par accéder à son histoire et à son intimité. Non sans avoir dû moi-même baisser la garde. Non sans recevoir mille coups de poignard au fur et à mesure que j'approchais.

Ce livre aurait dû être le sien. Je devais simplement lui prêter ma plume. Mais comment écrire l'histoire intime et introvertie, à la première personne, d'une pasionaria qui se croit en guerre et ne vit que pour l'instant présent ? Plus je cherchais un moyen de la confesser, plus il devenait évident qu'il fallait ruser pour écrire ce que je percevais d'elle et de son mouvement, parfois malgré elle. Même Inna insistait pour que cela ne soit pas une biographie.

— J'ai 23 ans, Caroline. Je suis trop jeune pour ça !
Ne faisons pas un livre classique. Je veux un livre révolutionnaire ! Parle de ma transformation intérieure, de
celle des filles, de nos vies de hooliganes… Pas pour
dire que nous sommes des femmes comme les autres.
Pour dire au monde que nous sommes prêtes à aller
jusqu'au bout et qu'il a raison de trembler !

Mon regard s'est ajouté à sa voix. Par la force des
choses, ce livre est devenu le mien. Inna était prête à
me laisser juger. Et moi à me livrer avec elle pour mieux
la raconter. Elle et notre époque.

CHAPITRE I

La fuite

KIEV, Ukraine, 17 août 2012

Le matin de l'action, les filles ont donné rendez-vous à l'atelier d'Oksana. Une grande pièce délabrée, au premier étage d'un appartement typiquement soviétique, en ruine, à peine meublée d'un lit défoncé, d'une armoire et d'un tréteau pour peindre. Le parquet craque à chaque pas. Les murs sont chargés de logos Femen aux couleurs de tous les pays et d'icônes de la Vierge Marie, enluminées d'or. Il n'y a que l'équipe opérationnelle.

Inna est déjà en tenue et se tient devant la glace. En short rouge délavé coupé court et très moulant, son torse peint de lettres noires : « FREE RIOTS ». Bientôt, le monde la couvrira de quelques roses et d'une pluie d'épines. Pour l'heure, elle se coiffe d'une couronne de fleurs et se tourne de profil pour bander ses muscles. C'est le moment de saisir son glaive. Une tronçonneuse orange et noire qu'elle soupèse et balance pour en faire son prolongement, l'instrument de sa volonté suprême : châtier l'Église et venger les Pussy Riot.

*

11

Poutine ne devait pas s'attendre à tel raffut au cœur de l'été. *Le procès de trois putes féministes, au pire, cela montrera à mon peuple quel homme je suis !* Le chef du Kremlin aime les postures viriles. Depuis qu'il préside une démocratie de papier, on dirait qu'il est en guerre tous les jours : contre les Tchétchènes, les États-Unis, les journalistes, la « propagande homosexuelle » et maintenant les Pussy Riot, « émeutes de chattes » en anglais. Trois rockeuses fort peu domestiques, mises en cage pour avoir offensé l'Église.

Une prière punk au cœur de la cathédrale du Christ-Sauveur. Belle pâtisserie de style russo-byzantin, érigée sur une berge de la Moscova pour célébrer la victoire des armées du tsar sur celles de Napoléon. Staline l'a démolie dans l'espoir d'y bâtir son Palais des Soviets. Mais l'utopie communiste s'est effondrée et l'« opium du peuple » se vend de nouveau à chaque coin de rue. Rien qu'à Moscou, quarante bâtisses tournent à plein régime. Le Christ-Sauveur est la plus imposante, mais surtout celle où siège le patriarcat russe orthodoxe. On l'a ressuscitée dix ans après la chute du Mur, grâce à l'argent des nouveaux riches persuadés que tout s'achète, même une âme.

À l'intérieur, rien n'est trop tape-à-l'œil, ni le marbre d'Italie, ni les dorures clinquantes, pour signifier au visiteur le luxe de la domination éternelle. Au bout de la nef, magistrale, un autel gardé par des cordons et des candélabres a été baptisé « Trône du Christ ». Une cuvette si sacrée qu'elle est strictement réservée aux hommes. Quelle tentation pour des punks féministes ayant une envie pressante de dénoncer la misogynie de l'Église...

Avec leurs cagoules bariolées enfoncées sur la tête, les voilà qui s'élancent vers le trône, se signent et se prosternent exagérément, avant d'entamer une prière diabolique, qui supplie la « Mère de Dieu » de « chasser Poutine » et de se convertir au féminisme, sous l'œil révulsé des paroissiennes. Pas un cierge n'est renversé. L'affront est avant tout moral et symbolique, dans la lignée des performances qu'adorent les jeunes dévots de l'« actionnisme » viennois. Un courant d'action artistique radical et fugitif qui a marqué les années soixante et soixante-dix. Les Pussy Riot russes, comme les Femen ukrainiennes, sont les enfants de ces performances pouvant susciter des réactions disproportionnées lorsqu'une provocation vise juste. C'est le cas. Le *Te deum punk* des Pussy Riot déclenche l'ire du patriarche orthodoxe Kirill, si peu habitué à voir des femmes oser fouler son trône, qu'il compare leur action à « un crime pire qu'un meurtre ».

Ses foudres n'auraient jamais dû s'abattre sur un tribunal dans un pays où la laïcité est garantie par la Constitution de 1993. Mais la Russie n'est plus soviétique. Son nouveau tsar, Poutine, est contesté. Il mise sur l'Église pour sanctifier le glaive de la répression. Le patriarche Kirill se montre bon camarade. Quand il ne ferme pas les yeux sur le viol de la démocratie, il sermonne les rares membres du clergé osant le dénoncer. Le châtiment qui gronde est à l'image de leur alliance. Les Pussy Riot risquent sept ans de camp pour « hooliganisme motivé par la haine religieuse ».

Trois d'entre elles sont attrapées et passent en procès : Nadejda Tolokonnikova, 22 ans, Maria Alekhina, 24 ans, et Ekaterina Samoutsevitch, 29 ans. Longtemps masqués sous des cagoules bleues, jaunes, roses et vertes, leurs visages deviennent subitement le symbole mondial de la régression des libertés en Russie. Surtout celui de Nadejda, une grande brune aux cheveux lisses, au carré, encadrant des yeux de chat et qui arbore un T-shirt bleu et jaune criant « NO PASARÁN » le jour du procès. Ses deux camarades, en chemisier, sont partagées entre la peur de l'enfermement et la griserie d'être un instant le centre du monde. L'instant ne dure jamais. Le verdict tombe, sévère comme une conjuration. Deux ans de camp. Les filles sont envoyées dans l'un des nouveaux goulags du pays.

*

S'il y a un lieu où l'on suit le procès des Pussy Riot, heure par heure, c'est le local des Femen. La capitale ukrainienne de l'ancienne province soviétique est à 900 kilomètres au sud de Moscou, mais c'est comme si elles y étaient, elles aussi, dans cette cage. Les piliers du groupe sont nés juste après l'effondrement du bloc soviétique, dans cette partie russophone de l'Ukraine restée soumise aux diktats du Kremlin et à ses oligarques, malgré la proclamation de l'indépendance en 1991. Leur président mal élu n'est qu'un pantin de Poutine, leur véritable ennemi. Elles l'ont défié deux mois avant les Pussy Riot, devant cette même cathédrale du Christ-Sauveur. Torse nu et à coups de pancartes exhortant « DIEU À CHASSER LE TSAR ». Depuis, elles sont interdites de séjour en Russie et devenues la cible préférée de la propagande du Kremlin. Des putes, des agents de la CIA.... Une averse d'insultes mêlant

14

orgueil national et mépris pour les « *khokhols* », ces culs-terreux d'Ukrainiens, que les Russes ont colonisés et continuent d'exploiter. Même l'opposition, qu'elles étaient venues soutenir, se demande « de quoi elles se mêlent ? »

Il n'y a que les Pussy Riot pour leur trouver du cran, malgré leurs divergences sur la religion (elles ne sont pas antireligieuses comme les Femen) et cet esprit de compétition qui éloigne toujours un peu les « performeurs ». Les rockeuses leur ont même écrit pour les féliciter au sujet d'une autre action. En juillet, peu avant l'ouverture de leur procès, une Femen a profité de sa visite en Ukraine pour foncer sur le patriarche orthodoxe aux cris de « Kill Kirill ! ». Une vengeance censée parodier le mythique « Kill Bill » de Tarentino. Du western spaghetti version orthodoxe. La vidéo régale Internet. On y voit le vieux patriarche descendre d'un pas lourd de son jet privé, mitre sur la tête et sceptre à la main, lorsqu'une frêle silhouette blonde, vêtue d'un simple jean, s'élance pour lui jeter son corps à la figure. Panique du vieillard et des agents en costard noir, qui interceptent la bombe sexuelle à temps, avant que ses seins ne touchent le Saint des saints. Encore trois mètres, et il aurait vécu un corps à corps avec cette diablesse ! Et quel corps ! Bien qu'inoffensive, la bombe sexuelle, Yana, a écopé de quinze jours de prison.

Quand le procès des Pussy Riot démarre, les Femen se réunissent pour comploter. Pas dans leur local, truffé de micros. Sur un parking situé à quelques mètres. Il est tard, il fait sombre. Dans ces moments-là, il n'y a que le noyau dur. Les deux blondes stars : Inna et Alexandra (surnommée Sasha). Deux Shevchenko. On les croit souvent sœurs. C'est tout simplement un nom courant en Ukraine. Mise à part leur blondeur, Inna et Sasha sont très différentes… Avec ses jambes immenses, Sasha est gracieuse et longiligne. Ses traits doux, remarquablement dessinés, lui donnent des airs de poupée. Dès qu'elle entre en scène pour « performer » contre les patriarches, elle semble les dominer d'un air triste et grave. Inna est d'un autre genre. Ses cheveux longs, épais, tombent droit en cascade. En civil, mal fagotée dans ses habits pastel, elle passe pour une jeune étudiante rangée. En action, torse nu, elle paraît immense et puissante, presque sauvage.

La troisième Femen célèbre, Oksana, a la beauté des icônes religieuses qu'elle peint depuis l'âge de 8 ans pour gagner sa vie. Un corps mince et pâle, très agile, des seins parfaitement dessinés. Avec ses larges pommettes encadrées de fins cheveux longs châtains et ses poses ingénues, on la dirait sortie tout droit d'un film de Godard. Quand ces Trois Grâces passent à l'attaque ensemble, c'est comme si l'armée des femmes se levait.

Ce n'est que la première ligne des Femen, celle que l'on envoie au front, aux côtés de novices dont les corps ont défilé par centaines sans marquer leur empreinte. En arrière, plus discrète, il y a l'équipe des renforts. À commencer par la fondatrice, Anna. Une petite rousse, aux cheveux courts, qui soigne son look, avec ses Doc Martens orange assorties à ses cheveux et son manteau vert soviétique. Une vraie matriochka « costumisée » en commissaire politique. Celle qui n'enlève plus son T-shirt, mais ramasse les vêtements, tient les comptes, et prévient la presse. D'où lui est venue l'idée de créer Femen ? Dans quelques mois, la presse bruissera d'une rumeur. Tout viendrait d'un homme, le véritable « cerveau » (comme si, dans un groupe de femmes, un homme ne pouvait être que cette partie-là). Mieux, un cerveau malade, manipulateur, tapi dans l'ombre. Son copain de jeunesse, un dénommé Viktor. Pourtant, ce soir-là, au moment de décider l'une des opérations les plus importantes du mouvement, le « cerveau » n'est pas là. Les filles débattent entre elles. Officiellement, il n'y a pas de hiérarchie. Dans les faits, la répartition des rôles a fini par s'imposer, comme toujours, par la force des caractères, jusqu'à créer des luttes et des cicatrices que je découvrirai plus tard. Chacune pressent que Femen est à l'aube d'un tournant.

— Si on agit, il faut que ce soit très radical, dit Inna. Quelque chose qu'on n'a jamais fait auparavant.

— Si on brûlait la croix en haut de la colline du Maïdan, comme les chrétiens brûlaient jadis les idoles païennes ! s'excite Anna.

— Toi tu veux toujours brûler un truc ! rigole Sasha.

— Tu as raison, c'est trop épais pour brûler avant qu'on se fasse arrêter... On la scie ! Oui, c'est mieux ! On l'abat !

— C'est mieux, dit Inna.

Les filles se tournent vers elle : la plus intrépide, la plus courageuse, et surtout la plus musclée. C'est décidé. Inna mènera l'opération « Castrons la croix ».

*

La presse a été convoquée dans un squat à ciel ouvert, sur le flanc d'une colline dominant la place Maïdan. Un passage de briques rouges, cernées de ronces, descend d'un côté vers la ville. De l'autre, il grimpe à travers des bouleaux tristes, jusqu'au pied d'une petite église jaune dont le jardin abrite une immense croix en bois. Huit mètres de haut et sans doute quarante centimètres d'épaisseur. L'abattre relève de l'exploit. Mais l'avocat s'est renseigné, elle n'appartient à personne, pas même à l'Église. Elle a été érigée par des activistes polonais, sans permission de la mairie, au moment de la révolution Orange.

Inna se prépare à entrer en scène en faisant les cent pas sur l'herbe rare du squat. Avec son bonnet noir en forme de capuche, ses longues bottes, et sa tronçonneuse au bout d'un bras, on dirait l'ange de la Mort. Elle n'a pas dormi de la nuit, comme souvent avant une mission. La veille, elle s'est entraînée à manier la tronçonneuse avec des bûcherons. En priant pour être moins maladroite le jour venu. *Pourvu que la croix soit entièrement en bois, que je ne bute pas sur une tige en fer en son centre, qu'elle cède avant l'arrivée de la police, que la tronçonneuse démarre…* Un peu à l'écart avec Anna, elle tire sur la molette de toutes ses forces, mais le moteur tousse en vain.

— Fuck !

Un ami journaliste s'approche. Il tire avec assurance sur la corde et la tronçonneuse se met à ronronner, avec une évidence qui agace les militantes. Tout à l'heure, quand les caméras du monde entier auront les yeux braqués sur Inna, pas question de demander l'aide d'un garçon, sinon toute la symbolique est à revoir. Toute l'iconographie qu'essaie de bâtir Femen réside dans la

mise en scène de femmes nouvelles, puissantes et auto-
nomes. Ni l'Ève tentatrice ni la Vierge Marie. Une
femme libre et puissante, ayant appris à manier une
tronçonneuse, et qui s'approche de Dieu pour l'abattre.

*

Au pied de la croix, les journalistes ont déjà installé
leur caméra lorsque Inna entre en scène. Comme prévu,
les filles tendent des lianes dans l'espoir de guider sa
chute.

— Tirez plus ! crie Anna, qui court de l'une à l'autre.

Le rite imaginé commence. Inna dévoile sa poitrine,
s'agenouille et se signe comme les Pussy Riot avant
d'entamer leur prière punk. Un bruit de forêt monte du
Golgotha. Avec ses lunettes transparentes sur les yeux,
sa couronne de fleurs finalement glissée autour d'un bras,
l'ange noir martyrise la croix jusqu'au calvaire. Combien
de temps doit-elle s'acharner ? Peut-être six ou sept
minutes, interminables, bruyantes. À tout moment la
police peut débarquer. Mais la scène est masquée par les
arbres, la police ne vient pas et le miracle arrive. La croix
cède et tombe à ses pieds.

— Attention ! crie Anna.

Le souffle court, Inna enlève ses lunettes de chantier,
et allonge son corps convulsé, les bras en croix, sur le
bout de bois châtré. La gravité de son offrande est d'une
étrange sensualité. Quand la première caméra s'approche
pour lui donner la parole, une icône est née.

— Aucune institution, même aussi populaire que
l'Église, n'a le droit de violer les droits des femmes.
Liberté pour les femmes. Liberté pour les Pussy Riot.

Nous ne sommes pas encore libres. Je dois y aller, désolée !

Inna se retourne subitement et se cogne contre Anna, qui lui tend son manteau noir. La sorcière craint maintenant l'Inquisition et fuit en courant par l'arrière.

*

Elle n'en revient pas d'être dans un taxi, quasi nue sous son manteau et haletante. Elle pensait être arrêtée, mise au trou pour de longues semaines, voire des mois. Après des actions autrement plus inoffensives, elle finit au moins en garde à vue, mais là rien. La voilà en route pour chez elle. Surréaliste. Le chauffeur ne semble pas remarquer son état second et repasse par la place, au pied de la colline, où commence à se former un attroupement.

— C'est quoi cette pagaille. Il y a une manifestation ?

— Je ne sais pas, s'étouffe Inna.

— On va devoir faire le tour.

— *Da.*

Une vibration lui arrache un cri. C'est Sasha qui l'appelle, encore bouleversée, depuis le pont où elle s'est postée pour monter la garde.

— C'était magnifique ! Tu ne peux pas savoir comme c'était beau vu de là-haut. J'en pleure !

— Arrête de pleurer. Je suis en route pour chez moi. Je vous appelle une fois là-bas.

Le taxi se gare devant chez elle, rue Gorkogo. Un joli petit immeuble du centre de Kiev. Inna regarde à gauche et à droite. Pas de policiers. Elle grimpe les escaliers quatre à quatre. Ses mains tremblent toujours quand elle essaie d'introduire la clef dans sa serrure. La porte s'ouvre enfin. Lorsqu'elle s'affale sur son lit, sa main droite cherche déjà son iPad. Les premières dépêches d'agence sont tombées : « Une activiste ukrainienne abat une croix en soutien aux Pussy Riot. » La tempête attendue se lève. Sur son écran, ça s'allume de partout : la Télé Ukrainienne, la BBC, le *New York Times*, la *Pravda*... Tous les sites d'information russophones et anglophones, et même au-delà, relaient la nouvelle. Son téléphone est pris d'assaut. « Pourquoi avoir coupé cette croix ? N'est-ce pas trop radical ? Comment vont le prendre les croyants ? Avez-vous peur de faire de la prison ? » Elle répond en mode mitraillette : « En soutien aux Pussy Riot », « C'est un geste radical oui, mais justifié par l'attitude de l'Église envers les femmes », « Je me fiche de comment le prendront les croyants, ils devraient plutôt être choqués par le sort des femmes », « Et non je n'ai pas peur... »

Sur Internet, le lynchage a déjà commencé. La vidéo de l'action, auréolée de quelques cris de joie, se trouve bien vite noyée par un flot d'injures et de menaces de mort : « Salopes, vous brûlerez en enfer ! » Inna sourit intérieurement. *« Les croyants ont mal, moins qu'ils ne font mal aux femmes mais quand même, ils souffrent. »* Cette pensée l'apaise. Elle peut enfin se faire couler un bain, brûlant, comme elle les aime.

Quand elle sort, en peignoir, pour aller chercher quelque chose à grignoter dans la cuisine, elle aperçoit des ombres par la fenêtre. Une heure plus tôt, au Journal Télévisé, le chef de la police vient d'annoncer l'ouverture d'une enquête criminelle pour identifier les coupables.

Ce ne sera pas difficile. Le nom d'Inna est partout, son visage sur toutes les chaînes, et son adresse au bas des formulaires, nombreux, qu'elle a remplis après chaque garde à vue. D'après les avocats interviewés à la télévision, elle risque jusqu'à cinq ans de prison pour « hooliganisme ». Pour la première fois peut-être, elle y pense. Se lever, vivre et dormir tous les jours, pendant des années, dans une cellule bondée puant la pisse. Elle y a goûté deux jours après une action, et n'a aucune envie d'y retourner. De ça, oui, elle a peur.

*

À 22 heures, elle rejoint Viktor et Anna dans un café au bas de chez elle.

— Tu es suivie ? demande Viktor.

— Oui, mais ils ne font rien…

— Ils doivent attendre qu'on statue sur ton cas en haut, chez les politiques. C'est immense ce que tu as fait, Inna, aujourd'hui, je suis si fier de toi.

Elle déteste quand il prend ce ton paternel et supérieur. Comme si elle avait besoin de lui pour être fière. Mais quand même, elle est surprise d'entendre un compliment. C'est si rare dans sa bouche. Leur relation est si compliquée…

— Qu'est-ce qu'on fait s'ils décident de t'arrêter ? coupe Anna, qui fume cigarette sur cigarette. Tu pars à Odessa ?

— Je ne pense pas que cela soit nécessaire, cherche à se rassurer Inna. S'ils avaient voulu m'arrêter, ils l'auraient déjà fait. Ils vont nous envoyer des papiers pour un procès, on aura le temps de voir venir.

Ils se quittent les yeux épuisés, en se promettant d'aviser le lendemain matin.

*

En rentrant chez elle, Inna prépare une valise. Celle qu'elle prend quand elle part passer l'été dans les Carpates, les montagnes de son enfance. Toutes ses chaussures à talons ne vont jamais rentrer. Il faudra en sacrifier. À deux heures du matin, elle est enfin au lit, à surfer sur son iPad. Les deux derniers médias à relayer sont le *Washington Post* et *Kherson News*, le petit journal local de la ville où elle est née. Elle en rit, et pense à ses parents, qui doivent être effondrés. Sa sœur la soutient, mais s'inquiète. Un jour, c'est sûr, leur mère va en mourir. Inna ne veut pas y penser. Ni à sa mère ni à Sergueï, son ex-petit-ami, qui se ronge les sangs et appelle pour la dixième fois. Voilà presque deux ans qu'elle flirte vaguement avec cet avocat, plus âgé, intelligent, serviable, et fou d'elle. Elle l'apprécie, sans jamais lui appartenir. Femen avant tout. Il rappelle. Cette fois, elle décroche.

— Allô ?

— Tu ne peux pas répondre ! Tu imagines combien j'étais inquiet ? Ça va ?

— Mais oui ça va, plaisante-t-elle, bravache. Dis-moi… Si j'ai besoin de toi pour m'échapper, tu viendras me chercher ?

— Mais bien sûr, Inna, à n'importe quelle heure, tu peux m'appeler, je serai là pour toi, je t'aime, tu le sais…

— *Arashau* (OK). Je te tiens au courant. J'ai sommeil.

Elle a raccroché. Sans vraiment dire au revoir. La politesse est un luxe bourgeois et Inna est en guerre. Ce statut lui confère tous les droits, surtout de ne penser qu'à elle avant tout quand l'angoisse et la fatigue la rattrapent. Dans son lit, elle se masse les paupières et inspire longuement pour se calmer. La valise est là, dans l'entrée. Les policiers sont toujours au pied de l'immeuble. Il faut dormir.

*

À six heures et demie du matin, on tambourine à la porte. Elle s'approche, le cœur battant, et regarde par l'œilleton. Six hommes aux mines patibulaires veulent entrer. Sa main sur la bouche pour ne pas crier, elle s'éloigne et appelle Sergueï dans la pièce à côté.

— Des hommes veulent défoncer ma porte. Je vais sauter par le balcon de la cuisine, viens me chercher.

L'avocat s'y attendait. Il est même venu aux aurores, à son cabinet, à deux pas de chez Inna, pour travailler ses dossiers et se tenir prêt. En quelques minutes, sa voiture est au pied de sa fenêtre. Inna n'a qu'à sauter du balcon, au premier étage, pour échapper aux gros bras massés devant sa porte. Tant pis pour l'énorme valise. Elle n'emporte que son téléphone, son iPad et un billet de cent dollars. Sergueï démarre en trombe.

— Ils viennent t'arrêter ?

— Je ne sais pas, en tout cas ils voulaient entrer... Fonce !

*

24

Deux heures plus tard, grâce à des complices, ils ont changé deux fois de voiture, en vain. Ils sont toujours suivis.

— On n'arrive pas à les semer. Ça doit être ton téléphone, ils nous traquent grâce à lui.

— Fuck !

— Il faut enlever ta puce.

Inna regarde une dernière fois son vieil iPhone cabossé et met sa puce dans une poche.

— Heureusement, j'ai une idée, sourit Sergueï.

Sa voiture birfurque brutalement et s'engouffre dans une station de lavage.

— Qu'est-ce que tu fais, on ne va pas laver la voiture !

— Calme-toi et sors.

Au moment où l'impressionnant ballet des robots nettoyeurs commence, Sergueï saisit sa main et l'entraîne vers le fond où l'attend un jeune garçon timide, à qui il donne ses ordres.

— Tu roules jusqu'au petit village qu'on t'a indiqué et tu la déposes à la gare. Compris ?

— Compris.

Le jeune garagiste désigne une autre voiture à Inna, qui monte à bord.

— Merci Sergueï, lui dit-elle en l'embrassant au coin des lèvres.

C'est le dernier frôlement qu'il emporte. La voiture sort par l'arrière. Dans quelques heures, elle prendra un train pour Varsovie. Un aller simple. C'est fini. Il ne croisera plus ce regard de jade dans lequel il a cru si souvent se noyer.

*

Paris, 27 août 2012

Internet est indigné par la condamnation des Pussy Riot. À part quelques sceptiques qui trouvent toujours le moyen d'ergoter et relaient la propagande des Russes. J'avais vu juste quand j'écrivais, juste avant l'été, qu'un nouveau mode d'action féministe venant de l'Est allait secouer. Bien avant que l'affaire des Pussy Riot ne fasse du bruit, j'ai proposé à France 2 un film sur le sujet. Justement, Fabrice Puchault, le directeur des documentaires de la chaîne, cherche à me joindre.

— Tu as raison, il se passe quelque chose à l'Est. Le procès des Pussy Riot, ces filles sont incroyables. Il paraît que l'une d'elles a fui Moscou. Avec tes contacts, tu crois que tu pourrais la retrouver ?

— Sans doute.

— J'aimerais un film coup de poing, comme tu sais faire. L'histoire d'une fuite, d'une quête, de l'exil. Un film baroque. Sur le courage de ces filles dont tu m'as parlé…

— Les Femen.

— Oui, c'est ça, la dureté de leurs vies, cet engagement post-soviétique… Je crois que cela peut être très fort, mais il va falloir foncer. Tu peux ?

— Je passe quelques coups de fil et je te dis.

L'enquête me fait terriblement envie, depuis des mois, mais le feu vert tombe mal. Je dois déjà réaliser quatre films sur les « extrêmes » pour France 5. Toutes les tribus d'excités, tous les trolls du Web vont y passer : les obsédés du complot, les radicaux de l'Islam, les enragés de l'identité et les monomaniaques du conflit israélo-palestinien… Dans quatre mois, tous ceux qui polluent la toile et le débat public seront à mes basques, furieux mais dévoilés. En attendant, je passe mes journées enfermée dans un banc de montage. Il ne me reste que les soirées et les week-ends pour commencer ce tournage. Tant pis. J'ai besoin de cet air frais, et puis Fabrice a prononcé le mot magique : « Carte blanche. »

*

Si quelqu'un peut me dire où se trouve une Pussy Riot en fuite, c'est Femen. Si quelqu'un peut me dire où sont les Femen, c'est Safia Lebdi : conseillère écologiste d'Île-de-France, l'une des cofondatrices de Ni putes Ni soumises. Fille d'immigrés berbères algériens, belle fille et grande gueule, après un début de vie passé à naviguer entre la mafia et les intégristes dévorant le quartier de Clermont-Ferrand où elle a grandi. C'est la première à m'avoir parlé des Femen.

— Elles au moins, elles n'ont pas peur d'y aller. Elles passent à l'action, avec leur corps. Contre les sexistes et les religions, toutes les religions, comme nous !

Comme beaucoup de féministes, je n'ai pas tout de suite été emballée. Des filles qui posent nues contre le sexisme, je demande à voir, ce qu'elles ont dans le ventre et surtout dans la tête… Mais Safia insiste. Elle les a découvertes lors de leur première action menée à Paris sous les fenêtres de Dominique Strauss-Kahn, le 31 octobre 2011. Le directeur du FMI, probable futur président de la France, vient de tomber de son piédestal. Les Femen débarquent en soubrettes devant la porte de son immeuble parisien, où elles accrochent le mot « Shame » (honte). Les fesses en l'air sous les crépitements d'une nuée de photographes, elles nettoient le pavé à coups de serpillière, en prenant des poses franchement limites. Seule leur pancarte est vraiment drôle : « Fuck me in a Porsche Cayenne ».

Je n'ai pas vu cette action mais une autre, plus inventive, organisée quelques mois plus tard à la demande de Safia. Nous sommes alors en plein débat sur le voile intégral. Safia propose aux Ukrainiennes de mener une opération avec des féministes nées musulmanes : « Plutôt à poil qu'en burqa ». Les filles s'inquiètent d'être instrumentalisées au service d'une loi voulue par Nicolas Sarkozy, mais Safia les rassure : ce sera une action de gauche, féministe et universaliste. En les voyant débouler place du Trocadéro, blondes et brunes en niqab, pour se mettre finalement seins nus et crier « Intégrisme dégage ! », le doute n'est pas permis. L'image est jouissive et puissante.

Je leur consacre un premier papier à l'occasion de l'Euro 2012, qui commence en Ukraine. Femen souhaite dénoncer l'explosion de lieux sexuels prévus pour combler le flot de supporters aux cris de « l'Ukraine n'est pas un bordel ». On apprend qu'elles ont été kidnappées à Donetsk, par la milice d'un élu local mafieux, qui les enferme dans une morgue pendant neuf heures… Le temps que le match France-Ukraine ne soit pas gâché par leurs cris et leurs seins. Quelques jours plus tôt, lors du match inaugural en Pologne, trois Femen sont venues avec des extincteurs pour cracher leur mousse blanche sur les supporters. Tout un symbole. Les supporters ne sont plus des clients mais des objets, et ce sont des féministes ukrainiennes, blondes et sexy, qui leur éjaculent dessus !

Safia les a rejointes en Pologne pour participer à la campagne. Femen la charge de mener une action lors des jeux Olympiques de Londres. Cette fois, pour protester contre l'autorisation du voile comme exception à l'uniforme sportif. Les Ukrainiennes n'ont pas pu avoir de visa. C'est donc aux Françaises de mener l'assaut. Quitte à être malmenées, méchamment, par une police anglaise qui redoute moins leurs seins que leurs slogans contre la charia. Convaincue de la force de ces images, je tente d'expliquer ce mode d'action au public français, qui le découvre sans le comprendre. Un jour, Safia m'appelle.

— Je fais venir les filles à Paris pour une conférence. Il y aura Anna, la fondatrice. Tu veux la rencontrer ?

— Mieux, je veux l'interviewer pour mon émission de l'été sur France Inter : « Ils changent le Monde. »

*

Le rendez-vous est pris pour fin juillet. Les Femen m'attendent au rez-de-chaussée des locaux de France Inter, et prennent le soleil à la « piscine ». Non pas que le service public ait les moyens d'offrir un bassin à des employés. La « piscine » désigne une petite aire de repos en dalle beige, assez moche, où l'on trouve aussi un peu de verdure et un espace pour fumer. Il y a Anna, la fondatrice, et ses deux combattantes blondes, dont j'ignore alors les prénoms. Safia m'a surtout parlé d'Anna, comme étant le cerveau. Comme je vais l'interviewer je me dirige d'abord vers elle. Mais alors que je m'approche, l'une des deux filles blondes se lève d'un bond et m'intercepte en me tendant une main ferme : « Inna. »

Je ne prête pas attention à son visage, juste à ses yeux plantés dans les miens. Sa présence, forte, me trouble. On s'assoit dans le hall, sur les canapés rouges. Les filles ont un air sage et concentré, presque sévère, comme si elles allaient passer un grand oral. Je me demande ce

29

que Safia a bien pu leur raconter pour les intimider à ce point... Sans doute que je vais les sonder. Les procès s'accumulent à Kiev, elles cherchent du soutien à l'étranger. Si je dois en être, je veux m'assurer que ces filles valent mieux que le goût de la provocation et de la notoriété. Anna a l'air tout particulièrement stressée. Elle parle mal anglais et l'interprète russe qui doit nous aider pour l'émission n'est pas encore arrivé. Comment font-elles pour échanger avec Safia, qui ne parle que le français ?

— On se comprend avec Anna, avec les mains, les regards, sinon on fait des schémas, me dit Safia.

Là, je me dis que ce n'est pas gagné. Un mouvement, ce n'est pas comme une entreprise de BTP. On doit pouvoir compter sur chaque mot pour construire ensemble. Par la force des choses, je me tourne vers Inna et Sasha, que j'avoue avoir un peu snobées à cause de leur look de blondes fatales. Inna l'a remarqué et me fixe intensément, comme si elle voulait me jeter son cerveau à la figure. Son ton est ferme, articulé, comme Sasha. Ce sont des militantes structurées, bien plus que je ne l'aurais imaginé à les voir sur papier glacé, et qui prennent des risques.

— Où en sont les procès en Ukraine ?

— Trois de nos activistes sont poursuivies pour avoir sonné les cloches dans la cathédrale de Kiev et pour avoir grimpé sur le balcon de l'ambassade indienne, me dit Sasha.

— Pourquoi l'ambassade d'Inde ?

— L'Inde refusait de délivrer des visas aux filles ukrainiennes comme si nous étions toutes, potentiellement, des prostituées. Nous avons donc grimpé sur la façade, jusqu'au balcon, et crié : « Nous ne sommes pas des prostituées ». Les filles qui ont mené l'action risquent quatre ans de prison.

— Comment peut-on vous aider depuis Paris ?

— On aimerait ouvrir un centre qui puisse devenir international, me répond Inna.

Elle a de l'assurance, et en même temps quelque chose en elle semble vouloir se briser. Mais je suis rassurée sur ce point : elles sont vraiment féministes. Je m'engage à les aider.

— S'ils viennent vraiment vous chercher, on sera là. Vous pouvez compter sur mon soutien. Vous verrez, Paris, c'est la plus belle ville au monde pour se battre.

*

Quelques mois plus tard…

— Allô Safia ? France 2 me donne carte blanche pour faire un film sur les nouvelles féministes.

— Super.

— On parlera des Pussy Riot, du risque de l'engagement. Ils voudraient qu'on filme une des filles en cavale. Mais moi j'ai surtout envie de parler des Femen, elles me paraissent plus intéressantes, non ?

— C'est clair. Elles sont plus politiques.

— Il faudrait que je les contacte assez vite. Où puis-je les joindre ?

— Tu fais quoi dans deux heures ? me répond Safia sur un air mystérieux.

— Pourquoi ?

— Tu n'as pas vu la vidéo sur Internet ?

— Non…

31

— Va voir. C'est ouf. Inna s'est enfuie. Elle arrive à 17 heures à Paris.

Je me connecte pour regarder la vidéo. Stupéfiante.

*

Cette fois c'est sûr, la rentrée sera intense. Il y a une heure, je devais réaliser quatre films en quatre mois. Voilà qu'il faut trouver une équipe de tournage en moins d'une heure au mois d'août ! J'ai bien une caméra, toujours prête, mais à qui la confier ? Comme toujours, c'est Fiammetta, ma partenaire en tout, qui a la bonne idée.

— Tu devrais demander à Nadia et vous ferez le film ensemble.

Je ne peux trouver mieux que Nadia El Fani, mon amie cinéaste, franco-tunisienne, comme coéquipière. Son dernier film, *Même pas mal*, raconte son double combat, contre le cancer du sein et contre les islamistes. Le prix à payer pour avoir réalisé un film réclamant la laïcité en Tunisie et s'être déclarée athée. En plus des menaces, Nadia vit sous le coup de six chefs d'inculpation, dont l'un s'apparente au blasphème, et ne peut plus retourner dans son pays, où vit toujours son père (un militant communiste). La Tunisie lui manque. Nous avons passé l'été à ruminer ensemble contre ces charognes qui n'ont pas fait la révolution, mais veulent bien la confisquer. L'aventure Femen, ces seins d'inspiration marxiste qui pointent l'intégrisme, elle va adorer. Problème, Nadia est partie à la campagne, à 60 kilomètres de Paris. Solution : elle a une moto et fonce pour arriver à temps.

32

*

Le ciel est lourd mais gris. Un air chaud souffle sur l'esplanade des bus de la porte Maillot. Loubna est déjà sur place. Ça ne m'étonne pas de la retrouver aux côtés des Femen. Quel symbole quand on connaît son histoire : une mère marocaine enlevée et assassinée par des Saoudiens en mal de chair fraîche. Un père qui a voulu la marier à 19 ans pour protéger sa « réputation ». Son combat pour obtenir le divorce, la lutte aux côtés des mouvements lycéens, SOS Racisme, Ni putes Ni soumises et son mariage d'amour, enfin, avec un « Gaulois » qui a donné naissance à deux petites filles qui courent de long en large sur le parking.

— C'est bien que tu sois là ! me dit-elle en m'embrassant. Surtout que l'anglais et moi...

— Elle arrive quand ?

— C'est bon, on a le temps. Ben tiens, je vais l'appeler.... Allô Inna, c'est Loubna. How are you ? I am with Caroline... I give you Caroline.

Je ne suis pas du tout sûre que Inna se souvienne de cette Caroline à qui Loubna veut absolument la « donner », mais je prends le téléphone.

— Allô Inna. You remember, we met at France Inter.

Visiblement, Inna se souvient très bien. Pas du tout surprise que je sois là, comme si je tenais simplement ma promesse.

— Je suis avec une caméra, ça te dérange si on filme ton arrivée ?

— Non, bien sûr. Je suis déjà avec une équipe de cinéastes.

Inna a fait le trajet de Varsovie à Paris avec les Frères Riahi, deux cinéastes austro-iraniens qui préparent un

33

long métrage sur plusieurs mouvements de protestation pacifique, comme Femen, les Yes Men, Otpor, ou des rebelles du monde arabe : *Every Day Rebellion*. En route, Arash lui a raconté comment ses parents ont aussi dû s'enfuir à cause du fanatisme des mollahs. C'était le temps où beaucoup d'esprits libres traversaient la frontière entre l'Iran et la Turquie, parfois à cheval et dans la neige, sans savoir dans quelle vie ils se jetaient. Inna ne sait pas non plus, mais au moins elle est attendue. Son bus arrive et se gare sur l'esplanade. Elle descend, vêtue d'un simple short, très court, d'une veste en daim, et nous tend les bras. Loubna se précipite vers elle.

— I was afraid for you (j'étais inquiète pour toi !), lui dit-elle avec un accent qui fait rire Inna.

— I am OK, I am alive, dit-elle en souriant, émue.

Je me tiens en retrait pour laisser Nadia filmer et ne pas être dans le champ, mais Inna vient à moi et nous nous embrassons. En croisant le regard du réalisateur iranien qui la filme, je m'aperçois qu'il a le même sourire protecteur que moi. Inna ne laisse personne indifférent, jamais. C'est une chance en exil. Émue et fragile, elle s'agrippe à son iPad comme s'il contenait son passé et son futur, en traînant une grosse valise que des amis lui ont expédiée en Pologne. Direction chez Safia, où elle va dormir en son absence.

*

Au pied de l'immeuble, près de Belleville, je lui propose de l'aider à porter sa valise et lui tiens la porte d'entrée, comme si elle était en sucre.

— Attention la porte est lourde, dis-je en la laissant passer.

Puis je la revois en train d'abattre une croix de huit mètres à la tronçonneuse.... et bredouille :

— Même si je sais que tu es très musclée des bras !

Inna sourit. Mes airs de garde du corps un peu excessifs l'amusent. Est-ce à cause de ses vêtements pastel ou de sa gestuelle, je n'arrive pas à intégrer que la jeune fille rangée, si timide et féminine, qui se tient devant moi, soit cette guerrière capable d'abattre une croix. Nous commençons par manger des sushis, nous détendre et plaisanter. Mais il est tard, il faut filmer.

— On s'y met ?

Malgré la fatigue, Inna raconte sa fuite pour la deuxième ou troisième fois.

— Tu t'attendais à de telles réactions ?

— Je m'y attends à chaque action. Être nue dans la rue, utiliser son corps, pas dans un lit avec un homme, mais pour se battre, c'est un acte qui les rend fous. Ils sont allés jusqu'à comparer le fait d'avoir coupé la croix à un acte criminel... Pour un simple morceau de bois.

— C'est plus qu'un morceau de bois, c'est un symbole...

— Pour moi, le symbole qui compte, c'est la liberté des femmes ! Ce qui est arrivé aux Pussy Riot me rend furieuse, autant que ces croyants qui hurlent. Quand je lis leurs réactions, les messages disant « on va te tuer, on va te brûler », je me demande : quel est ce livre saint qu'ils lisent !

— Du point de vue de la loi, c'est une action radicale.

— C'est à la frontière entre l'action pacifique et quelque chose de plus radical. Mais cela reste pacifique. Nous n'avons tué personne, nous étions sur la frontière mais nous ne l'avons pas franchie. Je sens même que nous devrions l'utiliser davantage pour dénoncer des sujets tabous.

En entretien, Inna est sûre d'elle. Elle martèle son propos de sa main manucurée. Son discours est parfaitement maîtrisé, presque trop. Je cherche à la faire parler d'elle, de ses sentiments, et me heurte à un mur.

— Parlons un peu de ce que ça te coûte à titre personnel...

— C'est vraiment une question étrange à poser à une activiste Femen. Toute personne participant à ce genre de lutte est préparée à ce coût. Ce n'est pas parce que j'ai les cheveux blonds que je suis là pour m'amuser. Peut-être qu'il y a trois ans, quand je me suis battue contre ma famille et mes proches, je me demandais encore si j'étais prête, mais plus aujourd'hui. Je suis 100 % activiste, 100 % Femen, et je ne pense jamais à ce qui peut m'arriver en tant que personne. Je suis plus une activiste qu'une personne.

La femme qui se tient devant moi n'est plus cette jeune fille timide que j'ai perçue à son arrivée. Certaines répliques me troublent par leur absolutisme. Si elles avaient été prononcées par une petite brute au crâne rasé, l'aurais-je jugée fanatique ? L'est-elle ? Elle parle comme une vraie soldate, persuadée de remplir une mission sacrée, puis se met à me sourire tendrement comme une étudiante appliquée sitôt l'entretien terminé. Laquelle est la vraie ? Je serais bien restée plus longtemps pour tenter d'en savoir plus, mais il est tard et Inna a rendez-vous avec l'équipe d'Every Day Rebellion, qui veut filmer sa première nuit dans les rues de Paris. Avant de partir, je lui donne mon numéro.

— Tu peux m'appeler quand tu veux, si tu as besoin de quoi que ce soit.

*

Impossible de trouver le sommeil, alors je surfe sur Internet. La page Facebook des Femen croule sous les messages de fans ou d'insultes, des commentaires hypertrophiés comme la toile sait en cracher. Le groupe, qui n'est pas manchot en matière de propagande, en joue pour héroïser sa justicière. Le modèle s'y prête. Sur une photo en noir et blanc éclaboussée par du sang rouge, Inna tranche la gorge de Poutine. Sur une autre, elle pose avec son engin comme lui avec sa canne à pêche. Quoiqu'un peu vulgaire, l'image est assez sexy, la provocation réfléchie. En quelques images, Inna est en train de devenir la reine d'un certain trouble. Une Ève à la fois tentatrice et castratrice. Certains ne voient que la fille torse nue, posant de façon presque porno pour attirer sa proie. D'autres ont compris le piège et observent, amusés, ces Barbies ukrainiennes en train de castrer une imagerie millénaire. Combien de siècles de « performances » comme celles-ci faudra-t-il pour que les banques d'images d'agences photos regorgent d'autant de femmes chasseresses et non chassées ? Combien de toiles Oksana devra-t-elle peindre si elle veut un jour remplacer, dans chaque église, les portraits de la Vierge Marie par des icônes, n'ayant plus à choisir entre « mère » ou « putain » ? Les Femen sont nues comme des putains couronnées, comme le Christ. Inna, leur nouvelle icône, vient de monter en croix, à sa manière… castratrice et révolutionnaire.

*

Qu'a-t-elle fait en rentrant si tard, après avoir déambulé pendant des heures dans les rues de Paris ? Elle a tourné la clef de cet appartement qui n'est pas le sien, perdue au milieu de ce grand pays auquel elle n'appartient pas. Puis elle a allumé son iPad, où elle rejoint les siens et les autres, loin de toute frontière. Une rumeur l'accuse d'avoir scié une croix érigée en souvenir des victimes du communisme.

La Voix de la Russie parle d'une croix érigée lors de la révolution Orange « par les uniates de Transcarpathie en mémoire des victimes de la Tchéka », la police bolchevique qui a massacré les Grecs catholiques dans les années 1920-1930, avant que Staline ne les force à choisir l'orthodoxie. De la propagande russe pour faire croire que Femen visait ce symbole, alors que cette croix a été choisie pour sa forme, être en bois, et n'appartenir à personne… La guerre moderne est ainsi faite, à coups de bluffs téléguidés. Inna s'en moque. Tant pis s'il existe des esprits assez faibles pour se laisser manipuler. La sonnerie de skype n'arrête pas. Il y a Natalia, qui l'a hébergée en Pologne et veut savoir si elle est bien arrivée. Anna qui se demande pourquoi elle ne répond pas. Viktor qui panique. Et ses parents, à qui elle aimerait laisser un message, sans en avoir la force. Pas même d'écrire : « Tout va bien. Ne vous inquiétez pas. Je suis à Paris. »

« Paris… Je suis à Paris », se dit-elle enfin, sans y croire. Son corps n'est toujours pas fatigué, trop tendu, trop angoissé. Elle ouvre sa valise. « *Tiens, je ne savais pas que j'avais pris ça* », se dit-elle en sortant un vieux T-shirt marin doux, rayé de rose. Il sent bon l'Ukraine. Elle se déshabille, s'enveloppe de ce pyjama aux couleurs de voyage et s'imagine comme son père jadis, lorsqu'il levait la grand-voile. Elle regarde une dernière fois autour d'elle la chambre de la petite fille de Safia. Il y a des poupées, des jouets en plastique coloré. Un bout d'innocence qui lui manque, peut-être, pour la première fois.

*

Inna Shevchenko est née à l'Est de la mer Noire, sur une plaine qui a déjà rendu célèbres les Amazones. La légende prétend qu'elles se coupaient un sein avant d'aller à la guerre et n'avaient pas d'amant avant d'avoir tué un adversaire. Inna aime cette idée, qu'elle n'avait sûrement pas en ouvrant les yeux, pour la première fois, le 23 juin 1990. Au milieu de deux événements décisifs pour sa vie comme celle de son pays : la chute du mur de Berlin et l'indépendance de l'Ukraine, si peu palpable à Kherson, sa ville natale.

Ce port de Crimée d'à peine 300 000 âmes, au sud-est de Kiev, a subi toutes les invasions : le règne des Tatares qui transformaient les slaves en esclaves, souvent sexuels, les raids barbares des cosaques, la colonisation ottomane et finalement russe. Le général Potemkine bâtit la ville actuelle sur les ordres de la grande Catherine de Russie. À 200 kilomètres à l'est de la mythique Odessa, le long d'un bras de la mer Noire, sur une terre où il peut faire moins vingt degrés l'hiver et quarante l'été. Ses bâtiments de style colonial se répartissent le sol avec la précision d'un stratège militaire. En vain. Ni Kherson ni l'Ukraine n'ont jamais su se défendre. Les Français et les Grecs y ont débarqué pour soutenir l'Armée Blanche contre les alliés de l'Armée Rouge, puis ce sera au tour des nazis d'occuper les lieux pendant presque toute la Seconde Guerre mondiale.

— Mon pays a toujours été occupé, envahi et violé, comme une prostituée, me dira Inna d'un air rageur, comme si la dernière invasion venait juste de s'achever.

Contrairement à la partie ouest du pays, plus tournée vers la Pologne et l'Europe, l'est de l'Ukraine regarde toujours vers Moscou. On y parle plus volontiers russe qu'ukrainien, en souvenir d'une colonisation politique devenue économique. La plupart des familles vivent grâce aux affaires des oligarques, leurs nouveaux maîtres.

Ni pauvre ni aisée, la famille d'Inna hésite entre ressentiment pour le colon russe et nostalgie pour le bon vieux temps de l'URSS, avant ce qu'elle appelle la « destruction » du Mur. Inna est trop jeune pour s'en souvenir. Mais on lui a raconté. La vie était grise, sans surprise, sous domination soviétique, mais tout le monde avait un statut et de quoi manger. Avant, on n'avait rien mais on ne le savait pas. Après, on manquait de tout et on le savait. Elle se souvient d'un soir où son père a rapporté quatre biscuits comme s'il s'agissait d'un repas de fête.

— Il faudra bien les déguster.

Olga, la mère d'Inna, doit parfois partir des semaines, avec d'autres femmes, pour trouver des vêtements et des produits manufacturés en Pologne, en échange de la vente de cigarettes, d'objets, et de quelques légumes. C'est risqué, pas vraiment légal, mais tout le monde le fait et cache sa marchandise dans les trains pour s'en sortir. Inna pleure quand elle part, mais plus encore quand son père s'en va pour des semaines. Le cœur brisé, le colonel Valéry Shevchenko doit s'éclipser sur la pointe des pieds. Parfois, il regrette ses années de liberté, quand il était marin. Ses navigations enchantaient ses camarades. Jusqu'à ce jour de repos à terre, où il passa sous les fenêtres de la résidence universitaire, soudainement hameçonné par le regard d'une étudiante en lettres, une jolie brune aux cheveux longs. Comme beaucoup de femmes ukrainiennes, Olga voulait étudier, mais surtout se marier. Elle ne résista pas longtemps à ce marin, drôle et populaire, qu'il fallut garder à bon port... Grâce à une ancre ayant fait ses preuves : une petite fille nommée Yulia.

— Tu dois choisir entre la mer et la mère de ton enfant.

Abdiquant en silence, Valéry Shevchenko s'est mis à chercher un travail sûr pour devenir le mât qu'on attendait de lui. L'armée n'est plus ce qu'elle était, prestigieuse, mais cela reste l'armée. Un boulot bien payé. Il ne tarde pas à monter en grade, jusqu'à finir major des troupes du ministère de l'Intérieur. Quel rituel à la maison, chaque fois qu'il gagne une étoile ! Comme les yeux de la petite Inna brillent quand il faut la coudre à son costume !

Pour sa seconde grossesse, Olga pensait attendre un garçon. Un petit Alexis. Ce sera finalement Inna. Une vraie poupée blonde, casse-cou en diable, toujours prête à griffer sa sœur et à l'accuser d'avoir commencé, à grimper aux arbres ou à jouer avec sa bande de copains dans les ruines d'un immeuble en construction. L'un de ces chantiers à l'arrêt depuis la « destruction du Mur ». La petite Inna adore y traîner en jean et baskets, quand sa mère ne rêve que de l'habiller en petite fille modèle. Le matin, elle part à l'école déguisée en matriochka, avec un petit pull brodé, une chemise à dentelle et un nœud rose dans les cheveux. Le soir, elle revient les cheveux en bataille et le genou en sang parce qu'elle est tombée en jouant. En revanche, la petite n'est jamais malade. Pas la moindre grippe. Une fierté pour son père, qui s'en vante auprès de sa femme :

— C'est grâce à moi. Au fait que je l'ai lavée à l'eau glacée quand elle était petite !

Valéry Shevchenko a lu ça dans un livre : l'eau glacée renforce le système immunitaire des nourrissons. Trop tard pour sa fille aînée, mais pas pour sa cadette. Tous les matins, pendant un an, il sort la petite et lui verse consciencieusement de l'eau glacée sur le corps, qu'il vente ou qu'il neige. L'enfant sera le seul de la paroisse à trouver l'eau bénite plutôt douce lors de son baptême, que son mécréant de père se résigne à faire en même temps.

Plus Inna grandit, plus elle se sent proche de cet homme carré et moustachu. Sa droiture l'impressionne sans l'effrayer. Son père peut être à la fois autoritaire et drôle. Il est aussi la personne la plus cultivée qu'elle connaisse, celui qu'elle aimerait pouvoir à son tour impressionner, sans jamais vraiment y arriver. Sa mère a moins d'exigences. Inna regrette qu'elle ait coupé ses longs cheveux et ressemble chaque jour davantage à sa grand-mère, parfaite mais résignée. Depuis la crise, elle cuisine le jour comme cantinière et le soir comme ménagère. Sa fille la regarde « porter sa charge comme un âne », en rêvant du jour où elle saura se révolter.

Ses parents sont-ils heureux, encore amoureux ? La question ne se pose plus. Tout tourne autour des enfants, qu'on laisse venir dans le lit conjugal pour conjurer les coupures d'électricité, que la petite Inna croit rationnée depuis la fin de l'URSS. Elle l'est surtout à cause de

Tchernobyl, dont on ne parle jamais. Tous les soirs, pendant dix ans, de 18 heures à 22 heures, la plupart des foyers ukrainiens sont plongés dans l'obscurité. Comme une métaphore de l'histoire, une marche en arrière et non plus vers le progrès.

Pour une mère qui doit cuisiner, c'est l'enfer. Pour les petites, ce sont de douces années passées à la bougie dans le lit entre maman et papa. Souvent, on joue à des jeux de société. La petite Inna apprend vite, elle est douée et déteste perdre. Quand on est trop fatigué pour la défier, Valéry Shevchenko se met à chanter ou à jouer au conteur. Les filles adorent : « Papa, s'il te plaît ! Une autre ! » Il savoure ce moment où leurs grands yeux s'ouvrent comme sur un théâtre et entonne des chants de soldats, morts par millions pendant la Seconde Guerre mondiale : « *La nuit noire est entre nous, et le champ de bataille nous sépare. Mais je crois en toi, je n'ai pas peur de la mort, je la rencontre tous les jours, elle est partout autour de moi. Mais tu m'attends et je sais que rien ne peut m'arriver.* »

À 22 heures, la lumière revient. Les filles filent à la douche, puis se mettent au lit dans leur chambre. Une petite pièce joliment arrangée, avec des livres pour jouets. Inna les dévore. Un jour, elle découvre Gogol et ne peut plus s'arrêter. Son père doit crier pour l'obliger à fermer les yeux.

Du temps de l'Union soviétique, tout le monde ou presque était abonné à des clubs de lecture et recevait chaque semaine des paquets de livres. Aujourd'hui, les jeunes ne pensent qu'à regarder la télévision. Inna déteste ce laisser-aller, mais pas les nouvelles technologies qui la passionnent autant que son père. Dès qu'il peut, Valéry Shevchenko revient à la maison avec une trouvaille. Une antenne, un magnétoscope, qu'il faut bricoler pour qu'ils marchent. Il sera le premier en ville à avoir Internet. Aucun père n'en a plus besoin pour suivre les aventures de sa fille, son bébé devenu femme, qui ne tombe jamais malade mais peut prendre des risques insensés pour défier l'armée des patriarches et des Églises. Un vrai petit soldat, dont il est fier, même quand elle va si loin… Jusqu'à susciter la rage des bigots qui l'entourent.

L'ancien colonel de l'Armée Rouge assiste consterné au réveil des superstitions depuis la fin de l'utopie communiste. À croire que l'« homme nouveau » n'a jamais existé. Plus le communisme obligeait les êtres à couper leurs racines, plus les croyances ancestrales repoussaient à l'ombre des églises. Surtout si on s'approche de la frontière polonaise, cette partie ouest de l'Ukraine dont la mère d'Inna est originaire. Son village natal a connu les déplacements forcés sous Staline. Là-bas, on a toujours parlé l'ukrainien, et le dimanche on va à l'église, symbole de la résistance au totalitarisme, sauf quand il s'agit de sermonner.

La famille d'Olga, très nombreuse, se retrouve autour de messes chargées d'encens et de morale. Chaque visite à sa belle-famille arrache des soupirs d'ennui au colonel. Sa femme a tellement de cousins et de frères bornés. Il ne peut s'empêcher de les provoquer par des blagues qui choquent ses beaux-frères et font rougir leurs épouses. Mais, depuis quelques mois, le mari d'Olga n'est plus le centre des soupirs familiaux. Sa fille l'a surpassé. On ne parle que de cette petite fille jadis adorée, sage et belle, celle que son oncle appelait « l'enfant de Dieu », et qui s'est transformée en monstre. La dernière fois que Inna a mis les pieds à un mariage, juste après l'action contre le patriarche Kirill, elle a passé la soirée à éviter les cousins jurant de la remettre dans le droit chemin par une bonne raclée. Une tante a même menacé de l'embrocher. Seule sa grand-mère continue de tout lui pardonner :

— Je ne lui en veux pas pour cette croix. Je comprends ce qu'elle veut dire. Mais pourquoi n'a-t-elle pas laissé une de ses camarades le faire à sa place ? C'est très dangereux tout ça.

La matriarche aux cheveux blancs, veuve depuis la guerre et que tout le monde respecte pour avoir élevé ses enfants seule, l'a dit avec une tendresse évidente. Ses fils en sont restés soufflés. Pour une fois, Olga s'est mise à tenir tête à ses frères :

— Je suis fière de ma fille, a-t-elle murmuré, les joues encore rouges de son audace.

Jamais son mari n'avait été aussi fier d'elle. Ni sa fille, lorsque sa sœur lui rapporte son fait d'armes sur skype. Savoir que son exemple pousse sa propre mère à se rebeller, fût-ce par amour pour elle, l'émeut aux larmes dans cette petite chambre d'enfant, où elle préférait ne pas penser à ses parents. Ils lui rappellent une Inna qu'elle ne veut plus être.

Dans son nouveau monde, les seuls êtres qu'elle s'autorise à considérer sont les activistes. Un grade qu'elle place au-dessus de tout autre type d'être humain, et même parfois, elle l'admet, de toute humanité. Quand on lui demande ce qu'elle entend par « activiste », ses yeux s'allument d'un feu inquiétant : « Un activiste, c'est quelqu'un qui n'a pas de passé et pas de futur. Il vit au service de son objectif. »

Persuadée que Femen l'aide à réaliser ce rêve, elle se voit en « femme nouvelle », débarrassée des contingences matérielles, familiales et affectives, capable de s'élancer vers le rêve d'un grand soir, où Femen sera l'avant-garde d'une révolution féministe mondiale comparable à la luddite, cette grande révolte du début de 1811, dont son père lui a tant parlé. Des ouvriers anglais conduits par Ludd se mirent à casser les machines prévues pour les remplacer dans les usines. Dans la révolte d'Inna, les féministes vont casser le système patriarcal qui remplace les femmes par des prostituées.

CHAPITRE 2

L'exil

Où va-t-elle vivre désormais ? Même sans attaches, un soldat doit pouvoir s'abriter, surtout s'il veut lever une armée. Un lieu pourrait servir de refuge : le Lavoir moderne parisien. Un bar-théâtre alternatif situé dans le quartier populaire de la Goutte d'Or. Safia connaît bien les lieux. C'est là qu'elle a organisé la première soirée de Femen-France, juste avant l'été. Sans la moindre publicité, rien qu'avec le bouche-à-oreille, le théâtre s'est rempli comme une ruche de gauchos, d'alters et de hackers, piqués de curiosité pour ces féministes ukrainiennes. Une soirée vibrante qui a revigoré l'équipe du Lavoir, épuisée à force de lutter contre les dettes qui s'accumulent, un propriétaire qui veut vendre à un promoteur immobilier, et la mairie qui hésite à les soutenir. La soirée s'est prolongée autour d'un verre, puis d'un autre. Les filles ont conquis le maître des lieux, Hervé. Un militant associatif d'une cinquantaine d'années, pas vraiment doué en gestion, mais très intuitif.

— Si on continue à vous taper dessus en Ukraine, venez chez nous !

Ce serait l'alliance parfaite. Entre un mouvement qui se cherche un abri et un lieu qui a besoin d'être dans

47

la lumière pour ne pas fermer en silence. Hervé l'a dit à Safia. Mais depuis, ils n'en ont pas reparlé. Inna se demande si elle n'a pas fait tout ce chemin pour trouver porte close. Safia a beau la rassurer, elle n'en mène pas large quand elle approche de la façade du Lavoir, bariolée d'un immense tag jaune et noir. À chaque pas, son cœur bondit. Mais Hervé l'aperçoit et s'illumine.

— Hey Inna ! Qu'est-ce que tu fais là !

— Je me suis enfuie. Ils veulent me mettre en prison…

— C'est pas vrai…

— Ta proposition tient toujours ?

— Bien sûr qu'elle tient. Viens, je te montre ton nouveau chez-toi !

Inna ne sent plus ses jambes. Désormais, tout est possible. Elle regarde les lieux comme si elle les découvrait. La dernière fois, elle venait pour une conférence. Aujourd'hui, c'est chez elle. Au rez-de-chaussée, le plafond du hall lui paraît plus haut et la salle plus petite, avec son comptoir ouvert à tous, ses fauteuils en cuir et deux tables de bistrot où elle pourra recevoir des journalistes. Au fond, la double porte en bois donne sur le fameux théâtre, une salle en briques rouges, alignant des fauteuils de cinéma en velours bleu, décatie mais charmante. Le Lavoir y projette des films alternatifs, quand il n'accueille pas des conférences comme celle de Femen. L'escalier en bois mène à la galerie du premier étage, immense. Un rectangle de cent mètres carrés, éclairé sur son flanc droit par une verrière typiquement parisienne, dont certains carreaux laissent passer la pluie. Les murs en brique peints en blanc sont couverts de posters criant « résistance », les coins noircis de bric à brac : des objets baroques, de vieux ordinateurs. Au centre trônent un canapé rouge défoncé, et quelques chaises... Idéal pour tenir des réunions et fomenter la révolution.

— Je te montre ton studio ?

Hervé lui indique le vieil escalier en fer, terriblement raide et encombré d'objets, qui tourne derrière une vieille cage d'ascenseur, à l'arrêt depuis des années. On a du mal à ouvrir la porte, tant la remise est pleine à craquer d'objets pour le théâtre. Le sol peine à émerger, mais une fois dégagé, il y a de quoi aménager une première pièce et une deuxième, plus petite, qui donne sur une terrasse vermoulue posée sur les toits. Entre les deux, il y a même une petite salle de bains, avec une baignoire, un évier et des w.-c.

— Ce n'est pas en très bon état, dit Hervé... Mais j'ai vécu là dix ans sans problème.

Inna regarde les lieux, vétustes mais prometteurs. Elle a le vertige. L'ancienne étudiante repense un instant au bel appartement qu'elle pouvait louer quand elle n'était pas cette « hooligane » recherchée et apatride. Aujourd'hui, la voilà dans un squat, mais libre. Elle remercie mille fois Hervé et passe la journée à récurer avec une autre militante. Le soir, Safia et son mari, Fernando, les rejoignent.

— Bravo les filles, vous avez bien bossé. Il ne reste plus qu'à acheter des draps et tu l'as ton studio. On rentre à la maison ?

— Non, je vais rester.

— Mais il n'y a rien pour dormir.

— C'est pas grave, ne t'inquiète pas, j'ai envie.

Safia regarde une dernière fois Inna, dont la tenue risque de détonner dans le quartier.

49

— Inna. Y a beaucoup de « muslims » par ici. Faut faire un peu gaffe le soir, surtout blonde et en short… OK ?

C'est bien la première fois de sa vie que l'ancienne vice-présidente de Ni putes Ni soumises donne un conseil pareil, mais elle s'en voudrait s'il lui arrivait quelque chose… Inna digère. Elle ne pensait pas être en danger à Paris à cause d'un short.

On se dit au revoir et elle ferme la porte, soulagée. Être activiste ne tue pas le besoin d'être seule. Ces jours derniers, elle n'a pas passé une seconde avec elle-même. Il le faut pour comprendre ce qui lui arrive, et envisager la suite. La tête posée sur un T-shirt roulé en boule, dans cette chambre vide où tout est possible. Avec trois fois rien : un squat, des seins et la Wifi.

Sur Internet, c'est toujours le même déluge. Un organe pro-russe prête aux permanentes des Femen un salaire mensuel de 1 000 euros, payé par Soros ou la CIA. Alors que le groupe lui rembourse tout juste de quoi manger et mener les actions (quelques shorts, des posters et de la peinture), parfois des taxis. Ce n'est pas si mal vu d'Ukraine, mais loin d'être un salaire dont on peut disposer, et bien moins que ce que sont payés les permanents de n'importe quelle ONG. Pourquoi focaliser sur l'argent quand il s'agit d'un mouvement de femmes ? Si ce n'est pour mépriser la force de leur engagement, leur autonomie de pensée et les faire passer pour des prostituées ? La vérité, c'est que Inna a tout sacrifié pour Femen. Sa carrière, sa vie personnelle, et qu'elle n'a plus rien, ni chez-soi, ni futur.

*

Dans un monde ordinaire, disons démocratique, elle serait sans doute devenue journaliste ou femme politique. Certains enfants sont nés pour seconder, d'autres pour être premiers en tout : enfant préféré, délégué de classe, futur patron ou leader. La petite Shevchenko est de ceux-là. À sept ans, elle décroche une récompense prestigieuse, une très bonne note qui lui vaut une médaille, comme les écoles de l'Est savent encore en fabriquer. Elle court l'annoncer à son père, d'un air si passionné qu'il s'en inquiète.

— C'est bien, ma fille, mais tout ce que tu fais, tu dois le faire pour toi.

L'effusion s'est arrêtée là. Pour la petite Inna, c'est la plus glaciale des douches. Elle tourne les talons et part pleurer à l'abri des regards. Encore aujourd'hui, ce souvenir trouble l'activiste. Avec le recul, cette réplique lui paraît être un cadeau. En une phrase, son père l'a libérée de tout ce qui contraint d'ordinaire : le regard des autres, le besoin de leur plaire. Ce serment lui permet de n'en faire qu'à sa tête, lorsqu'elle décide que quelque chose est « bon pour elle ».

Mais pour l'heure, Inna n'est qu'un motif de fierté. Meilleure de sa classe, déléguée tout au long de sa scolarité et même présidente de l'école à quatorze ans. La fonction suprême au sein du système scolaire post-soviétique. Elle permet d'assister au Conseil pédagogique et d'y porter les revendications des élèves. Inna, qui n'est alors qu'en seconde, s'est présentée contre neuf autres candidats de terminale. Contre toute attente, après trois semaines de campagne, elle est élue, et sera réélue jusqu'à la fin de sa scolarité. À 15 ans, elle remporte un voyage qui récompense les meilleurs de son lycée : Varsovie, puis Paris !

51

— C'est tellement beau…

Elle n'arrête pas de le répéter, le nez collé à la vitre, en découvrant la capitale de la Pologne. Ses immeubles jaunes et verts aux tuiles rouges, les pavés de la grand-place et cette immense colonne à la pointe d'or. L'endroit le plus à l'ouest qu'elle ait jamais visité. Il flotte comme un parfum doux, enivrant, qu'on appelle Liberté. Paris est plus décevant. Elle attendait tant de cette capitale de la culture, la Commune, la Révolution française, et sa Joconde… Si petite dans son abri de verre. N'empêche, elle donnerait n'importe quoi pour être l'un de ces êtres insouciants qu'elle voit lézarder sur la pelouse de Montmartre, comme s'ils aimaient leur vie.

En chemin, Inna comprend qu'elle est de l'espèce des oiseaux migrateurs, comme son père, et qu'elle étouffe en attendant de voler. Ses professeurs la trouvent transformée.

— Vous savez, madame Shevchenko, Inna est toujours aussi brillante, mais j'ai l'impression qu'elle a beaucoup changé depuis son voyage. On dirait qu'elle est ailleurs.

C'est comme ça depuis des années. Dans toutes les réunions de parents d'élèves, la petite Shevchenko cristallise l'attention. On ne parle que d'elle, de sa précocité, de sa repartie, de son tempérament. Les professeurs la citent en modèle, ses camarades se pendraient pour elle. Sa mère s'en veut presque. Toute cette attention n'est pas très convenable. Mais elle ne peut rien lui reprocher. Sa fille n'a rien d'une dévergondée.

À Kherson, de toute façon, les sorties sont assez limitées. On traîne en centre-ville, sans vitrines à lécher.

52

On pique-nique. Ah si… on assiste aux défilés militaires du 9 Mai, jour de la victoire de l'Union soviétique sur l'Allemagne nazie. Un rituel qui électrise l'école et ses jeunes, comme un concert de rock en Europe. Le reste de l'année, quand les nazis n'ont rien fait ou qu'il fait trop froid pour pique-niquer, les mêmes jeunes s'ennuient. Ils dansent et boivent, en espérant qu'il s'agit d'une phase et non d'un destin. Une impasse que Inna veut éviter à tout prix. Elle ne boit pas, ni vodka ni bière, et ne fume pas. Tous les soirs, à 18 h 30, les garçons la voient sortir de chez elle, un gros livre sous le bras, pour aller à ses cours d'anglais, qu'elle a décidé d'apprendre en accéléré.

— Inna, arrête un peu de crâner. Tu ne veux pas plutôt faire la fête avec nous ?

— Pour finir comme vous, comme des losers ?

Les garçons se marrent et n'insistent pas. Au fond, ils envient sa détermination, et la respectent pour ça. Pour beaucoup, il est évident que Inna n'est pas fille à flirter. On la dévore des yeux, on l'écoute, on lui obéit, mais on ne la touche pas. Il n'y a que Locha pour se mettre en tête d'y arriver. La belle gueule du coin, le plus populaire, celui qui a défendu les couleurs du quartier lorsque la guerre des gangs faisait rage à Kherson. Pas vraiment le Bronx, mais quand même, on s'est échangé quelques dérouillées. Locha est plus âgé, il a une voiture et du succès. Toutes les filles rêvent de monter à bord, quand il relève le col de son blouson de cuir et fait vrombir son moteur. Lui ne pense qu'à elle : la plus inaccessible des filles. Il est là, tous les soirs, à l'attendre quand elle sort de son cours d'anglais, situé à l'autre bout de la ville, à lui proposer gentiment de la ramener. Après quatre mois, elle a fini par s'habituer.

— On n'a qu'à dire qu'on est ensemble, lui dit-elle un jour.

— On peut s'embrasser ?

— Oui, peut-être, lui répond Inna en se levant d'un bond et en lui claquant la portière au nez.

Après quelques semaines, parfois, mais pas toujours, s'ils ont longuement roulé, qu'il a su la faire rire et la mettre en confiance, ou qu'elle est fatiguée, enfin, il peut la serrer contre lui. Elle lui concède son premier amour sans conviction. À peine est-il ivre de son odeur qu'elle part grimper les marches de ses parents.

— Dis-moi, lui dit sa mère, un jour, il faudra bien que tu apprennes à cuisiner si tu veux trouver un mari.

Inna sait cuisiner, elle a appris en cachette, mais trouver un mari est le cadet de ses soucis. Elle en veut à sa mère de ne pas le comprendre. Les garçons, elle n'en parle jamais avec sa meilleure amie, Katia, la seule autre fille de la bande, une bûcheuse comme elle. En dehors de l'école et des livres, les deux amies ont trouvé une autre fenêtre pour s'évader : le théâtre de Kherson. Avec ses colonnes doriques et son fronton triangulaire, il fait office de temple grec, planté au milieu d'une place soviétique déserte. Au XIXᵉ siècle, la noblesse locale s'y pressait. Un siècle et demi plus tard, on y joue surtout des pièces classiques devant un public clairsemé, quelques têtes grises et deux têtes blondes. Inna et Katia y sont fourrées tous les week-ends.

Un samedi, elles rient aux éclats en voyant une troupe incarner une famille de propriétaires terriens totalement désemparés par l'abolition du servage. Cette dépendance grossière des bourgeois à leurs biens, qu'ils croient posséder et qui les dominent, devient la métaphore de tout ce qu'elle méprise. Elle aimerait tant que sa mère, qu'elle trouve décidément trop servile, puisse elle aussi s'affranchir. Un week-end, elle se donne pour mission de l'arracher à ses tâches ménagères pour l'entraîner au théâtre. Quelle soirée mémorable ! En sortant, rayonnante comme jamais, Olga a un cri du cœur qui achève de désespérer sa fille :

— C'était magnifique ! Je me suis sentie aussi bien qu'à l'église !

*

À l'école, Inna a connu deux femmes fortes, qui la changent du modèle maison. La directrice, une femme sévère mais juste, et sa professeure de littérature. La meilleure professeure de Kherson, une célébrité qui passe souvent à la télévision. Seuls les meilleurs élèves ont le droit d'assister à sa classe, et bien sûr Inna en fait partie.

La professeure adore cette jeune élève, vive et ambitieuse, qu'elle voit avec appréhension se transformer jour après jour, comme toutes les jeunes de son âge, en poupée apprêtée et trop maquillée. Un vrai fléau dans les pays de l'Est depuis la chute de l'Union soviétique, gangrenées par la mafia et ses codes de séduction. À croire que ce Mur n'est tombé que pour s'acheter des talons aiguilles !

— Vous croyez que vous allez trouver un mari avec des vêtements aussi clinquants ? Vous vous trompez. Les hommes courent peut-être après les femmes qui brillent, mais quand ils cherchent une épouse, ils veulent une femme discrète.

— Mais madame, pourquoi pensez-vous qu'on s'habille comme ça pour plaire aux hommes ? C'est pour nous ! lui répond l'élève Shevchenko.

Elle ne renoncera à aucun stratagème pour rester populaire parmi ses camarades. Tout en adorant ce cours où l'on apprend à nourrir d'autres ambitions en planchant sur les grands noms de la littérature nationale. La professeure, une grande patriote, parle un ukrainien parfait, délié, élégant. Elle sait redonner vie aux grands auteurs, avec leurs ombres et leurs lumières. Comme la figure mythique de la Nation, le grand poète Taras Shevchenko (toujours aucun lien de parenté…). Cet ancien serf a racheté sa liberté en peignant des tableaux, avant de rejoindre une confrérie secrète qui rêvait d'abolir le servage et d'instaurer l'égalité sociale. Ses vers inspirent l'hymne national. C'est au pied de sa statue que la jeunesse de Kiev se réunit chaque fois qu'elle rêve de révolution.

— Taras Shevchenko avait la passion des femmes, comme beaucoup d'hommes, et de la boisson comme beaucoup de slaves, mais aussi de la Nation ukrainienne, comme peu de poètes.

Si l'Ukraine s'accroche aux rêves de ses poètes, c'est qu'elle nourrit peu d'illusions quant à la réalité de son indépendance. Moscou lui a concédé une liberté de papier mais lui a bien vite remis les chaînes aux pieds, grâce à des hommes politiques comme Koutchma. Un homme d'affaires ayant fait fortune dans la vente de missiles, décrit par un opposant comme « le président le plus riche d'Europe dans le pays le plus pauvre d'Europe ». Haï et discrédité, surtout après la disparition d'un journaliste vedette ayant dénoncé la corruption de son gouvernement. Il se sentait suivi et menacé. On a retrouvé son corps dans une forêt, sans tête, la dépouille brûlée à l'acide. Des écoutes téléphoniques révélées par la presse désignent des responsables au plus haut niveau, ainsi qu'un système de filatures des opposants, des bakchichs et des trucages électoraux, qui achèvent de révolter l'opinion.

Lorsque la révolution Orange gronde, en 2004, Inna est encore au lycée. Elle mène campagne contre Viktor Ianoukovitch, un repris de justice populiste proche du Kremlin. S'il est élu, le lobby militaro-industriel aura carte blanche pour dépecer l'État ukrainien. C'est pourtant le candidat de l'immense majorité des habitants de Kherson, où presque chaque famille dépend d'une usine proche de Moscou ou du business des oligarques. Même la mère d'Inna le soutient ! Sa fille s'en désespère.

— C'est un homme du peuple...

— Maman, arrête de croire à la propagande !

Toute l'école est mobilisée pour ce candidat. La directrice appelle à voter pour lui en Conseil pédagogique. Inna décide de réagir. Le lendemain, la présidente de l'école arrive les cheveux tressés en nattes autour de la tête... Comme Ioulia Timochenko, la probable future Premier ministre de l'autre candidat, le candidat « orange », plus démocrate, plus moderne, ancré à l'Ouest : Viktor Iouchtchenko. Elle a aussi noué un ruban orange sur son cartable. Une vraie dissidence.

— Inna, dans mon bureau !

La directrice et sa professeure la regardent d'un air sévère.

— Tu représentes l'école comme déléguée. Tu ne peux pas prendre parti de cette façon et faire de la politique.

— Parce que vous ne faites pas de la politique, peut-être. Toute l'école est au garde-à-vous pour soutenir Ianoukovitch !

— Dénoue cette natte et va en classe !

La déléguée a détressé ses cheveux dans un mouvement de rage, fière de la révolution Orange qui se lève. Le candidat du Kremlin a été déclaré gagnant, de justesse, mais personne ne croit à la sincérité du scrutin. Des centaines de manifestants descendent dans les rues et se mettent à occuper la grande place de Kiev, le fameux Maïdan, pour dénoncer la fraude. L'Ukraine vit une bouffée d'air démocratique. On ne parle plus que de ça, à la télévision et dans les foyers. Les disputes sont vives entre les « Bleus » et les « Orange ». Inna s'amuse de voir sa mère se prendre au jeu, même si elle se trompe de camp. Après des semaines de sit-in, les Bleus doivent reconnaître leur défaite. Les Orange ont gagné. Viktor Iouchtchenko devient président, le visage encore marqué par une tentative d'empoisonnement à la dioxine, qui désigne Moscou.

À l'âge où les adolescents flirtent, la jeune fille découvre le pouvoir de la rue et de la protestation pacifique, dont Inna parlera si souvent par la suite à propos de Femen. L'autre leçon est plus classique mais plus amère : ne jamais faire confiance aux politiques. Le gouvernement s'est bien attaqué à la corruption. Une véritable « opération mains propres » dans l'administration (quinze mille fonctionnaires remplacés). Mais les lobbys ont survécu et les mauvaises habitudes reprennent. Une désillusion pour toute une génération.

*

Je n'ai jamais appris à cuisiner, pas même en cachette. Ma mère, aussi, s'inquiétait pour mon futur mari. Elle n'aurait pas dû. Ma femme est la meilleure cuisinière de Paris. Elle sait tout préparer : des currys thaïs, des baltis, des plats afghans, libanais… Ce matin-là, la table de notre salle à manger ressemble à un banquet de fête, gorgée des meilleures spécialités du Marais : une praluce fourrée de pralines rosies du Piémont, du thé de chez Mariage frères et un jus d'orange pressé de chez l'épicier kabyle. Je me demande quel effet ce défilé de gourmandises peut produire sur une Ukrainienne filiforme de 22 ans, chez qui le plaisir de manger doit être à peu près autant une priorité que s'acheter un service en porcelaine pour son squat.

— Waou, c'est ton nouvel appartement, la classe, dit Safia en inspectant les lieux.

L'appartement n'est pas grand mais bien situé, et nous avons passé des mois à tenter d'en faire un écrin apaisant, inspiré du *zen* marocain et balinais. Tels deux peintres satisfaits d'avoir su dessiner un monde où la fureur de l'actualité ne pourra plus nous atteindre. On peut être cartésienne, rationaliste, et croire à l'équilibre des mondes. Une balance entre ce que la tradition musulmane appelle « l'espace de la guerre » et « l'espace de la paix ». Ma vie professionnelle est tournée vers la guerre. Mon espace de paix se doit d'être dévoué à l'harmonie et à la sérénité. Simple question d'équilibre. Pourtant, je sens bien que mon ancien chez-moi, celui où j'ai habité pendant quinze ans dans un quartier populaire, correspondait mieux à mon statut d'intellectuelle de gauche, surtout aux yeux d'amies ayant grandi en banlieue. Je n'ose même pas en imaginer l'effet sur Inna, qui arbore un sourire à la fois poli et condescendant. Les rebelles bolcheviques devaient avoir le même avant de saisir les biens des bourgeois en 1917, ou alors j'ai trop regardé *Docteur Jivago*. J'ai envie de crier : « Ne te fie pas aux apparences, rien n'a de la valeur, je suis endettée sur vingt-cinq ans et le feu de la révolte continue de brûler en moi ! »

Il est grand temps de prendre place à table, que Inna dévore des yeux, en imaginant sans doute que tous les Français banquettent tous les matins comme à la Cour de Versailles. Puisque nous en sommes aux clichés exotiques, je n'arrive pas à détacher mes yeux de sa tenue, si légère, même pour une fin d'été. Un T-shirt aux couleurs pastel, et ce short très court qu'elle doit être à peu près la seule à pouvoir porter sans être totalement vulgaire. Mon regard suit malgré moi la courbe de ses mollets quand j'aperçois… Oh mon Dieu, d'immenses talons aiguilles !

Rien ne me préparait à un tel choc culturel. Quand nous avons choisi d'opter pour un parquet bambou foncé, le parquetier nous a mises en garde : « C'est salissant, mais solide. Sauf bien sûr si vous avez des amies qui portent des talons aiguilles. » Nous l'avons immédiatement rassuré : « Aucun risque. Toutes nos amies sont féministes. » Voilà qui m'apprendra à céder aux généralités. Cinq mois plus tard, la féministe la plus radicale du moment est dans mon salon, et elle porte d'immenses talons qui pourraient bien coûter à mon parquet ce que sa tronçonneuse a coûté à cette pauvre croix en bois ! Tout simplement barbare.

— Tu préfères qu'on enlève nos chaussures ? me demande très poliment Inna, qui n'est peut-être pas si bolchevique.

— Bien sûr que non, dis-je d'un air détaché.

Ce qui me frappe, c'est ce décalage. Entre une vie engagée mais heureuse et pacifiée, que j'ai passée vingt ans à construire, et cette jeune guerrière ayant sauté dans le vide pour ses idées. Jusqu'où est-elle prête à aller ? À ne jamais se poser ? Mais alors où trouver l'énergie pour durer ? En a-t-elle conscience ? En avais-je conscience à 20 ans ?

Inna fixe le buffet mais mange peu. Par peur de se jeter sur tout. Elle n'a quasiment rien avalé depuis son arrivée à Paris.

— Comment ça se passe en Ukraine, ils parlent beaucoup de ta fuite ?

— Oh oui, sourit Inna. Ils ont consacré l'un des talk-shows les plus écoutés à mon cas. J'étais en direct depuis skype. Anna et les filles étaient sur le plateau.

— Et alors ?

— C'était tellement ridicule. Nos médias recherchent toujours l'émotion… Ils ont fait venir la mère d'Anna, sans lui dire, pour que Anna fonde en larmes.

— Ils ont aussi fait venir tes parents ?

— Ah non, heureusement ! Mais ils ont diffusé un long reportage sur moi, ils ont montré la croix… Ce qui était vraiment intéressant, c'était que les personnalités en plateau ont débattu de la religion. L'un d'eux a même osé critiquer l'Église. C'est très nouveau dans mon pays. D'habitude, ça ne se fait jamais.

La sonnerie retentit. C'est le visiteur que nous attendons : François Zimeray, l'ambassadeur aux Droits de l'homme. Il a bien voulu rencontrer Inna dans un cadre amical. C'est un homme droit, avec qui je partage quelques modèles, comme René Cassin. Avocat de formation, il a défendu les enfants-soldats, avant d'entrer en politique et d'être nommé à ce poste, coincé entre l'activisme humaniste qui le motive et l'ultra-réalisme du Quai d'Orsay, dont il dépend. Beaucoup des dossiers qu'il tente de défendre concernent les Droits des femmes. En Ukraine, il a tenu à rencontrer l'opposante à la natte, Ioulia Timochenko. Du temps de la révolution Orange, elle voulait nettoyer les écuries d'Augias. Aujourd'hui, la voilà accusée de corruption par un nouveau gouvernement mafieux proche de Moscou.

— Elle a essayé de mener des réformes. Mais je ne dirai pas qu'elle a les mains propres, dit froidement Inna.

L'icône qui émeut l'Occident la laisse visiblement de marbre. Un an plus tôt, à Kiev, lors de son procès, alors que les supporters de Timochenko se massaient par milliers pour la soutenir, Femen a imaginé une action d'un autre genre. Escalader le centre commercial surplombant la manifestation, pour masquer quelques lettres et transformer l'immense enseigne électrique en jeu de mots, intraduisible en anglais, mais qui invitait les manifestants à regarder plus haut que ces règlements de comptes entre politiciens, « à ne pas se faire avoir ». Pour accéder au toit, Oksana, Sasha et Inna sont passées par la remise d'un magasin de chaussures, plein à craquer de boîtes qu'elles ont balancées pour se frayer un chemin. Il ne faut jamais sous-estimer une féministe ukrainienne, même lorsqu'elle porte des talons aiguilles.

Mais un autre dossier intéresse François Zimeray, qui s'envole demain pour Moscou.

— J'ai demandé à voir les Pussy Riot. Je ne pense pas que les autorités me laisseront les rencontrer.

— Certainement pas, lui confirme Inna.

— Quelles sont vos relations avec elles ?

— Nous les soutenons clairement. Sinon nous n'aurions pas scié la croix, mais depuis cette action, sans doute à cause du procès et de la pression, plusieurs filles du groupe nous ont critiquées. Elles ne se revendiquent pas athées, comme nous. Elles se disent croyantes et, bien sûr, l'action de la croix est un peu dur à assumer pour elles.

L'ambassadeur aux Droits de l'homme l'assure de sa bienveillance et même d'une vive sympathie pour son combat, sans pour autant la tromper. Le rôle d'un diplomate n'est pas d'encourager des actions froissant la légalité, fût-ce au nom d'une belle cause. Inna comprend très bien et ne demande rien, si ce n'est de pouvoir obtenir un droit de séjour. Je prends le relais.

— Tronçonner une croix est un acte radical, nous sommes d'accord. Si le gouvernement ukrainien poursuivait Inna pour « destruction de bien », si elle encourait une sanction proportionnée, nous ne pourrions pas la considérer comme un cas de persécution politique… Mais elle risque plusieurs années de prison pour avoir offensé l'Église. La France s'honorerait à lui offrir un abri.

François Zimeray est bien d'accord et prêt à nous aider. Il s'attendait à découvrir une pasionaria féministe, enthousiasmante mais légèrement baroque, il repart bluffé par cette militante brillante et structurée.

D'où lui vient cette maturité, qui frappe quand on la compare à une jeune Européenne du même âge ?

À la fin du lycée, Inna ne rêve que d'une chose : entrer à l'université Taras Shevchenko, la meilleure du pays, la plus internationale, la plus prestigieuse. Surtout si l'on veut devenir journaliste. « J'étais comme un jeune Napoléon ambitieux et impatient de conquérir le monde », me dit-elle en souriant, des mois après notre rencontre. Napoléon doit d'abord convaincre sa mère de la laisser partir à Kiev, pour passer l'un des concours les plus difficile du pays.

— Pourquoi veux-tu aller là-bas ? Tu as tout ici, tu es populaire, tu as ta famille, des amis, un chez-toi !

Olga n'est pas la seule à ne pas comprendre. D'autres filles n'imaginent pas qu'elle puisse tourner le dos à un si beau parti que Locha, détruit à l'idée de la voir s'éloigner. Inna hausse les épaules. Comment ont-ils imaginé, un seul instant, qu'elle allait s'enterrer avec lui à Kherson ? Et sa mère, pourquoi ne veut-elle pas entendre que son destin est plus grand qu'une bague au doigt ? Heureusement, Inna possède un allié…

— Ça vaut la peine d'essayer, tranche son père. Je t'accompagnerai.

Il prend son congé d'été et loue un studio à Kiev, le temps des épreuves. Comme une métaphore de leurs destins croisés, ce départ tombe quelques heures à peine après que sa sœur aînée a accouché de son premier enfant. Olga va enfin pouvoir être grand-mère… D'un petit garçon que Inna et son père passent embrasser à la clinique, avant de partir.

— C'est moi qui ai choisi ton prénom, lui dit sa sœur. À toi de choisir celui de mon fils.

— Ce sera Jiroslav, comme Jiroslav Moudri, le héros de l'indépendance ! Il fera de grandes choses ! répond Inna, très émue par ce neveu qu'elle adore.

Il faut y aller. Le concours s'annonce terrible. Une place pour sept candidats venus de tout le pays. Huit examens étalés sur un mois. Un seul échec et il faudra rentrer à Kherson, affronter le regard de ceux qu'on a quittés sans regret, et mourir avec eux. Son père la dépose devant les grilles du campus. Devant eux, une étudiante sort d'une Porsche conduite par un chauffeur. Les autres arrivent en BMW ou en Lamborghini. L'université de Kiev est un peu la garderie de tous les gosses de riches, enfants de députés ou d'oligarques, tous récemment fortunés et lancés dans une course à qui étalerait le plus sa richesse. Inna se sent décalée, une vraie provinciale.

Le campus l'impressionne. Onze bâtiments répartis dans la ville et des jardins menant au bâtiment principal, une Maison-Blanche que l'on aurait repeinte en rouge vif. Les pupilles de la jeune provinciale n'en finissent plus de se dilater. D'instinct, la fille la plus populaire de Kherson comprend qu'il faudra s'adapter, feindre l'habitude, ne jamais montrer sa surprise, comme ce jour où un camarade lui raconte ses vacances avec un homme politique célèbre. Ou cet autre, quand les étudiants sont réunis dans un grand amphi pour écouter l'un des conseillers du président. C'est qu'on ne refuse rien à la jeunesse dorée d'un si jeune État, les étudiants ont joué un vrai rôle lors de la bataille pour l'indépendance puis la révolution Orange.

— Vous êtes notre avenir, jeune peuple d'Ukraine, leur crie le conseiller. C'est vous qui nous avez aidés à faire la révolution. À vous que nous devons rendre des comptes.

Les élèves ont deux heures pour rédiger leur article. La plume d'Inna court sur sa feuille, qu'elle tend fièrement à l'examinatrice. Mais le soir, elle s'écroule d'angoisse, épuisée comme un comédien qui aurait joué une pièce toute la journée. Parfois, son père parvient à la distraire en lui lisant des pages de Griboyedov, poète et diplomate russe, célèbre pour ses vers moquant la société aristocratique du XIXᵉ siècle. Assis tous les deux sur le lit, comme lors de leurs soirées à la bougie, elle oublie un instant qu'elle joue sa vie et rit de bon cœur. Au petit matin, l'angoisse infernale reprend. Dans le grand hall où attendent tous les candidats, une dame apparaît et finit, chaque fois, par prononcer son nom, jusqu'au jugement dernier. La liste des élèves acceptés doit être affichée dans le hall du campus. Inna bout littéralement, mais ne peut rien montrer. Ses nouveaux pairs ne comprendraient pas son excitation. Surtout pas ce nouvel ami qui n'espère qu'une chose : passer une année sabbatique en France.

« Inna Shevchenko ». Son nom y est ! Elle est acceptée ! Sitôt la grille franchie, elle se met à courir comme si la vie s'ouvrait devant elle, mais se calme juste avant d'arriver à la porte du studio. Elle sait bien comment son père va réagir : « C'est bien pour toi. »

*

Au début, Inna rentre à Kherson toutes les deux semaines, mais elle revient chaque fois plus déprimée. À cause du regard éploré de sa mère, du vide dans lequel se débattent ses anciens amis. En quelques mois, presque toutes ses anciennes copines de classe se sont mariées, sont enceintes ou ont déjà accouché. Seule Katia résiste. Elle est partie étudier le droit à Odessa mais doit se bagarrer avec sa famille pour défendre ses choix. Inna a trouvé ses marques à Kiev. Son père lui a déniché une colocation, avec la fille d'un ami. Le studio est étroit, sans charme, mais pas trop mal situé. De toute façon, elle n'est jamais chez elle. L'éternelle déléguée a été élue présidente du Parlement des étudiants. Une Assemblée miniature prestigieuse, qui dispose d'un vrai pouvoir. Inna y porte la revendication des plus modestes. Comme lorsqu'il s'agit d'améliorer le sort des étudiants en Sciences, bien plus brillants que les enfants gâtés de la nouvelle bourgeoisie ayant choisi les Sciences humaines, mais qu'on a relégués aux portes de la ville.

— C'est indigne de la part de l'université de les traiter ainsi. Ce sont nos chercheurs, nos cerveaux, ils ont leur place parmi nous ! plaide la présidente auprès des autorités universitaires.

Inna et ses camarades obtiennent gain de cause. Un jour, elle assiste à la conférence donnée dans son université par Dimitri Medvedev. Toujours le même discours sur l'espoir soulevé par la jeunesse, jamais suivi d'autres effets que la colonisation. En partant, après avoir signé quelques autographes, le président russe a laissé son stylo sur le pupitre d'Inna.

— Quelle chance tu as ! s'empourpre une camarade

— Prends cette merde. Je n'en veux pas.

Plus tard, quand elle sera journaliste, elle criera au monde ce qu'il doit savoir sur l'Ukraine et la Russie. Le chantage au gaz qu'exerce le « grand frère » sur son pays. La façon dont il achète l'élite pour qu'elle reste son obligée. L'écart qui existe entre ces enfants de riches et ceux qui n'ont rien d'autre à manger que boire, à force d'être laissés de côté par cette société pyramidale, qui ne sait plus fournir assez d'électricité mais endort les cerveaux à coups d'émissions télévisées débiles. Sans parler du destin tout tracé des femmes ukrainiennes...

La jeune idéaliste n'en revient pas de voir que même à Kiev, même riches, les filles ne vont à l'université que pour trouver un mari. Les garçons feraient presque pitié à force d'être harcelés. C'est l'inconvénient majeur d'une société qui repose sur vos épaules. Avant le mariage, les filles sautent à votre cou, avant même que vous ne les désiriez. Après, elles s'accrochent, se coupent les cheveux, prennent du poids et s'acharnent à dépenser l'argent que vous gagnez. Il faut bien se venger de n'avoir été qu'un collier puis un ventre. Inna ne veut pas être un collier.

*

Paris, septembre 2012

Nadia est passée me chercher avec sa moto. Elle est puissante et justifie parfaitement le Perfecto qu'elle porte à 52 ans.

— Quoi ? demande-t-elle en voyant mon air circonspect.

— Rien. Au moins ce n'est pas une Harley...

— Tu plaisantes, si j'avais les moyens, bien sûr que j'aurais une Harley ! Qu'est-ce que tu as contre les Harley ?

— Oublie, elle est superbe ta moto. Allons-y.

Je n'ai pas le cœur de dire à Nadia qu'une Harley Davidson, même conduite par une femme, m'évoque le fantasme d'un sosie de Johnny Hallyday. Mais puisque nous allons réaliser un film sur des féministes en talons aiguilles, disons que c'est une façon de compenser.

J'aime sentir les rues filer. Gare de l'Est, puis Barbès. Pour la discrétion, en revanche, c'est raté. La moto de Nadia tousse encore plus fort qu'une Harley. Non pas ce son étouffé mais grave qui imite celui d'un bateau, quelque chose de plus pétaradant qui a l'inconvénient majeur de nous signaler dans les rues de la Goutte d'Or, l'un des quartiers où l'on compte le plus de musulmans pratiquants à Paris. Pas idéal quand on s'appelle Nadia El Fani ou Caroline Fourest et qu'on est menacées par les islamistes.

— C'est bien qu'on ait des casques, dis-je en me penchant vers Nadia, qui se marre.

À l'arrêt, la moto ronronne encore plus fort. Nous sommes bloquées par un camion qui livre. Je me demande combien d'habitants nous sommes en train de déranger, quand je vois le panneau : RUE-MYRHA. Nous voilà coincées sur l'asphalte de toutes les polémiques ! Celle sur lequel j'ai écrit tant d'articles. Depuis dix-sept ans, une mosquée s'est appropriée le trottoir pour organiser des prières de rue, qui bloquent le passage tous les vendredis. L'image de ces fidèles obstruant la voie publique, quel dépliant publicitaire pour l'extrême droite ! Combien de fois ai-je alerté des responsables politiques, notamment la Mairie de Paris, sur ce sujet. Si les laïques réagissent, on les accuse d'être « islamophobes ». S'ils se taisent, ils laissent le terrain aux racistes. La préfecture a bien fini par dégager la rue en proposant aux prieurs une caserne, mise à leur disposition un peu plus loin, mais trop tard. Le bourbier attirait déjà les charognes. Flanqués d'une poignée d'ultra-laïques égarés, des militants identitaires, à droite du FN, ont organisé un « apéro-saucisson-pinard » contre les prieurs de rue, dépeints en « adversaires résolus de nos vins de terroir et de nos produits charcutiers ». Marine Le Pen ne pouvait être en reste. Elle en a ajouté une couche en comparant ces prières de rue à une forme « d'occupation » avec un grand O : « Certes y'a pas de blindés, y'a pas de soldats, mais c'est une occupation tout de même et elle pèse sur les habitants. » Une sortie pour éviter de commenter un énième dérapage de son paternel sur l'Occupation, la vraie, qui n'aurait pas été si « inhumaine ».

La diversion a marché. La gauche angélique s'est mise à grimper aux rideaux, prête à nier que les prières de rue portent atteinte à l'ordre public. Marine Le Pen n'a eu qu'à se glisser dans les habits de Jeanne d'Arc, seule contre tous à défendre la laïcité, pour faire oublier que son parti a toujours été le pire ennemi du modèle républicain et laïque. Une imposture complète, qu'il faut d'urgence combattre en proposant une alternative, à la fois antiraciste et laïque. C'est dire si l'idée d'ouvrir un Centre Femen, féministe et laïque, à la Goutte d'Or, me réjouit.

— On va pas s'ennuyer, dis-je à Nadia, qui se gare en hochant la tête.

*

La rue Léon, celle du Lavoir, est à deux pas de la rue Myrha. Le quartier déprime. Personne ne vient ici pour le plaisir de se promener. Le jour, la rue appartient à des habitants qui traînent leur nostalgie de bitumes autrement plus ensoleillés. La nuit, le trottoir se peuple de femmes noires, souvent mamans, vendant leurs corps au plus offrant. Un exploité devenant exploiteur le temps de quelques billets. Les vendeurs de drogues et leurs clients sont les seuls à se sentir vraiment chez eux dans ce recoin délaissé, malgré les efforts de la ville et les patrouilles de police.

Je me demande ce qu'a dû ressentir Inna en atterrissant dans ce Paris qu'elle n'avait sûrement pas imaginé vu d'Ukraine. L'Europe de l'Est n'est guère habituée au multiculturel, d'ailleurs très absent de ce quartier, si peu mélangé. Seule la façade du Lavoir moderne, avec sa fresque tigrée jaune, incarne une forme de mixité. Avec son bar convivial et son équipe qui brasse toutes sortes de parcours et d'origines. Aujourd'hui, c'est brocante. Nous passons le hall encombré de fripes et d'objets à vendre pour un euro symbolique, et nous grimpons vers la galerie du premier.

Inna est assise sur le canapé rouge, au milieu de cette immense pièce éclairée par une verrière, en réunion avec une militante française à propos de ses rendez-vous avec la presse, qui commence déjà à appeler.

— Hey Caroline ! Hey Nadia !

Sous son marcel blanc, le corps d'Inna est barbouillé de slogans : *No religion, Nudity is freedom.*

— Je vois que tu as mis ton uniforme ?

— Ah, oui, rit Inna. Je finis par l'oublier. On sort d'une séance photos.

Safia nous rejoint, avec Fernando, ainsi que notre amie commune, la comédienne franco-libanaise Darina Al Joundi, qui met immédiatement de l'ambiance grâce à son rire. On plaisante sur ce drôle d'équipage que nous formons, depuis Beyrouth jusqu'à Kiev en passant par Paris. Tout le monde a des envies de fête et de révolution, mais nous avons un film à tourner. Professionnelle, comme toujours, Inna nous offre tout ce qu'une équipe normale voudrait filmer. L'image d'une fugitive qui, sitôt installée, donne ses premiers ordres…

— Oksana va venir dans quelques jours et nous allons entièrement transformer le lieu, dans un style Femen.

France 2 a donné son feu vert, mais la production n'est toujours pas montée. Nous tournons avec les moyens du bord. Notre caméra et un petit « zoom » numérique pour enregistrer, sans ingénieur du son. Difficile de suivre une discussion à plusieurs. Heureusement, Fernando, le mari de Safia, est du métier. Il perche pour des équipes et des concerts. Bien qu'il ne soit pas censé travailler, il part chercher du matos dans le théâtre et bricole une perche. C'est la deuxième fois que je le rencontre et je comprends mieux comment Safia a pu communiquer tout ce temps avec les Ukrainiennes. C'est lui qui parle anglais. Fils d'une exilée sud-américaine féministe, très engagé à gauche, il s'est pris de passion pour les Femen, et se voit visiblement jouer le rôle de conseiller discret. En le voyant impatient de se mêler de chaque conversation, comme tant de garçons dans un mouvement de femmes, je sens venir les ennuis… Combien de temps va-t-il survivre dans un groupe où seules les femmes ont le droit d'agir et de parler en présence d'une caméra ? Quand nous filmons, c'est Safia qui a la parole.

— Quand j'ai vu Femen, j'ai eu l'idée de faire une action contre la burqa à Paris, parce qu'il y avait eu une grande polémique, et que dans mon quartier, encore aujourd'hui, il y a la burqa…

L'interview est passionnante. Safia a une vraie présence. Elle explique très bien ce qui les rapproche : cette irrévérence des corps, qui hérisse toutes les religions. À ses côtés, Darina nous fait vibrer en racontant pourquoi elle a accepté de participer à l'action du Trocadéro.

— J'ai dit : « Safia, tu peux compter sur mes seins ! » À Beyrouth, il m'arrivait de soulever mon T-shirt pour montrer mes seins quand je voulais choquer ceux qui m'insultaient ou me donnaient des leçons après une soirée… Ma mère pouvait me battre pour ça. Après avoir dit oui à Safia pour l'action au Trocadéro, je l'ai tout de suite appelée et je lui ai dit : « Maman, tu te souviens quand je montrais mes seins à Beyrouth… Eh bien maintenant, je vais montrer mes seins devant la tour Eiffel ! »

On éclate de rire. Darina a une force inouïe, indomptable, que j'aimerais montrer sur toutes les scènes du monde pour qu'on cesse de croire que les Arabes sont bigots. Dans sa pièce de théâtre, *Le Jour où Nina Simone a cessé de chanter*, elle conte magnifiquement son corps libre, incapable de se taire malgré les codes de la bonne société libanaise pendant la guerre civile. Jusqu'à se faire

73

enfermer quand son père, un poète syrien libertaire, n'est plus là pour la protéger. Au Lavoir, plus libre que jamais, elle continue de déclamer avec passion, en martelant chaque mot de sa main sur l'accoudoir d'Inna :

— Il faut qu'une femme arabe fasse la même chose que toi avec la croix, qu'elle prenne une tronçonneuse et qu'elle coupe le Coran ! Ce qui lui arrivera, Dieu seul le sait !

Un ange passe. Inna n'a pas compris la phrase, dite en français et en arabe, mais elle a saisi la provocation. Nadia vient de lâcher la caméra pour entrer dans le champ, le poing en l'air.

— Mais on le fera !

Le tournage promet… Je vois déjà le bras de fer qui m'attend pour garder cette scène au montage, car bien entendu nous allons la garder. On pourrait filmer des heures, mais je resserre mes questions sur Inna. Il est temps de l'entendre présenter son mouvement, sa tactique, de voir quelle stratégie se cache derrière un mode apparemment instinctif et spectaculaire. Son discours est rodé, efficace, même si elle me répond d'un air bien plus timide qu'aujourd'hui.

— Nous avons trois adversaires : l'industrie du sexe, les dictateurs et les religions, qui ont toujours opprimé les femmes. Concernant la religion, c'est un sujet qui me tient particulièrement à cœur. Il faut s'y attaquer maintenant, avant qu'il soit trop tard, parce qu'ils sont entrés trop profondément en nous (elle mime comme un étau qui l'enserre). Et moi, je suis prête à couper toutes les croix du monde s'il le faut.

Inna passe subitement d'un air angélique à une détermination absolue, qui fascine et angoisse. D'où lui vient ce tempérament passionné ? Je cherche à comprendre, à la faire parler de son ressenti, mais elle se ferme, comme je l'ai vue faire cent fois par la suite devant des journalistes avides de confidences... Ce personnage-là ne s'ouvre pas avec un canif, en quelques minutes, ni en quelques heures. Il faut gagner sa confiance. Et bien sûr, je crève d'envie de relever le défi. Je veux comprendre ce qui a transformé cette jeune femme, que j'ai vue enjouée sur les images des premières actions Femen, en guerrière exaltée. Quel est cet avant et pourquoi cet après ?

— Quand j'ai essayé Femen, au début, je n'étais pas féministe, c'était juste par curiosité, disons pour m'amuser. Mais quand l'adversité s'est levée, celle de mes proches et de mon entourage, quand j'ai perdu mon emploi à cause de mon engagement, là j'ai compris que cette lutte était juste.

C'est l'un des indices glanés lors de cette seconde interview au Lavoir moderne. Inna Shevchenko n'a plus rien à perdre parce que sa révolte lui a déjà coûté la vie qu'elle se voyait mener.

*

À 19 ans, on lui propose l'Eldorado, le nec plus ultra pour une jeune Ukrainienne : un job en or, avec un salaire en or. Un jeune député, très influent et médiatisé, a entendu parler de la présidente du Parlement des étudiants et vient la voir après une conférence à l'université.

— Vous êtes une journaliste prometteuse. Venez travailler chez nous, au service presse de la mairie.

Quand on lui donne le montant de son futur salaire, l'étudiante n'en revient pas. Même son père, en fin de carrière, ne gagne pas autant. Avec sa première paye, elle s'empresse de louer un endroit à elle. Un appartement avec une grande baignoire où elle se plonge avec délices. En rêvant de devenir l'une des journalistes les plus puissantes du pays. L'illusion ne dure pas.

L'immense salle de rédaction résonne de commérages frivoles. Ses collègues, uniquement des femmes, presque toutes célibataires, passent leurs journées à parler des hommes puissants qui passent dans ce bureau pour donner des consignes. Elles pourraient s'entre-tuer pour décrocher une œillade. L'arrivée d'une concurrente de dix ans leur cadette ne les réjouit guère.

— À quelle heure est la conférence de rédaction ? demande naïvement Inna à celle qui paraît la moins hostile.

— Oh non, on ne fait pas ça. On doit écrire une vingtaine d'articles sur les activités de la mairie dans la journée, mais tu vas voir, c'est très facile.

Inna n'est pas sûre de comprendre. N'écoutant que son enthousiasme, elle se met à son poste de travail, et trouve un sujet qui l'inspire. Ses doigts courent sur le clavier, elle a presque fini, lorsque sa cheffe l'interrompt brutalement.

— Éteins ça. Tu ne peux pas écrire sur ce qui te passe par la tête ! Voilà ton sujet.

— OK, répond Inna, déjà prête à repartir sur son clavier, avec d'être coupée dans son élan.

— Qu'est-ce que tu fais ! Prends des notes… Je vais te dicter la façon dont tu dois le rédiger.

Fin du rêve. La jeune idéaliste s'attendait à devoir louvoyer, mais pas à se transformer en sténodactylo, ni à devoir inventer. Un jour, on lui demande de raconter avec emphase la visite du maire à un Centre pour enfants, où il n'a jamais mis les pieds, dans le but d'annoncer des crédits tout aussi fictifs. Un autre jour, d'annoncer que la mairie va créer des places de parking à prix réduit pour les invalides. Pure propagande, imprimée dans la presse grâce à des emplacements réservés, achetés par la mairie, sans dire leur nom de « publi-reportage ». Lorsqu'elle rentre chez elle, Inna enrage. Le militantisme devient son exutoire.

*

Quand entend-elle parler de Femen pour la première fois ? En 2009, juste avant d'obtenir son poste à la mairie et de déménager. Par une amie avec qui elle partage sa chambre d'étudiante.

— Ce sont des filles étonnantes. Vraiment chouettes. Des féministes. Elles ont plein de projets. Je dois les voir demain, tu veux venir ?

— Des féministes ? Je ne sais pas. Demain, c'est compliqué, j'ai cours, grommelle Inna avant de se tourner dans son lit pour chercher le sommeil.

Ses pensées sont ailleurs, vers le Parlement des étudiants, vers sa carrière, de vrais sujets. De quoi pourraient bien parler ces féministes, qu'elle imagine sûrement laides, grosses, comme on les décrit si souvent. Non, vraiment, elle n'a pas de temps à perdre. Sa copine de chambrée insiste. Une militante Femen la contacte sur un réseau social russe.

— J'ai vu que tu étais une « Shevchenko ». Moi aussi ! Parlons-nous !

Le message est signé « Alexandra Shevchenko », dite Sasha. Son profil, une grande et belle fille aux cheveux longs, n'a rien de la féministe caricaturale qu'elle s'imaginait. Mais de quoi pourraient-elles bien parler, sinon qu'elles ont le même nom ? Le destin était plus obstiné. Quelques jours plus tard, alors qu'elles sortent du MacDonald's où se presse la jeunesse kiévine, Inna et son amie tombent sur Sasha.

— Salut, c'est toi la Shevchenko ?

— Et toi l'autre, répond Inna poliment.

— Ça ne vous dirait pas de venir à l'une de nos réunions ? On se retrouve tous les soirs au café du Sauna. C'est pas cher et sympa.

— Volontiers, dit la camarade de chambrée, enthousiaste.

— Pourquoi pas, lâche Inna, à court d'arguments.

Comme promis, elles se rendent au vieux hammam de style soviétique, carrelé et verdâtre, sentant la vapeur. Le café le moins cher de Kiev. Il accueille volontiers les réunions de ce groupe confidentiel. Trois tables de comploteurs, surtout des complotrices. Une quinzaine de jeunes massés autour de trois tasses de thé, les seules qu'ils commandent en trois heures, pour ne pas trop dépenser. Avec son look de déléguée de classe, Inna a subitement l'air d'une grande bourgeoise au milieu de ces étudiantes tirant le diable par la queue.

— Ah, vous êtes venues, super ! dit Sasha en se levant, très accueillante. Les esprits s'échauffent sur le harcèlement sexuel. Les filles ne parlent que de ça. À les entendre, le mal empire depuis que des étrangers, dont beaucoup de touristes turcs, débarquent en prévision de l'Euro 2012, et se comportent avec les Ukrainiennes comme si elles étaient toutes des prostituées.

— Ils ne sont pas possibles ces gars. Ils nous prennent pour quoi ? L'autre jour, en plein jour, devant tout le monde, l'un d'eux s'est carrément frotté contre moi.

— Moi j'en peux plus des mains aux fesses. Encore ce matin.

Ces histoires, Inna les connaît par cœur. Avant d'être maître de la rue avec Femen, combien de fois a-t-elle dû baisser le regard pour éviter une agression ? Surtout depuis qu'elle vit à Kiev, loin de sa petite ville, où les hommes ne savent rien de son statut particulier. Ni du fait qu'elle est un trésor aux yeux de son père, ni du respect qu'elle peut inspirer comme présidente du Parlement des étudiants.

Dans la rue, avec ses talons, ses shorts moulants et ses cheveux blonds tombant jusqu'en dessous des fesses, Inna n'est qu'une proie. À tout moment, une main baladeuse peut le lui rappeler, dans une file d'attente pour la poste, dans le métro ou au supermarché. Surtout s'il fait nuit, que la rue est déserte, et qu'elle croise des étrangers. À force, certaines filles se disent qu'il vaut mieux être payées, surtout si on est fauchées et qu'on ne trouve pas à se marier. Combien sont tombées sur le chemin du campus, où on les guette avec des propositions alléchantes, des promesses de voyage qui finissent dans un bordel ? D'autres préfèrent pousser la porte de Femen, qui dénonce ces destins de femmes tracés à la craie sur les trottoirs de Kiev. Mais à quoi bon ressasser ? Comment agir ? C'est la seule question qui intéresse Inna. Pour l'instant, elle ne voit rien de concret. Elle garde le lien, mais de loin.

Un jour, les filles l'invitent à venir à une séance photos. Sasha vient d'entarter un auteur particulièrement misogyne et populaire, Oles Bouzina. Abonné aux provocations, il a publié tout récemment un livre intitulé : *Rendez le harem aux femmes*. Un pamphlet dans lequel il explique que les femmes, qu'il traite parfois de « cafards », doivent être prêtes à une relation sexuelle à tout moment. Après avoir été entarté, il a sorti sa bombe lacrymogène pour gazer Sasha et l'a traînée dans un placard où la police est venue l'arrêter.

D'autres actions sont moins faciles à déchiffrer. Pas encore nues mais bien plus lascives qu'aujourd'hui, les Femen, toutes jolies, minces et ultra-maquillées, posent en sous-vêtements légers contre la grippe aviaire. Une autre fois, elles se battent en maillot dans la boue pour singer la classe politique. À les voir se frapper mollement pour dénoncer les combats de coqs et la saleté de la corruption, on pencherait plutôt pour un concours de T-shirts mouillés équivoque... Ce sont les débuts, habillés, mais vulgaires. Novices en féminisme, les jeunes Femen ont encore la tête farcie des seuls modèles féminins qu'on leur propose : publicitaire ou porno. Il faudra du temps, de la maturité et des coups, pour que leurs performances gagnent en puissance et en agressivité.

Une action marque le début d'une certaine notoriété. Un vrai show, en plein cœur de Kiev, pensé pour lancer la campagne : *L'Ukraine n'est pas un bordel*. Entièrement financée grâce à l'un des premiers mécènes de Femen, DJ Hell, un disc-jockey allemand, souvent en tournée dans les pays de l'Est. Le mouvement n'est pas cher à financer : quelques verres de thé, de la peinture et du tissu pour fabriquer des déguisements. Sauf pour cette action. Anna, qui travaille dans le spectacle, soigne de plus en plus les mises en scène. On a convaincu soixante-dix filles d'y participer. Certaines sont comédiennes, d'autres danseuses, la plupart étudiantes. Des copines de copines et quelques artistes professionnelles venues « performer » avec les danseurs de DJ Hell. Tout se passe comme si on tournait un clip contre le harcèlement. Les danseurs jouent les mauvais garçons tentant de harponner des filles comme s'il s'agissait de putes, alors qu'elles sont habillées en joueuses de tennis ou en étudiantes. Puis les filles harcelées se révoltent et commencent un ballet où elles rendent les coups. C'est gracieux, festif, un vrai succès. Tout le monde est heureux, la presse s'est déplacée, la manifestation est légale et la police est même venue les protéger. Pour une fois qu'il se passe quelque chose en ville !

Inna a adoré. Se préparer avec les filles, répéter, entrer en scène. Un cours de théâtre, en moins futile. Comme dans tout ce qu'elle entreprend, elle devient assidue. Quand elle participe à une action, sans même s'en rendre compte, elle se met à donner des ordres aux filles, à les canaliser, à les électriser aussi. Un vrai chef, malgré ses talons hauts, des yeux trop maquillés, et de longs cheveux blonds domptés au fer.

Femen ne se contente pas de « performances ». Elles ont aussi formé des « Brigades roses », qui sillonnent les rues de Kiev pour distribuer des tracts contre la prostitution, à l'attention de clients éventuels. Surtout des touristes, qui tombent des nues en apprenant que la prostitution n'est pas légale. L'argumentaire est rédigé en russe et en anglais. Seul problème, une fois sur deux, elles se font harceler par ceux qu'elles tentent d'interpeller. Surtout si elles s'attaquent aux « pickers », des groupes d'hommes ayant payé pour qu'on leur apprenne à « choper » des filles dans la rue. Les « stagiaires » ne sont pas difficiles à repérer, avec leur démarche lourde, comme s'ils portaient cinq kilos à chaque testicule.

— Des pickers ! On y va !

Les filles ont le courage de s'avancer vers pareille meute. Les mains baladeuses sont de sortie. Les filles dégainent leurs tracts.

— Non au harcèlement sexuel. Non à la prostitution !

— Ah, mais moi je ne veux pas payer, je vais te donner du plaisir gratuitement.

L'un des gars se frotte contre Inna, qui se dégage d'un violent coup d'épaule.

— Pauvre con. Apprends plutôt à lire !

Le gars est très vexé. Ce stage, qu'il a payé une fortune, ne se passe pas du tout comme le lui promet la brochure. Cette fille appétissante vient de lui écraser le pied. Il est en train de perdre la face vis-à-vis des autres stagiaires, et ne peut pas le supporter.

— Hé toi, salope, tu veux quoi, te faire violer ! crie-t-il en lui tordant le bras.

— Police ! Police ! crient les filles…

Tout le monde finit au poste. Pour Inna, c'est une première, mais aussi la dernière fois, avant longtemps, qu'elle entre dans un commissariat pour porter plainte, et non en fourgon après avoir été arrêtée. Ce qui arrivera cent fois par la suite. C'est pourtant dans ces moments-là qu'elle se sent libre, aux côtés des filles qu'elle entraîne dans des actions de plus en plus médiatisées.

Des équipes du monde entier viennent filmer leurs « brigades ». L'argumentaire est encore un peu hésitant mais les réponses s'affinent. Grâce à Femen, on dénonce enfin le fléau du trafic de femmes en Ukraine. S'inspirant du modèle suédois, le groupe rêve de criminaliser les clients. Un député est prêt à déposer un projet de loi, mais bien entendu sa proposition reste dans les cartons. Pour être entendue, Femen doit prendre le monde à témoin.

CHAPITRE 3

La rue nous appartient

Paris, 18 septembre 2012

Moins de trois semaines après son arrivée à Paris, Inna s'apprête à réaliser le rêve que son mouvement nourrit depuis l'Ukraine : ouvrir un centre international.

Un étrange manège bouscule le quartier de la Goutte d'Or. Des grappes de journalistes, caméra à l'épaule, convergent vers le Lavoir moderne. À l'intérieur, les murs affichent la couleur. Une immense banderole-manifeste, ornée d'une femme seins nus couronnée de fleurs rouges de style soviétique, proclame l'ère du SEXTREMISME : « Femen est le nom du nouveau féminisme. Nos seins nus sont nos armes. Notre mission est de protester. Notre Dieu est une femme. » Oksana est venue en éclaireuse pour refaire la déco.

Les poutres sont ceintes de couronnes de fleurs et de posters : « WOMEN IS NOT AN OBJECT », « FUCK CHURCH », « FUCK ME IN A PORSCHE CAYENNE », « MUSLIM WOMEN LET'S GET NAKED »… Au centre de la galerie, un immense sac de boxe prévient : on n'est pas ici pour rigoler. Mais on se marre quand même.

Toujours en short et déjà en uniforme, les seins nus tatoués d'un *Je suis libre* en lettres noires, Inna stresse, mais sourit. Cette aventure l'excite énormément. Depuis qu'elle est arrivée, tout lui réussit. Le nombre d'articles ou de reportages dans la presse donne le vertige. Un succès trop facile pour durer. Safia est du même avis que moi. Les modes médiatiques sont fragiles. Les Femen sont encore perçues de façon très superficielle à force d'être couvertes par des photographes ou des reporters qui, par définition, ne peuvent que saisir l'anecdotique. L'enjeu est maintenant de creuser avec des journalistes habitués aux profondeurs, quitte à découvrir du soufre au fond de la mine. Ça viendra. Pour l'instant, c'est l'heure du lever de rideau. La galerie bourdonne de filles se peignant les seins comme si de rien n'était. Au milieu d'elles, je me sens gênée d'être habillée. Comme si je me baladais en manteau sur la plage en été.

— Il fait chaud ici, tu ne trouves pas ? dis-je à Fiammetta, qui sourit en me voyant enlever mon pull pour me mettre au moins en T-shirt.

Suis-je la seule à me sentir ainsi entre deux mondes, l'observation et la participation ? Mes confrères ont-ils aussi la sensation de s'être trompés de saison ou se contentent-ils de mater ? Il en arrive de partout. Des Américains, des Anglais, des Espagnols, des Ukrainiens. Et les militantes, d'où sortent-elles ? Il y a Sasha et Oksana, arrivées d'Ukraine (Anna n'a pas pu venir), des militantes recrutées par Safia et Loubna, comme Sushita, une jeune mère de famille d'origine asiatique. Et d'autres Françaises qui viennent de rejoindre Femen via Facebook. Elvire, vive, drôle, métisse et fille de famille aisée. Julia, l'étudiante en arts, l'intello, avec ses lunettes et ses cheveux courts. Des filles plutôt jeunes et minces, mais pas toutes. Nathalie a une trentaine d'années et de vraies rondeurs, qu'elle assume parfaitement. C'est d'ailleurs le point commun de ces filles. Pour être Femen, il faut soit aimer son corps, soit être capable de l'oublier. Ce n'est pas le moindre des défis dans un monde où l'enveloppe des femmes est si durement scrutée.

Chez des militantes arabes, comme Safia ou Loubna, le défi est double. Au combat contre le regard extérieur s'ajoute la guerre intérieure, contre la honte inculquée depuis l'enfance comme un ennemi intime. Safia y pense en demandant à Oksana de lui peindre *Nudité, Liberté, laïcité* sur le torse et les bras. Combien de peaux a-t-il fallu arracher pour en arriver à cette épure ? Et dire qu'à une époque elle portait le voile. Juste après la mort de son premier mari, abattu d'une balle dans la tête sous ses yeux. Safia n'était plus qu'une ombre. Elle a fui dans le deuil et la religion avant de s'enterrer au Maroc chez sa belle-famille. Jusqu'à ce que son beau-père la remette dans l'avion : « Cette vie n'est pas pour toi. » Revenir n'a pas été simple. Il a fallu se battre avec l'envie de mourir, puis avec les vautours du quartier. Les « potes » de SOS Racisme l'ont aidée. Une famille de substitution où elle a appris qu'on pouvait rendre les coups autrement qu'avec un revolver et qui ne l'a pas jugée. Même lorsqu'elle a fait la marche de Ni putes Ni soumises en voile. Il a glissé tout seul, lors de sa première prise de parole contre le sexisme. Elle ne l'a jamais remis, et rêve d'un monde laïque où toutes les femmes pourraient sentir le vent dans leurs cheveux. Tant pis si les bobos de son parti la traitent d'« islamophobe ». Désormais, c'est avec Femen qu'elle compte résister. Pas question que d'autres filles des quartiers n'aient que le choix de ramper sous le voile ou tapiner.

Marcher seins nus dans les rues de la Goutte d'Or symbolise son trajet, si différent de celui des gamines qui débarquent au Lavoir. La façon dont elles enlèvent leur T-shirt à 20 ans, sans la moindre gravité, l'insupporte. Certaines viennent juste d'arriver, elles ne sont formées à rien, peut-être même infiltrées, et voilà qu'elles parlent déjà à la presse. L'équipe de télévision ukrainienne en profite pour tenter de les piéger.

— Pourquoi avez-vous rejoint Femen ? demande une journaliste blonde d'un air ingénu.

— Moi, pour qu'on arrête de me mettre la main aux fesses.

— Ici ?

— Oui, ici, partout !

— Et qui finance Femen ?

— J'en sais rien, les ventes sur Internet… ?

Vieille propagande soviétique. Si je ne peux pas attaquer tes idées, je dirai que tu es payé…. Quelques jours après l'ouverture, la presse russe publiera un article digne de la *Pravda*. Une journaliste dit avoir infiltré Femen et tient la preuve qu'on propose de l'argent aux militantes pour se déshabiller ! Inna est habituée et n'y prête même plus attention. Safia n'est pas aussi détendue et se met à insulter les nouvelles.

— Mais qui tu es toi ? Ne réponds pas aux journalistes !

Certaines se plaignent auprès d'Inna, qui préfère donner le top du départ.

— Vous êtes prêtes ?

Le plan est d'aller au métro Château-Rouge habillées, d'enlever son T-shirt et de revenir seins nus. Le cortège s'élance, suivi d'une bonne cinquantaine de journalistes, de photographes et de cameramen. Nadia doit jouer des coudes avec les autres équipes, qui se comportent comme de vrais paparazzi. Les passants attendent de comprendre la raison d'un tel spectacle et se replient sur les trottoirs. Encore cent mètres et le rideau va se lever. Inna tombe sa veste au milieu de l'arène des journalistes. C'est le signal. Cette fois, les filles sont seins nus et marchent en scandant :

— Nudité, Liberté ! Nudité, Liberté ! Femen ! Femen !

L'escouade est superbe, d'un optimisme contagieux. Mais le vrai spectacle est ailleurs, sur les trottoirs de la Goutte d'Or, d'ordinaire habitués à la parade des prières de rues, et qui découvrent, hallucinés, ces seins pointés vers le ciel.

— Qu'est-ce que c'est ? C'est des gouines, des lesbiennes ? demande un client du marchand de légumes qui n'arrive plus à mettre les pommes de terre dans son sachet.

Même les bouchers halal sont sortis devant leur boutique pour assister au défilé. Il faut les voir en blouse blanche, calotte de boucher sur la tête, visage glabre, dévisager les filles. Pas question d'être agressifs, il y a bien trop de monde, trop de presse, et puis c'est distrayant. Il y a bien quelques lourdauds pour crier « À poil ! ». Pour le reste, l'ambiance est bon enfant. Les habitants plaisantent, cherchent à comprendre. Une dame noir du quartier se met à parler fort devant la boucherie halal :

— Elles dénoncent quelque chose qui est une réalité.

— Mais quoi ? demande un garçon, ahuri.

— Tout ce qui se passe chez elles. On sait très bien ce qui se passe, en Ukraine… La prostitution !

Je ne sais pas ce qui me touche le plus. Qu'une habitante de la Goutte d'Or ait déjà entendu parler des Femen et de la prostitution en Ukraine, qu'elle prenne leur défense, ou qu'elle en profite pour dénoncer un mal exotique qui fleurit sur ce même trottoir sitôt la nuit tombée.

Arrivée devant la porte du Lavoir, Inna scie symboliquement une planche mise en travers, avec une mini-tronçonneuse. Les journalistes se bousculent pour les suivre dans la galerie et ne pas rater le début de la conférence de presse.

— Cet endroit va devenir le siège du nouveau féminisme ! lance Inna. Tout le monde peut devenir Femen !

— On a le même message, ajoute Darina.

— Et le plus drôle, c'est qu'on ne parle pas du tout la même langue, commente Safia.

— Nous allons conquérir le monde ! conclut Inna sous les applaudissements.

*

La photo est magnifique. À l'image de cet élan universel qui pousse Safia vers Inna, par haine commune des intégristes et des mafieux. Sauf que les symboles sont incarnés par des êtres.

Ces deux êtres ont un rêve en commun, s'émanciper par le corps, mais leur chair, leur épiderme, leur tempérament, leur sensibilité, et leurs cultures politiques sont aussi peu faites pour se mélanger que la glace et le feu. Il ne peut pas y avoir deux généraux dans la pièce. Le colonel Shevchenko est venu à Paris pour gagner ses galons, loin de son état-major à Kiev. Elle n'a aucune envie de se retrouver sous la coupe de Safia, encore moins sous celle de Fernando, qu'elle perçoit comme un apprenti Viktor.

Safia aussi est là pour devenir générale. La place lui est passée sous le nez après la « trahison » de Fadéla, entrée au gouvernement de Sarkozy sans crier gare, quitte à porter un coup fatal à l'image de Ni putes Ni soumises. J'avais déjà coupé les ponts avec Fadéla mais Safia l'a pris en pleine figure. Nous nous sommes retrouvées pour tenter de sauver l'indépendance du mouvement. Il a fallu mener la guerre à la nouvelle ministre et à son conseiller occulte, Mohamed Abdi. Encore un homme qui s'est pris pour un gourou dans un mouvement de femmes. Il ne voyait surtout aucun mal à devenir membre du cabinet de la nouvelle ministre tout en restant secrétaire général du mouvement. Plusieurs comités ont exigé sa démission. Mohamed Abdi les a purgés. Safia a dû bâtir un autre groupe, les Insoumises, dont j'ai rédigé le manifeste. Une belle idée, mais qui n'a jamais eu les subventions de Ni putes Ni soumises... ni même le soutien des Verts, où Safia est isolée.

J'ai beau tenter d'expliquer cette histoire à Inna, qui craint une OPA politique sur Femen, rien n'y fait. Il règne comme une méfiance animale entre le trotskisme teinté de social-démocratie des anciennes de SOS Racisme et le marxisme révolutionnaire des Ukrainiennes. Sans parler du problème de langue et de culture.

Un premier conflit explose à propos du communiqué sur l'ouverture du Lavoir. Rédigé dans un style soviétique depuis Kiev, il décrit une marche seins nus à haut risque dans « un quartier musulman de Paris ». L'expression met Safia hors d'elle.

— Mais comment vous parlez du quartier ! Vous êtes dingues… C'est raciste. En plus, c'est quoi ce sensationnalisme, ça s'est super bien passé !

Elle n'a pas tort. Alors que tout le monde est très heureux de sa journée, le groupe ukrainien a pondu quelques lignes, maladroites, laissant croire que les filles ont défilé à Peshawar. Le quartier a beau ne pas être très mélangé, on ne peut pas assigner tous ses habitants à une religion… Un détail bourgeois vu de Kiev, et de presque tous les pays en dehors de la France. Pas aux yeux de Safia, qui sait comme moi les ravages que peut charrier le soupçon d'« islamophobie ».

— Vous voulez gâcher tout le travail avec la presse, c'est ça ! Les communiqués, ils passent par nous désormais !

Sur skype, Anna ne comprend pas. Pourquoi tant d'émoi, pour une simple expression ?

— Mais Safia calme-toi. Il y a beaucoup de musulmans dans le quartier, non ? C'est même toi qui nous l'as dit ?

— Oui, mais on ne le dit pas comme ça !

Inna commence à bouillir.

— Safia, tu m'as dit toi-même de ne pas me balader en short, parce qu'ici ça pouvait choquer les musulmans et être dangereux…

— Mais on ne l'écrit pas comme ça dans un communiqué !

— Mais c'est quoi le problème avec vous, les Français ! s'emporte Inna. On dirait que vous avez peur des mots !

De fait, les mots comptent, surtout en français. Bientôt, une interview d'Anna va susciter l'ire sur Internet. Elle y dénonce le sexisme d'une « certaine mentalité arabe », une expression sortie de son contexte, qu'Anna voulait utiliser pour parler du « monde arabe ». Un mot à la place d'un autre, traduit du russe vers l'anglais, qui servira de prétexte pour accuser Femen de racisme. Mais surtout une propagande tout à fait nouvelle et déconcertante pour ces progressistes de l'Est, anticolonialistes, en lutte contre toutes les discriminations et à mille lieues de s'imaginer pouvoir être perçues en « blanches » racistes.

Plus habituées à ces procès d'intention, Les Françaises ont vu venir la foudre, sans parvenir à l'expliquer aux Ukrainiennes. On s'écharpe sur la stratégie à suivre. Safia menace de renvoyer Inna en Ukraine, ce qu'elle ne pense pas, mais qui jette un froid terrible. Je suis appelée en renfort pour une médiation au Lavoir. Les filles de l'Est face aux filles du Sud, et moi plantée au milieu pour traduire.

— Caroline, dit Inna, pourquoi Safia a-t-elle menacé de me virer du Lavoir ?

— Caroline, dit Safia, explique-leur qu'on fait tout pour elles mais qu'on les lâche si elles font les communiqués de merde sans nous prévenir et dans notre dos ! Si elles ne nous font pas confiance, faut le dire tout de suite...

— Caroline, demande Inna avec une pointe de mépris glacial, c'est quoi cette hystérie ? On n'est pas là pour parler de nos émotions.

— Hystérie ! Mais c'est quoi ça ? s'énerve Loubna, au bord des larmes. On s'exprime c'est tout !

En cinq minutes, nous voilà passées d'une crise digne du Kosovo à une impasse digne du conflit israélo-palestinien. Je tente de ramener la paix.

— On se calme ! Inna n'a pas dit qu'elle ne vous faisait pas confiance. Et les filles ne crient pas, elles s'expriment, c'est tout...

Je propose un traité.

— Inna, rassure-toi, personne ne te mettra dehors. Ce sont des mots, de la colère, tu es ici chez toi. Maintenant, comprends Safia et Loubna. Elles ont de l'expérience. Elles connaissent la presse française et européenne. Vous devriez les écouter, au lieu de laisser n'importe quelle militante parler sans être formée et rédiger les communiqués depuis Kiev. Il faut faire attention aux mots qu'on emploie ici. Surtout sur certains sujets. Sans ça, dans deux ans, Femen sera totalement décrédibilisée.

Sasha et Oksana sont à l'écoute, elles approuvent. Mais dans deux jours, elles seront de nouveau à Kiev, et c'est Inna, le visage fermé, qui doit gérer ce mouvement à deux têtes, tout en gardant à bord de jeunes militantes qui ne veulent plus entendre parler de Safia.

Le conflit est juste déminé en attendant la prochaine crise. Inna, de toute façon, doit filer. Un taxi l'attend pour la conduire sur le plateau de la chaîne parlementaire.

— Je le prends avec toi.

Dans la voiture, j'essaie de reprendre mon entreprise de médiation. Inna me coupe net.

— Caroline, le problème est ailleurs. Je n'ai pas confiance en Safia. J'ai un instinct pour ces choses. Je ne suis pas sûre de ses intentions politiques. La façon dont elle se comporte avec les militantes n'est pas acceptable. Elle leur parle vraiment très mal. Je sais bien que vous pensez qu'elles ne sont pas intéressantes...

— Ce n'est pas ça, mais elles ne sont pas vraiment formées.

— Ça je m'en occupe, je sais faire, je vais le faire. Mais peut-être pas comme vous l'entendez. Par l'action, l'épreuve de la rue, pas par la parole. On a toujours fonctionné comme ça à Femen. Des filles viennent, et on les laisse participer à des actions quand elles sont prêtes. Beaucoup partent. D'autres se transforment. Je sais où je vais. Mais Safia ne comprend pas.

— Elle dit juste, et je suis d'accord avec elle, que l'action ne suffit pas. Il faut aussi des débats, une formation plus intellectuelle...

— Quoi, vous n'en avez pas assez des intellectuels dans votre pays, des gens qui se gorgent de mots ou qui en ont peur ? Femen est un mouvement d'action.

— L'action sans stratégie peut mener dans le mur, Inna.

— Eh bien, on verra. En attendant, je n'ai aucune confiance en Safia. J'ai bien plus confiance en toi. Je vois bien que tu veux juste nous aider et pas nous utiliser.

Bien que touchée par ces mots, que j'imagine rares chez elle, je vois venir le fardeau. Il est évident que Safia sera bientôt hors du navire Femen, qu'on vient d'arrimer en France et qui s'apprête à lever un vent de force sept sur tous les sujets qui me tiennent à cœur. Il va bien falloir rester dans les parages si je veux éviter certaines tempêtes.

Le taxi se gare devant le Sénat. Inna me sourit. Elle n'a plus le visage fermé de tout à l'heure. On s'embrasse. Je la rattrape.

— Il est plus que temps que je te montre Paris. Le vrai Paris, celui où l'on refait le monde autour d'un vrai dîner. Qu'en penses-tu ?

Inna accepte en rougissant, comme la jeune fille timide qu'elle peut être. Je la regarde franchir la porte du Sénat, et je rentre à pied. Il fait si bon. Paris est si belle.

En chemin, je repense à la première fois où j'ai pu marcher la nuit sans avoir peur d'être harcelée : « Hé mademoiselle, hé toi ! Hé pshhiit ! Hé, tu m'écoutes. Vas-y, retourne-toi ! Hé comment tu t'appelles ! Vas-y réponds salope ! » Aucun homme ne peut comprendre la rage qui monte en vous en entendant ces répliques, sales et bruyantes, coller à vos basques. Elles m'ont si souvent donné envie de frapper.

À 20 ans, il a fallu se résigner. On ne peut pas écraser les couilles des garçons en rut à chaque coin de rue. Le seul moyen de marcher en toute liberté est de se couper les cheveux. J'entends encore les cris de ma mère : « Qu'as-tu fait ? À quoi tu ressembles maintenant ? À une gouine ! » Cette fois, au moins, ma pauvre mère avait raison de s'inquiéter. Avoir les cheveux bien courts, signifier aux hommes que vous vous retirez de leur marché, n'aide pas vraiment à grimper dans un monde où ils tiennent le haut de l'échelle. Je me souviens d'un rédacteur en chef, coureur, qui préférait salarier une pigiste moins fouineuse mais rougissant facilement à ses blagues. D'un premier boulot perdu à cause de mon « caractère » (entendez : pas assez soumise). De ce marchand de tapis se prenant pour un éditeur, qui ne m'a jamais payé mes droits d'auteur et justifiait le peu de presse par mon côté « trop marquée » (entendez : trop lesbienne).

96

J'ai vite compris. Ma double indépendance, personnelle et professionnelle, aurait un prix : travailler triple, toujours faire ses preuves, aller où personne ne va, avoir toujours plusieurs employeurs, ne jamais dépendre d'un seul contrat, de personne, sauf de soi. C'est possible. C'est fait. Aujourd'hui, j'aime, je travaille et je peux marcher en toute liberté… Sur tous les trottoirs du monde entier. Mais je n'oublierai jamais cette première fois, à 20 ans, où j'ai coupé mes cheveux et sillonné Paris toute la nuit sans être traquée. Les quais illuminés, le reflet des bateaux-mouches sur la Seine, la Bastille, que c'est beau quand on n'est pas pressée ! Quelle énergie il faut pour reconquérir le bitume quand on est femme et qu'on veut simplement marcher, et non pas faire le trottoir. C'est cette lutte de rue que Femen symbolise en s'appropriant la voie publique, seins nus, sans T-shirt ni burqa, le corps criant… qu'il n'a plus peur.

*

Où emmener dîner une révolutionnaire à qui l'on veut montrer Paris, son nouveau refuge, si ce n'est au Procope ? Ses murs ocre, chargés de tableaux et d'histoire, ont été témoins de tant de complots depuis 1686. Voltaire et Rousseau y avaient leurs ronds de serviette, et devaient s'éviter parfois. Diderot peaufinait ses articles pour l'Encyclopédie en soupant avec d'Alembert. Comme une entrée avant la Révolution. Puis on est passé au plat de résistance : de la viande, saignante pour Danton et Robespierre. Le restaurant est situé rue de l'Ancienne-Comédie.

La soirée se déroule comme un flirt, timide et complice. Inna rit beaucoup. Le lieu l'impressionne. Elle ne sait pas quoi choisir parmi les plats, un peu trop classiques à mon goût. Ce sera soupe et foie gras.

— Tu connais Voltaire ? lui demandé-je, avec une idée en tête...

— Caroline, quand même !

À force d'être effondrée par le niveau de culture générale en France, je finis par oublier qu'Inna a grandi à l'Est, où l'école post-soviétique résiste.

— Oui, bien sûr... Mais le chevalier de La Barre, tu en as entendu parler ?

— Lui non.

— C'est normal, même ici, personne à part les laïques ne connaît son nom. Son histoire devrait te plaire. Voltaire l'a beaucoup défendu. À 19 ans, il a été accusé de blasphème. On l'a torturé, puis on lui a tranché la langue et on l'a brûlé vif, pour un crime qu'il n'avait pas commis... Je te parle de 1765. On l'accusait d'avoir fait trois entailles sur un crucifix en bois... apparues un matin sur la grande croix de la place d'un village. Le soupçon s'est porté sur lui parce qu'il n'a pas enlevé son chapeau un jour de procession. En plus, on a retrouvé chez lui des livres philosophiques signés de Voltaire, ce qui fut présenté comme une preuve de son esprit anti-religieux ! Aujourd'hui, la France t'accueille parce que tu as scié une croix à Kiev, mais tu imagines ce que tu aurais pris à l'époque !

L'anecdote plaît beaucoup à ma « briseuse de croix », comme l'ont surnommée les intégristes. On se ressert du vin.

— Pourquoi tu dis qu'il était innocent ?

— Peu après son exécution, on s'est aperçu que les trois entailles correspondaient parfaitement aux griffes d'une charrue, qui avait pris un virage trop serré autour du crucifix.

La soirée est vraiment délicieuse. Je propose de marcher un peu. Sur les quais, Inna, qui pense sans arrêt à des actions seins nus dans tout Paris, s'enquiert de la météo.

— Il fait quel temps à Paris pendant l'hiver ?

— Entre zéro et cinq degrés.

— Génial. Je vais adorer être Femen à Paris...

— Et en Ukraine ?

— Ça peut aller jusqu'à moins vingt.

— Ah oui quand même. Tu vas aimer Paris.

J'aurais mieux fait d'avoir la langue coupée comme le chevalier de La Barre. Nous allons affronter l'hiver le plus long et le plus glacial qu'ait connu la France depuis des décennies. Au point que Inna se demande s'il ne fait pas plus froid qu'en Ukraine.

Nos pas poursuivent Paris, suivant un itinéraire qui annonce notre Chemin de Croix à venir. Notre-Dame, l'Hôtel-Dieu, le Palais de Justice... À Notre-Dame, nous connaîtrons la foudre. À l'Hôtel-Dieu, nous compterons nos hématomes. Mais pour l'instant tout va bien, la nuit est belle, et nous échouons devant le Palais de Justice.

— Regarde bien ce bâtiment, tu devrais avoir l'occasion d'y venir !

Avec ses colonnes magistrales et ses quatre donjons, le Palais de Justice est l'un de mes monuments parisiens préférés, surtout vu de la Seine, que nous longeons à présent en traversant le Pont-au-Change, reliant l'Île de la Cité à la place du Châtelet.

— Tu connais l'histoire de la Commune ? dis-je en me retournant vers elle.

— Mais enfin Caroline ! dit-elle en riant. Bien sûr !

Je ris. Évidemment, qu'elle connaît. Avec la révolution française, c'est sans doute l'épisode de France le plus enseigné à l'Est.

— Eh bien les communards ont occupé cette aile du Palais de Justice pendant des jours. Quand les Versaillais ont repris la main, l'un des commissaires politiques de la Commune, Raoul Rigault, qui avait joué au préfet de police, a mis le feu à toutes les archives dans son bureau. Chaque fois que je passe ici, je l'imagine à cette fenêtre qui est éclairée, lui dis-je en montrant la lumière venant du flanc du Palais de Justice qui domine la Seine… Tu connais Raoul Rigault quand même ? dis-je en forçant mon ton de professeur d'école pour l'amuser.

— Non, Raoul Rigault, non…, sourit Inna.

Mon air gauche l'attendrit. Pour ne pas rompre le charme, je ne lui dis pas tout à cette jeune bolchevique. Ce qui me fascine tant chez ce Rigault, bien moins célèbre qu'un Jules Vallès ou qu'une Louise Michel, ce n'est pas son côté révolutionnaire, qui m'a toujours un peu inquiétée, mais son côté ordonné, réfléchi et stratège. Un communard qui a rétabli l'ordre au cœur de l'insurrection, au service du peuple, sans laisser s'installer la loi du plus fort. Une sorte de gendarme de la révolution. Il en faut toujours un et il est souvent plus rare que la masse des furieux prêts à couper des têtes sans penser aux lendemains. Inutile d'entrer dans ces détails auprès de ma chère Femen, qui s'apprête à retourner Paris sans penser aux conséquences pour l'ordre public. Je préfère bifurquer sur d'autres souvenirs de guerre et me mets, décidément, à parler comme un vieux combattant. Qui sème le vent récolte la question qui tue.

— Tu as quel âge, Caroline ?

— Euh… attends… 37 ans je crois.

— Tu crois, dit-elle en riant… 37 ! Je te pensais plus jeune.

Inna me dévisage d'un air grave. Ça a l'air grave. Comment faire, maintenant, pour ne pas avoir l'air vieux jeu si j'insiste pour la raccompagner jusqu'au Lavoir moderne, cette amazone en short, alors qu'il est minuit passé ?

— Il y a autre chose qu'il faut que tu saches.

— Quoi ? me demande-t-elle, intriguée.

— Je suis une féministe macho.

Elle rit.

— Intéressant. C'est-à-dire ?

— C'est-à-dire qu'il n'est pas question que je te laisse rentrer seule en métro jusqu'à la Goutte d'Or. Je te raccompagne.

Inna secoue la tête d'un air amusé. Ils sont fous ces Français… Trente minutes plus tard, nous zigzaguons sur le trottoir pour ne pas déranger les prostituées. Inna souffle et peste, horrifiée. Une jeune étudiante, qui n'est visiblement pas du métier, vient à notre rencontre :

— Vous êtes Caroline Fourest, j'adore ce que vous faites. Mieux, qui vous êtes.

— Merci, c'est très gentil.

Le compliment impressionne Inna. Si seulement il pouvait lui faire oublier mon grand âge… Arrivée au Lavoir, je commande un taxi et nous nous disons au revoir, bizarrement intimidées.

*

101

Dans son lit, Inna repense à cette soirée, sans doute la première où elle s'est sentie vraiment à Paris, loin de la Goutte d'Or et de son champ de bataille, sans armure ni masque. Elle a perdu l'habitude de ces moments simples, où l'on se confie en mangeant ou en marchant, et trouve, pour une fois, le sommeil.

*

Le lendemain, la sonnerie du téléphone la rappelle à l'ordre. Combien sont-ils à défiler dans ce canapé rouge dressé au milieu du plateau du Lavoir comme un ring ? Des dizaines, chaque semaine, du monde entier. L'ARD, la RTBF, la BBC, le *Corriere della Serra*, tout le monde veut venir voir le Centre International Femen. Avec toujours les mêmes questions : Que veut dire Femen ? Pourquoi seins nus ? Vous êtes sûres que vous ne faites pas le jeu du sexisme ? C'en est presque comique, cette façon qu'ont les journalistes de reprocher à Femen leur succès médiatique. Pourquoi sont-ils là et non à une réunion d'Osez le Féminisme ou d'un autre groupe féministe en T-shirt ? C'est ce que Inna leur répond parfois, quand elle perd patience. Le reste du temps, elle sait se montrer professionnelle, aimable et charismatique. Rares sont les journalistes ou les activistes à ne pas succomber.

Pourtant, le casting n'est plus le même qu'en Ukraine. Là-bas, les femmes qui militent sont celles qui ne sont pas encore mariées... Des activistes jeunes, presque toutes sur le même modèle. En France, le colonel Shevchenko a la surprise de voir venir non seulement des femmes plus âgées mais des femmes mariées et même des mères de famille ! Comme Safia,

Loubna, Maya, Valérie ou Sushita. Elle n'en revient pas. Un jour, elle s'en ouvre à Valérie, une comptable d'une quarantaine d'années, mère de deux enfants.

— Tu es sûre de vouloir militer à Femen ? On prend des coups, on fait de la garde à vue. Parfois plusieurs jours de prison...

— Et alors ?

— Alors qui gardera ta fille si tu disparais pendant plusieurs jours ?

— Mais son père !

Inna sourit. Elle n'y avait même pas pensé. Cette évidence lui apparaît comme une révolution. Ainsi, c'est donc ça un pays où existe une certaine égalité. Un morceau de terre où les femmes peuvent continuer à avoir des convictions même si elles sont mariées, et où leur mari peut garder les enfants. Si exotique vu d'Ukraine. Pourtant, même là, les femmes ressentent le besoin du féminisme.

Les journalistes français lèvent les yeux au ciel quand Inna leur dit que Femen est aussi nécessaire ici qu'en Ukraine. N'est-ce pas en France que dix violeurs sur quatorze viennent d'être condamnés à de simples peines avec sursis, alors qu'ils ont infligé une tournante à deux filles de leur quartier ? Dix ans d'instruction bâclée pour aboutir à ce verdict indigne. Julia, la petite blonde intello, propose de se joindre à la manifestation organisée par les autres associations féministes devant le ministère de la Justice.

— Ce serait bien de montrer qu'on est solidaires des autres organisations.

— Oui, approuvent d'autres filles.

— Si vous y tenez, tranche le camarade Shevchenko, pas du tout habitué à manifester avec d'autres. Mais nous on est Femen, on doit frapper plus fort. Alors avant d'aller manifester, on attaquera le ministère de la Justice. Qui veut en être ?

Presque toutes les filles lèvent la main. Inna choisit celles qu'elle juge opérationelles. Le rendez-vous pour se peindre et choisir les slogans est fixé le matin de l'action, à 9 heures. Safia, qui doit mener sa fille à l'école, arrive en retard. Inna, qui n'est pas vraiment habituée à tenir compte de l'heure des crèches, lève les yeux au ciel. Une preuve supplémentaire que Safia n'est pas fiable. On définit le scénario, que Inna répète une dernière fois.

— On fait comme on a dit, on fonce vers les grilles des fenêtres et on s'accroche. Si les flics tentent de nous déloger, on se débat et on crie.

Quand elles arrivent place Vendôme, la presse est déjà sur place. Inna a prévenu les habitués, comme l'AFP et Reuters, plus quelques nouveaux comme l'équipe du *Petit Journal* de Canal +, où elle est passée en plateau quelques jours plus tôt. Il y a bien des policiers, mais l'ambiance reste bonne.

Les filles ont le temps de s'accrocher aux grilles des fenêtres du rez-de-chaussée du ministère et de déployer une banderole « RAPE CLUB ». Éloïse, la rousse, l'une des premières à avoir rejoint Femen-France, prend particulièrement bien la pose du martyr. Avec ses bras en croix et sa couronne de fleurs, on dirait le Christ en personne. Des renforts arrivent pour les déloger. Inna tente de les provoquer pour obtenir l'effet visuel qu'elle cherche : celui de filles malmenées par des policiers qui feraient mieux d'arrêter des violeurs, mais rien n'y fait. Ils restent relativement calmes. C'en est presque rageant. Ce pays risque d'être ennuyeux pour Femen... Soudain, une faille apparaît. La lourde porte de l'hôtel particulier vient de s'entrouvrir. Safia et Inna se mettent à courir pour tenter une incursion, et se jettent sur les gardes en criant : « La justice nous baise ! ». Enfin un peu d'action. Maintenant, les flics vont devoir les traîner, sans ménagement, mais ils les laissent partir sans les arrêter... Une scène, surtout, n'aurait pas pu avoir lieu à Kiev. Une bonne sœur, en cape grise et voilette sur la tête, passe place Vendôme. Elle veut connaître la raison de toute cette agitation. Deux Femen lui expliquent qu'elles dénoncent la clémence dans une affaire de viol collectif. Avec leurs couronnes de fleurs christiques et leur tenue d'Ève, elles lui sont très sympathiques. Les caméras du *Petit Journal* tiennent leur séquence :

— Vous les soutenez ? demande le journaliste.

— Tout à fait, répond la bonne sœur, elles ont raison.

Inna, qui n'en revient pas, pose bras dessus, bras dessous avec les filles et la nonne. *« Si elle savait pour la croix... »*

Ses soldates, qui croient l'action terminée, se mettent à répondre aux journalistes d'un air détendu, en fumant. Inna est furieuse.

— Arrêtez de sourire, ce n'est pas fini !

Quand elle-même donne une interview, le ton est nettement moins léger.

— Vous manifestez pourquoi ?

— Parce qu'aujourd'hui la France, capitale du romantisme, est devenue la capitale du viol. Mais que les violeurs ne pensent pas s'en sortir. Femen est là et nous rendrons la justice, par la castration s'il le faut.

105

Le journaliste en a le micro qui débande. Les Françaises toussent un peu, sauf Safia qui retrouve le ton Femen qu'elle aime tant. On se rhabille et on rentre au Lavoir.

*

Au début, le camarade Shevchenko ne comprenait pas pourquoi les filles venaient avec des bouteilles de rosé aux réunions.

— Mais pour trinquer, Inna !

— À quoi ? On est en réunion.

— Mais on fait les deux en France !

Ah, ces Français… Inna a compris deux choses à leur sujet. 1) Ils n'auraient jamais fait la Révolution s'ils n'avaient pas eu le ventre vide. 2) Ils ne savent pas avoir un débat politique sans parler aussi de sexe. Tout est si différent de Kiev. Les filles qui ne militent pas ne pensent qu'au mariage. Et celles qui militent ne parlent pas de sexe. En ce qui la concerne, il y a peu à dire. Les filles ont beau spéculer sur les hommes qui lui tournent autour, elle n'a rien à confesser. Il y a bien ce sentiment, nouveau, qui la traverse, mais ça, elle le garde pour elle. Mieux vaux changer de sujet.

— Alors, la prochaine action ? C'est quoi pour vous, l'actualité ?

Les militantes, auxquelles se joignent des garçons en réunion, débordent d'idées, et l'on finit par trinquer. En Ukraine, Inna ne buvait jamais. Mais elle est si stressée… Les demandes tombent de partout, des mails qui arrivent et qu'elle n'a pas le temps de lire, les messages qu'elle n'a pas le temps d'écouter. C'est tout juste

106

si elle voit la différence entre le jour et la nuit. Souvent, les journalistes lui demandent si elle aime vivre à Paris.

— Je ne sais pas. Je ne vis pas vraiment ici. Je vis dans mon combat.

Elle sort peu du Lavoir et ne voit guère Paris, sauf si je l'emmène au restaurant. Le plus souvent, ce sont les filles qui apportent des biscuits ou des chips à grignoter. Parfois, c'est son seul repas de la journée. Quand elle est seule, elle avale un bout de baguette, avec du saumon le midi, et du fromage le soir. Ah cette baguette, elle en raffole : « Ça oui, c'est Paris ! »

Pour le reste, ses journées pourraient se dérouler dans n'importe quelle capitale du monde. Le jour, elle surfe sur Internet pour chercher des idées d'actions. Le soir, elle lit Richard Dawkins sur l'athéisme ou Monique Wittig sur le féminisme, puis se branche sur Internet pour parler avec Kiev. Viktor appelle souvent. Parfois avec Anna, toujours inquiète, surtout lorsque Safia a appelé pour se plaindre.

— Qu'est-ce qui se passe encore avec Safia ?

— Toujours la même chose, elle n'est pas fiable...

— Et sinon, il y a beaucoup de nouvelles activistes ?

— On a plein de nouvelles qui arrivent chaque jour. On va finir par devoir instaurer une réunion mensuelle pour les accueillir toutes en même temps.

— On lance une grande campagne contre les magasins Ikea, qui ont effacé les femmes de leur catalogue pour satisfaire leur clientèle saoudienne. Il faut que tu agisses cette semaine.

— OK, je vais voir avec les filles. Mais elles trouvent qu'on devrait espacer les actions.

— Pour quoi faire ?

— Je ne sais pas, c'est différent ici. Les médias sont exigeants, on ne peut pas leur donner n'importe quoi...

— Ikea, ce n'est pas n'importe quoi ! Arrête de toujours dire non quand on te propose une action !

Viktor et Anna... Est-ce l'excitation ou la peur de perdre le contrôle ? Inna ne les a jamais sentis si perdus. Comme s'ils voulaient vivre sa vie parisienne par skype interposé. Elle se dit qu'il ne faudra pas tout leur dire. Certaines actions, pertinentes vues d'Ukraine, risquent de tomber à côté de la plaque vues de France. Mais il faudrait faire semblant d'obéir, sinon ils pourraient l'exclure. Elle perdrait tout. Elle qui a tant donné à ce mouvement. Avant de fermer les yeux, la nuit, elle se demande souvent ce qu'elle deviendrait si Femen disparaissait du jour au lendemain. Elle ne voit rien. Femen est toute sa vie, depuis maintenant deux ans, depuis sa première arrestation.

*

Kiev, mars 2010

Cette fois, l'espoir soulevé par la révolution Orange est bien retombé. Ianoukovitch, le pantin de Moscou, celui contre qui Inna menait campagne au lycée, vient de remporter l'élection présidentielle. Sans même avoir fraudé. Les cyniques vont pouvoir reprendre les affaires en main, c'est-à-dire l'État. Leur nouveau gouvernement vient de se mettre en place. Des ministres corrompus et pas une seule femme en trente ministères ! Femen veut frapper les esprits. Une escouade de militantes déguisées en hommes qui foncerait vers le siège du Premier ministre pour se changer en filles et sortir des pancartes revendiquant au moins un « Ministère des chaussettes sales ».

Inna veut diriger l'action. Elle a recruté des filles, quatre copines de l'Université, prêtes à la suivre au doigt et à l'œil. Comme la première opération « L'Ukraine n'est pas un bordel » s'est bien passée, Femen a déposé la manifestation. Sans réaliser qu'un show contre la prostitution sous l'ère Orange n'aura pas exactement le même accueil qu'un commando dénonçant le nouveau gouvernement sous ses fenêtres. Quand Inna se présente avec les filles, en costumes noirs avec mallettes, elles sont attendues par une centaine de policiers, qui les empêchent d'approcher du *Kabmin*, le siège du Premier ministre.

— Qu'est-ce qui se passe ? On a déposé la manifestation.

— Vous restez là.

Le policier n'a pas l'air commode. Inna ne se laisse pas impressionner. Les uniformes ne l'ont jamais intimidée. Au contraire, ça lui rappelle son père... Elle se met à crier :

— Des femmes au gouvernement !

Pendant que les filles commencent à sortir leurs pancartes et continuent de scander les slogans, Inna entrevoit une faille dans le dispositif. Sans réfléchir, elle ordonne à ses troupes de foncer et se met à courir. Arrivée sur les marches, elle commence à déboutonner son pantalon d'homme pour se transformer en fille, lorsqu'un bras vient la stopper.

— Emmenez-la !

Deux policiers la traînent au bas des marches. À peine le temps de comprendre, la voilà enfermée dans un fourgon blindé et grillagé pendant que ses camarades hurlent son nom à l'extérieur : « Shevchenko ! Shevchenko » !

*

Au commissariat, le chef du district se montre plutôt coulant. Sans doute le policier le plus adorable qu'elle ait jamais croisé. Anna est venu lui apporter des vêtements. On a payé une amende et Inna peut sortir pour donner sa première conférence de presse. Le soir même, les images de l'action et sa déclaration tournent sur toutes les chaînes de télévision. Le téléphone retentit. C'est la voix qu'elle redoutait.

— Ma chérie, qu'est-ce que tu as fait !

À l'autre bout du fil, sa mère pleure comme jamais. Son père, d'habitude si compréhensif, est glacial.

— Tu crois que ça me fait plaisir de voir que ma fille est arrêtée ? Tu comprends l'effet que ça fait ?

Bien sûr qu'elle comprend, mais n'a aucun regret. Ce qu'elle fait, elle le fait pour elle, et maintenant pour la cause. C'est ce gouvernement qui a tort, pas elle.

*

Quand elle arrive à son bureau de la mairie, le lendemain, elle sent comme un courant d'air lui frôler la nuque. Ravie de se débarrasser d'une concurrente, sa cheffe approche pour lui annoncer la nouvelle.

— Vous n'allez pas pouvoir revenir travailler ici. Rassemblez vos affaires.

Elle ne s'y était pas préparée. La sentence tombe comme une guillotine. Une fois dans son appartement,

Inna s'effondre en larmes, frappée par l'injustice en personne : « *Je n'ai rien fait. J'avais raison. Cette protestation était juste. Ils n'ont pas le droit !* »

Au café, les Femen tentent de la réconforter, mais rien ne peut l'apaiser. Surtout pas l'idée que ses parents puissent l'apprendre. Car, bien sûr, il n'est pas question de le leur dire. Sa mère pourrait en mourir. Ce travail, son salaire, c'est la seule chose qui lui permettait de tout faire pardonner : étudier à Kiev, ne pas se marier, militer… Tout ça pourquoi ? Ses larmes reprennent de plus belle, sa rage augmente. Elle leur fera payer. Maintenant, elle n'a plus rien à perdre.

En moins de deux semaines, sa vie change complètement. Elle doit rendre les clefs de son bel appartement, renoncer au shopping et aux restaurants. À l'université, où elle repasse de temps en temps, des gens la soutiennent. Des élèves, des professeurs, viennent la saluer. On parle même de son action en classe. Mais pour elle, c'est fini. Elle n'appartient plus à ce monde capable de se frayer un avenir dans un pays gangrené. Femen devient le lieu de sa revanche. Peu importe si son père menace de la ramener de force à Kherson. Tant pis si sa mère entre en dépression nerveuse, au point d'être hospitalisée. Ni ses cris ni ses pleurs ne peuvent plus l'arrêter. La petite fille modèle, l'élève brillante promise à un bel avenir appartiennent au passé. Une activiste n'a ni passé ni avenir.

*

111

Inna a pris un taxi, tellement elle est en retard. Les déclarations du président ukrainien tournent dans sa tête. Elle en revient à peine. Cela veut dire tant de choses… Accoudée à un lampadaire, j'écoute le dernier album d'*Anatomie bousculaire,* en jurant de ne plus jamais lui donner rendez-vous dans la rue. Trop de gens commencent à me reconnaître. Je dois tourner en rond, le regard collé au bitume, pour rester seule avec la musique dans mes oreilles.

— « *Contre nature, mais contre elles. Nos princesses de l'irréel… »*

Avant de rencontrer Inna, je sortais peu, sauf pour me rendre à un dîner chez des amis. Depuis nos rendez-vous nocturnes, me voilà devenue guide gastronomique. Je connais tous les bons restaurants abordables du centre-ville. C'est idiot, car cette jeune révolutionnaire ne voit pas bien la différence entre un bistrot médiocre et une bonne table. Moi si. Je crois même ce raffinement indispensable pour civiliser les pulsions guerrières. C'est peut-être mon côté français, mais une femme qui ne vit que pour se battre, sans jamais faire l'amour ou prendre le temps de manger, que voulez-vous, ça m'inquiète. Le monde serait tellement plus apaisé si chacun, sur cette terre, pouvait atteindre l'orgasme dans un lit ou une assiette. Il faut bien compenser les saletés du monde, chasser l'odieux par le plaisir, partout où il se trouve.

Ce soir, entre mes enquêtes sur les extrêmes et le débat sur le mariage pour tous qui sent la poudre, j'ai particulièrement besoin de calme. J'ai choisi un restaurant perdu dans les dédales des petites rues du village

Saint-Paul, où l'on mange cru et acidulé. « *Il faudra bien ça* », me dis-je en voyant Inna arriver, tendue comme une corde.

— Désolée, me dit-elle, au bord du malaise.

— Ça ne va pas ?

— Pas trop.

Je lui prends le bras et nous bifurquons dans une impasse, étroite, où la lune fait briller les pavés.

— Qu'est-ce qui se passe ?

— Mon président vient de lancer sa campagne pour les législatives par une conférence de presse. Il a demandé à ce que l'on m'arrête, où que je me trouve.

C'est la première fois que je la sens aussi inquiète. Ma main caresse son dos et tente de la rassurer.

— Il n'a aucune chance de te faire arrêter à Paris.

— Je sais, mais ça veut dire tellement de choses. Cette fois, c'est sûr, je ne peux plus retourner dans mon pays.

— Je suis désolée, lui dis-je, un peu surprise que cette réalité ne la rattrape que maintenant.

Est-ce parce qu'elle est sonnée ou parce que le restaurant et son ambiance tamisée lui plaisent, elle est plus douce et complice que jamais.

— C'est beau ici. J'adore les bougies.

— Tu devrais aussi adorer ce que tu vas manger.

— La carte est en français, tu dois me traduire, Caroline !

C'est devenu un jeu entre nous. Inna adore m'entendre égrener des noms de plats insensés, me voir m'arracher les cheveux pour lui décrire un poireau ou un navet. Puis, ça finit toujours pareil :

— C'est toi qui choisis !

— Bon... Tu aimes le poisson cru ?

— Oui.

113

— Alors, on va goûter cet émincé de bar au yuzu… Tu connais le yuzu ?

— Non, mais Voltaire oui, se met-elle à dire en riant.

— Bon ça, ça va, je sais, c'était con comme question… Le yuzu, c'est comme un citron mêlé d'un goût de mandarine.

— Je m'en fiche, choisis !

Subitement, Inna change d'humeur. C'est fréquent quand j'essaie de la tirer vers l'art de vivre, autant dire vers la social-démocratie. Ma bolchevique fond puis se ressaisit brutalement, en déclarant que ces détails bourgeois ne l'intéressent guère… Puis elle fond à nouveau en voyant son plat arriver, qu'elle déguste en poussant des cris.

— Tu as faim visiblement…

— J'ai toujours faim. En Ukraine, on ne se pose jamais la question. S'il y a quelque chose sur la table, on mange !

La soirée ralentit. Comme si le temps s'arrêtait. Qu'aucun orage, dehors, ne grondait. Ni extrémistes homophobes, ni président ukrainien. Dès demain matin, nous reprendrons notre course contre l'adversité. Ce soir, on préfère parler de nous, de notre complicité, de cet arc électrique qui nous relie, et que j'ose nommer pour la première fois.

— Suis-je la seule à ressentir ce qui se passe ?

— Comment ça ?

— Cette attirance, Inna…

À peine ai-je fini ma phrase que Inna se décompose. Ses joues s'empourprent, sa respiration se bloque. Comme si elle allait défaillir.

— Oh, mon Dieu…

— Ne le mêle pas à ça, dis-je en souriant tendrement.

Inna boit une gorgée de vin pour se donner du courage, secoue l'air avec sa main pour refroidir ses joues, puis se lance timidement.

— C'est quelque chose que je ne peux pas nier.

Elle a tellement murmuré que je n'ai rien entendu.

— Inna, je suis désolée, tu disais ?

— C'est quelque chose que je ne peux pas nier ! se met-elle à crier, plus rouge que jamais, avant d'éclater de rire, embarrassée.

— Ah là j'ai entendu…, dis-je en souriant.

Je n'insiste pas. Elle a besoin de reprendre des forces, et moi de savourer cet aveu. Inna se perd dans ses pensées, le regard tourné vers une autre table du restaurant. Un homme et une femme grisonnants, noyés dans les yeux l'un de l'autre.

— On ne voit jamais des couples de cet âge au restaurant le soir en Ukraine. C'est tellement romantique.

— Ce qui est encore plus romantique, c'est d'imaginer qu'ils ne sont peut-être pas mariés mais amants, à soixante-cinq ans, et qu'ils viennent de se rencontrer…

— Vous les Français…, sourit-elle en buvant une gorgée de rouge.

Sur le chemin du retour, je tente une dernière fois de la rassurer.

— Ne t'en fais pas. Il ne pourra pas te faire arrêter ici. Et la bonne nouvelle, avec cette déclaration, c'est que tu devrais obtenir l'asile politique.

Elle m'embrasse la joue tendrement.

Les gens pensent souvent qu'il faut se tenir loin de
son sujet pour être un bon journaliste. C'est faux. Il
faut être au plus près, tout en conservant du recul sur
soi-même. Ce soir, le fait d'être tout près d'Inna me
permet de capter un instant qu'une équipe moins impli-
quée aurait manqué. À part nous, deux équipes peuvent
suivre Femen côté coulisses. Mais nous sommes les
seules à percevoir l'intérêt de cette séquence. Non pas
une action, mais un débat sur Al Jazira, la chaîne du
Qatar. Le canal des intégristes. En plus de relayer leur
vision du monde, le Qatar finance les islamistes au pouvoir en Égypte et en Tunisie depuis le printemps démocratique, au point d'être haï des laïques du monde arabe.
Personne n'a les moyens de le défier. Sauf peut-être
Femen, qui possède la bombe nucléaire dans cette partie
du monde : une paire de seins. S'ils cherchent Inna, ils
vont la trouver. Et comme ils vont la chercher…

Al Jazira a envoyé une berline noire, très chic, avec
chauffeur. Nadia monte à l'arrière pour filmer, et moi
à l'avant. Dehors, la lumière jaune de Paris se reflète
dans une nuit bleu marine. Ceinte d'une couronne de
fleurs légères, Inna regarde la ville défiler sans la voir,
la tête posée contre la vitre d'un air triste et anxieux.
On la laisse un instant, avant de la tirer de ses pensées.

— À quoi tu penses ? demande Nadia.

— Dans une semaine, peut-être, je ne serai plus ici.
Si je n'obtiens pas la prolongation de mon visa. Et où
aller ? Je ne peux pas retourner chez moi… C'est
angoissant. J'aime tellement ce que je vis ici.

— Quel est le but ?

116

— Je ne sais pas. Aucun de nous ne le sait. Nous nous réapproprions la rue. Pour tenter de toucher du doigt ce que veut dire vraiment ce mot de liberté.

— Mais qu'est-ce qui t'amène à ce combat, à tout sacrifier pour lui ?

— Je ne veux pas analyser. C'est trop tôt, je suis trop jeune. Quand nous aurons gagné, alors là oui, comme vous le faites ici en France : « un verre de vin et on analyse ! »

Elle sourit en me regardant. Nadia poursuit sur Al Jazira.

— Tu comptes faire une action ?

— On verra, minaude Inna, qui sait ménager le suspense. Je n'ai rien peint sur moi, sous mon T-shirt. Mais s'il y a un moment, je le saisirai. Et bien sûr, Al Jazira, c'est parfait pour ça...

L'émission sera diffusée sur le canal anglophone de la chaîne qatari, à leur meilleure heure. À deux pas de l'Arc de Triomphe, l'immeuble est désert. À l'exception de ce technicien qui nous ouvre et nous conduit dans la petite salle du duplex, drapée de rideaux noirs, angoissante comme un cercueil, s'il n'y avait cette vue imprenable sur la tour Eiffel. Elle se met à scintiller derrière Inna, qui ajuste son oreillette.

— Allô ? Je vous entends assez mal.

Elle stresse un peu. Rien n'est plus dur que de participer à un débat en duplex, depuis une chaise où l'on ne voit rien de ce qui se joue en plateau. La télévision suppose un langage du corps. Un sourcil qui se lève, une moue au bon moment, peuvent frapper les esprits plus sûrement qu'une réplique. Être privé de ce sens visuel revient à accepter un duel au sabre avec un bandeau sur les yeux.

— J'ai peur pour mon anglais, me dit-elle.

On tente de la déstresser en plaisantant, puis le show commence. Nadia part se cacher dans un coin, et moi en régie pour suivre le « retour image » sur un petit téléviseur.

— Avec nous, en studio depuis Paris, la leader des Femen, Inna Shevchenko…

L'animatrice, une Anglaise d'une quarantaine d'années, très lisse et pincée, lance le coup d'envoi de ce qui ressemble bien à un peloton d'exécution. L'assaut est mené par des féministes anglaises, qui décrivent le mode d'action des Femen comme superficiel et sexiste, uniquement destiné à flatter le sensationnalisme des médias. Une salve complétée par skype ou sur Twitter par des femmes voilées, dont certaines en niqab noir se disent féministes pour mieux traiter les Femen d'« islamophobes ». De temps à autre, Inna a le droit de répondre. Comme une lionne dans une cage qu'on essayait de piquer de toutes parts, elle rend coup pour coup, argument pour argument, pendant quarante minutes. Jusqu'au moment où l'animatrice la cherche sur l'action du Trocadéro.

— Inna, pourquoi avoir fait une action intitulée « plutôt nue qu'en burqa », parlez-nous un peu de ça…

— Vous voulez que j'en dise plus ? Plutôt nue qu'en burqa ! Parce que la burqa n'est pas un vêtement de femme, mais un vêtement inventé par les hommes pour enfermer les femmes ! Et voilà pourquoi je suis libre d'enlever mon T-shirt pour mes propres raisons, comme ici, maintenant, sur une chaîne arabe…

À l'instant où Inna a commencé à soulever son T-shirt, son image est censurée, remplacée par le visage consterné de la présentatrice.

— Nous redoutions que cela arrive. Car, manifeste-
ment, c'est ce que les Femen font. Nous n'allons pas
montrer cette image sur notre antenne…

En duplex, Inna éclate de rire et se tourne vers Nadia
en levant le pouce de la victoire : « Elle a dit : on ne
montrera pas votre corps sur notre chaîne ! » Pas même
un coin d'épaule sous une cascade de cheveux. Le cameraman pourrait resserrer son cadre au-dessus des tétons,
il hésite, tente un zoom, mais le Qatar ne suit plus. En
plateau, le tribunal se poursuit sans l'accusée. Celles qui
viennent d'expliquer que les Femen rincent l'œil des
médias ne semblent pas noter l'ironie de la situation :
Inna vient d'être censurée pour avoir montré le haut de
son corps sur Al Jazira… C'est bien que le corps des
femmes gêne certains quand il n'est plus objet mais sujet.
Inna peut être fière de sa démonstration, qui nous réjouit
comme des gosses. Le retour est joyeux, plein de rires.

*

Ma conviction du premier jour ne cesse de se renforcer. La révolution Femen n'a de sens que si elle
permet à des femmes européennes et arabes de pointer
ensemble leurs seins contre ceux qui veulent les couvrir
comme des bagnoles ou les mettre sur un trottoir
comme des lampadaires. Si elle parvient à réunir, le
temps d'un cri, les enfants déçus de la révolution Orange
et du printemps arabe.

Femen travaille depuis longtemps à cette alliance. En
novembre 2010, elles ont mené des actions pour soutenir Sakineh, condamnée à la lapidation par le régime
des mollahs iraniens. Elles ont aussi protesté contre

l'interdiction de conduire qui frappe les Saoudiennes. Le 8 mars 2012, Femen a même débarqué en Turquie. Le propriétaire turc d'une marque de lingerie, spécialisée dans la fabrique de soutiens-gorge après une mastectomie, sponsorise leur voyage. De la publicité pour sa marque, dont Femen profite pour organiser une conférence de presse contre le tourisme sexuel et mener une action. Quatre activistes, dont Sasha et Inna, grimées par des spécialistes du maquillage en femmes défigurées, déboulent devant Sainte-Sophie (devenue mosquée puis musée) pour hurler contre les attaques à l'acide. Bien vu mais trop marketing. Et puis ce sont des blondes qui protestent...

Le groupe sait bien qu'il faut forger une alliance avec des femmes arabes ou musulmanes. L'action du Trocadéro à Paris constitue cette étape vers une coalition plus au sud. Sauf qu'entre Inna et Safia, le pacte ressemble à une fusion impossible. Inna ne supporte plus l'attitude agressive de Safia envers les nouvelles recrues. Safia déteste cet arrivage de gamines écervelées, qui ne pensent qu'à poser pour les magazines. Elle m'appelle chaque jour pour déverser sa déception, que je partage en partie. J'essaie de l'expliquer à Inna, le plus diplomatiquement possible. Au point de gagner un surnom : « Casque bleu ». Une vocation tout à fait nouvelle. Safia veut quitter le navire. Je plaide pour qu'elle donne une dernière chance au groupe. Elle doit venir s'expliquer à la fin d'une réunion prévue au Lavoir. Avant de nous y rendre, nous allons manger un bout avec Nadia, dans un restaurant de la Goutte d'Or étroit comme un couloir. Entre deux tajines et une bière, Safia déverse ses états d'âme.

— Je vais tout arrêter.

— Arrête Safia, dis pas ça ! coupe Nadia.

— Je te jure. Je ne les sens pas. Ce qu'elles font là, c'est de la merde. Elles veulent du chiffre. Aligner les photos. Il leur faut toujours plus de filles à mettre à poil. On dirait qu'il n'y a que ça qui les intéresse.

— Tu parles de Femen comme d'une mafia.

— Mais oui ! Je les connais moi. J'y suis allée en Ukraine. C'est pas Inna qui dirige. Tout se passe à Kiev. Avec Anna et Viktor.

— Viktor ? C'est qui Viktor ?

Nadia a l'air surprise. Pas moi. Ce n'est pas la première fois que j'entends parler de lui.

— Viktor ? C'est le Mohamed Abdi des Femen ! grince Safia.

— C'est qui Abdi ? demande Nadia.

— L'âme damnée de Fadéla Amara, dis-je. L'homme qui a fini par se prendre pour le chef de Ni putes Ni soumises… Parle-nous plutôt de Viktor, c'est quoi son profil ?

— Son profil ? sourit Safia, comme si elle s'apprêtait à révéler le secret du siècle. La trentaine, intelligent, bizarre. Quand j'ai demandé à lui parler seul à seul, il me l'a joué timide.

— Il est très présent ?

— Bien sûr, il est tout le temps au local.

— À quel titre ?

— Je ne sais pas, c'est un ami d'Anna. Il leur donne des conseils.

— Il dirige les actions ?

— Parfois. Il convoque les filles dans le jardin public à côté et il leur donne ses consignes une par une.

Nadia lève les yeux au ciel. Et moi, je vide ma bière d'une traite. Pourquoi nous cacher qu'il y a un garçon si haut placé dans l'organisation ? Où mène ce cirque s'il s'agit d'aligner des photos de femmes nues sans jamais les former intellectuellement ? Je ne sais pas si c'est à cause de nos préjugés sur l'Ukraine, ou de la façon paranoïaque qu'a Safia de tout raconter, mais j'ai la nausée. De deux choses l'une, soit Safia a tout présenté de travers, ce Viktor n'est qu'un conseiller garçon, soit Femen est une couverture pour masquer ses fantasmes, et dans ce cas ce sera la guerre. Mais personne ne doit être jugé avant son procès. Pour l'instant, rien n'indique que la présence de Viktor soit incompatible avec un véritable mouvement féministe. D'autant que Inna ne me cache pas son existence. Bien sûr, elle aime provoquer. Quand on lui demande quelle est la place des hommes dans le mouvement, elle peut répondre : « Mais elle est évidente. Celui de l'ennemi ! » Elle sait aussi argumenter plus sérieusement, comme lors d'une interview tournée au Lavoir, où je lui pose franchement la question.

— Y a-t-il des hommes dans ce mouvement et quelle est leur place ?

— Oui, il y a des hommes dans le mouvement, pas seulement pour porter les vêtements, qui donnent des conseils. Mais c'est un mouvement centré sur l'action. Et là, ils n'ont pas leur place. C'est pour ça qu'ils restent dans l'ombre. La lumière est réservée aux actions, et les actions aux femmes.

Cela se tient. Pour elle, un mouvement non mixte serait sectaire. Un mouvement mixte où les hommes prendraient toute la lumière serait contre-performant.

Au fond, Femen a peut-être trouvé le seul moyen de résoudre ce dilemme de la cause féministe. C'est ce que je me dis en tâchant de rationaliser les éléments factuels que vient de nous livrer Safia dans un mouvement de rancœur. Je vois bien que Nadia ne raisonne pas du tout de la même manière. On en plaisante souvent ensemble. Quand on a grandi dans une dictature, on finit par se méfier de tout. Toute vérité officielle a les apparences d'un complot. Je vais avoir droit à toutes les hypothèses possibles, toutes les machinations envisageables. Même si mon esprit cartésien résiste, je n'en exclus aucune. D'autant que Safia me livre bientôt une autre anecdote qui m'inquiète. À propos d'une action en marge de l'Euro 2012.

— Inna et Sasha devaient faire semblant de s'enculer, déguisées en supporters de foot.

— Pour quoi faire ?

— Je ne sais pas moi, dénoncer le tourisme sexuel à l'occasion de l'Euro…

— Et Viktor était là ?

— Bien sûr. Il « drivait » les filles.

La scène tourne dans ma tête et me file la migraine. Je pars sur le web à la recherche d'une image… Il s'agit d'une conférence de presse. Sasha et Inna sont bizarrement grimées. L'une a les cheveux à moitié rouge et blanc, l'autre à moitié jaune et bleu. Elles font semblant de s'enculer ou de tailler une pipe à une bouteille de bière. Sans les sous-titres, on croirait à une mise en scène douteuse pour exciter. En lisant, je comprends qu'il s'agit de parodier les deux mascottes de l'UEFA en prévision de l'Euro 2012, Slavek and Slavko, censés incarner deux gentils footeux… Que les filles imitent pour dénoncer le tourisme sexuel auquel le tournoi va donner lieu. Mais surtout, je tombe sur la date. Cette conférence remonte à septembre 2011, soit plusieurs mois avant que Safia ne rencontre Femen…

Les mois qui suivent, plusieurs mauvais papiers vont fleurir, toujours alimentés à la même source anonyme : Safia, qui règle ses comptes. Parfois, elle se laisse aller à des commentaires à visage découvert qui ne l'honorent guère. Comme lorsqu'elle ironise dans *Libération* sur ces « barbies » ukrainiennes qui se « ressemblent toutes » : « *Moi je ne les trouve pas belles, elles sont toutes pareilles… ça fait presque peur.* » Une phrase limite raciste dans la bouche d'une enfant de SOS Racisme.

C'est dire si la réunion que nous avons ralliée après le restaurant n'a pas évité la rupture. Safia a pu exprimer son ressenti en présence de militantes. Elle s'est plainte de ne pas toujours être tenue au courant ou d'avoir été dépossédée de la page Facebook. Plusieurs malentendus ont pu être levés. Nous pensons toutes qu'elle va rester. Mais dès le lendemain, Inna reçoit une lettre rageuse, écrite en anglais, donc par Safia et Fernando.

Déçu et blessé de ne pas pouvoir codiriger le mouvement, le couple retire toutes ses billes. Il annonce même vouloir fermer le compte en banque de Femen-France, qu'une Ukrainienne peut difficilement ouvrir et qui est au nom de Safia. Du jour au lendemain, Inna doit sortir en liquide ce qui reste des huit mille euros versés par Calmann-Lévy pour la rédaction d'un livre sur Femen. C'est cet argent qui permet de financer le groupe en France : les baguettes de pain, les transports, les pinceaux, les posters… Subitement, Inna se retrouve à devoir jongler sans carte bleue. Ce qui me permet d'en savoir plus sur les comptes du mouvement en France, loin des fantasmes sur Internet. Je n'en reste pas moins en alerte. Ma relation avec Inna, toujours plus intime, se double d'une obsession maladive : connaître le fin mot de l'histoire.

CHAPITRE 4

Mystère V.

De l'Ukraine, je ne connais que quatre choses : Tchernobyl, la révolution Orange, la prostitution, et depuis peu Femen. J'ai hâte d'y être. Il est horriblement tôt pour Nadia, qui arrive très exactement deux minutes avant la fin de l'embarquement. Dans l'avion, je m'en veux de céder aux clichés exotiques mais je crois voir des mafieux partout.

— Tu as remarqué, dis-je en lui désignant des yeux plusieurs couples assis devant nous.

— Quoi ?

— Les couples ukrainiens… C'est fou ce qu'ils sont stéréotypés. La plupart des hommes sont grands et carrés. Leur peau est abîmée. Leurs femmes, par contre, ressemblent à des poupées toutes fines et apprêtées.

— C'est vrai, dit-elle en souriant.

— Je commence à comprendre pourquoi elles veulent toutes épouser des étrangers…

Le vol n'est pas si long, l'aéroport sans charme mais pratique. Olga, notre traductrice, est en retard. Je me demande si elle va arriver en short moulant et en talons aiguilles… Mais non, c'est une jeune fille en jean, avec un manteau de laine à carreaux, tout simple, et un sac à dos, un visage doux, des yeux noisette et des cheveux lisses châtains attachés qui brisent enfin mes clichés.

— Bonjour. Je suis Olga.

Elle parle un français absolument parfait qui m'intrigue.

— Où tu as appris à parler aussi bien le français ?

— À la fac. J'ai fait une partie de mes études à Limoges.

L'autoroute file vers Kiev, longée par des bouleaux plutôt tristes et le Dniepr, ce fleuve gris bordé de datchas que l'on imagine réservées à l'élite.

— Les maisons des oligarques, sourit Olga d'un air navré.

— Tu milites avec les filles ?

— Non, dit-elle en rougissant. Je traduis pour elles, je les aime beaucoup, mais moi je fais de la musique, avec un groupe.

Plus nous approchons du Centre, plus les panneaux publicitaires vantant des produits de beauté inaccessibles à la plupart des Ukrainiennes commencent à défigurer l'aménagement sans goût mais sobre de l'ère soviétique. J'ai l'impression de voir Inna partout. Sur cette très belle photo pour un parfum, puis tout en haut d'une colline domine l'autoroute : une immense statue guerrière semble l'imiter.

— Qu'est-ce que c'est, Olga ?

— C'est l'une des statues les plus connues de Kiev. La Mère de la Nation.

L'entrée en ville est ralentie par quelques bouchons, qui laissent à Nadia le temps de filmer par la fenêtre de la voiture. Des clubs X promettant des filles nues, des églises orthodoxes aux dômes avantageux, des rues aux trottoirs défoncés. Rien à voir avec celles du centre, où l'on trouve des bars branchés de mauvais goût, des magasins pour nouveaux riches et un Marks & Spencers.

— C'est fou ce qu'il y a comme Porsche Cayenne. J'en ai déjà compté sept depuis tout à l'heure, dit Nadia qui remarque tout.

Les voitures clinquantes pullulent comme le dernier signe de richesse à la mode, celle des rapaces qui dévorent le pays. Les autres, les petits vieux ou le commun des mortels sortent de l'église et prennent un tramway beige et rouge. L'Ukraine roule à deux vitesses.

— Elles sont perçues comment les Femen, ici ?

— Très mal, me dit Olga. Les gens sont assez religieux et conservateurs. Ils ne voient que leurs poitrines, des filles qui se mettent à poil, ils ne cherchent pas à comprendre leur message... C'est dommage. Parce qu'elles sont courageuses.

J'acquiesce volontiers. Le taxi se gare en haut d'une rue très en pente, dans une petite impasse en briques peintes délavées. Les filles nous attendent dans leur QG.

Au tout début du mouvement, les troupes se réunissaient dans le café d'un hammam, puis au Cupidon, rue Pouchkine. En devenant plus connu, le mouvement s'est mis à bénéficier du soutien d'artistes comme DJ Hell, Helmut Joseph Geier (un compositeur de musique techno) ou de magnats de la presse ukrainienne comme Jed Sunden. L'argent arrive aussi par la boutique « Femen » et son compte Paypal. Le groupe peut se permettre de louer un petit deux-pièces en sous-sol, à deux pas de la grande artère de Kiev menant de l'église Saint-Michel à Sainte-Sophie.

On la quitte pour descendre une rue très en pente, qui tourne sous un porche. Au coin, une flèche indique la direction grâce au fameux logo : deux ronds en forme de seins, l'un bleu, l'autre jaune, séparés d'un trait. Il a été dessiné par le designer le plus réputé de l'ex-bloc soviétique, Artemi Lebedev, qui soutient lui aussi le mouvement. Juste après avoir tourné, le porche conduit à un parking à ciel ouvert et à une petite porte noire ayant des seins. L'antre de la bête !

— Tu sais que des touristes viennent visiter le local comme un musée ! me dit Olga.

Je les comprends. Moi-même, je suis impatiente de voir le lieu mythique autrement qu'en photos.

Sasha nous ouvre et nous embrasse chaleureusement.

— Venez.

La première pièce, des murs orange et un sol en pelouse verte synthétique, sert à s'entraîner physiquement, sous l'œil d'un grand miroir et d'une fresque réalisée par un autre ami artiste. Elle imite l'Homme de Vitruve, tracé à l'encre rouge par Léonard de Vinci pour symboliser l'humanisme. Mais bien sûr, au mur des Femen, l'homme est une femme, et son corps tatoué d'une étrange promesse philosophique : « SEXTRE-MISM ». Il y a aussi une machine pour s'étirer et se muscler les bras, des gants de boxe et les fameuses couronnes de fleurs. L'autre pièce, bleue et tapissée des photos de leurs exploits, sert à comploter. Au moins dans les grandes lignes. On fignole les détails à l'extérieur, dans le parc adjacent ou sur le parking, à l'abri des micros.

Je me demande si Viktor sera là, mais ne vois que des filles. Anna, Oksana et trois autres militantes que je ne connais pas encore. Yana, la stripteaseuse timide, celle qui s'est jetée sur le patriarche Kirill, et deux autres que personne ne retient dans les médias, sans doute parce qu'elles sont brunes et que les têtes d'affiche prennent déjà toute la lumière.

Anna, la fondatrice, décolle les yeux de son ordinateur pour venir nous saluer, visiblement préoccupée et frustrée de ne pas parler anglais. Puis elle reprend son poste derrière l'écran en jurant. Sasha s'excuse :

— On est désolées. Les filles de Femen Brésil viennent de faire une action sans nous prévenir et on n'arrive pas à avoir l'info.

— Sur quoi ?

— Justement, on ne comprend pas. Apparemment, elles dénoncent un viol qui a eu lieu dans une communauté indigène en lutte contre des promoteurs immobiliers qui détruisent leur forêt. Elles sont allées protester sur le chantier, mais on ne sait pas exactement ce qu'elles ont fait...

— C'est compliqué l'international !

Sasha acquiesce, totalement en phase. Anna, qui ne comprend pas un mot de notre conversation, continue à marmonner en russe. Le développement du mouvement les a prises de court. Tout se passe si loin de ce local désormais. Derrière ses écrans, le groupe court après les créatures qu'il a inspirées. C'est angoissant, et en même temps quel parcours !

*

Anna Hutsol vient d'un milieu pauvre et rural. Son féminisme a poussé, comme souvent, par vagues successives. D'abord, l'expérience intime. À la maison, sa mère se tue à la tâche tout en étant maltraitée par un mari au chômage, qui boit et cogne. À 14 ans, elle convainc sa mère de divorcer. Puis découvre que l'intime est une histoire collective, qui concerne les autres femmes de son village : « Les femmes travaillaient comme des bagnards : champ, potager, bétail, lessive, repas, enfants, ménage, alors que les hommes ne faisaient que boire. »[1] Anna cherche à mettre des mots sur cette répartition des tâches et du malheur, à l'école puis à l'université. Elle se passionne surtout pour l'organisation d'événements, de concerts, et propose même « un cercle de la pensée » à sa professeure de philosophie. Ses études de comptable l'ennuient à mourir. Le matin, elle se lève à l'aube pour gagner sa vie en vendant des bonbons dans un kiosque. Le soir, elle tente de se nourrir intellectuellement malgré la fatigue. Deux amis l'amènent dans un cercle philosophique, où elle rencontre Viktor.

Dans la cour de l'immeuble, autour d'une table en bois où les voisins se donnent généralement rendez-vous pour siroter des bières, le petit cercle de lycéens et d'étudiants préfère déclamer à voix haute de grands auteurs marxisants. Quitte à se faire traiter de « cocos toqués ». L'aventure des Brigades rouges les inspire. Au moins, ils n'étaient pas résignés.

Qu'ont en commun ces jeunes ? La nostalgie d'un monde perdu, qui a coïncidé avec la fin de l'enfance et mis leurs pères au chômage. Pendant que leurs mères trinquent. L'image de cette décadence obsède Anna et ses camarades. Surtout quand ils voient que les jeunes femmes ne pensent qu'à se marier, parfois dès 16 ou

---

1. Sur l'histoire du mouvement, lire *Femen*, rédigé par Anna, Inna, Oksana et Sasha grâce à Galia Ackerman, Calmann-Lévy, Paris, 2013.

17 ans. « Les pauvres, se dit Anna. Leur vie est déjà terminée. Elles n'iront pas à la fac, feront des gosses et ne pourront pas travailler. »

Entrée chez les Jeunesses communistes, elle double le nombre de militants de sa cellule en s'intéressant aux questions de genre. Elle s'aperçoit aussi que la domination n'épargne pas son « Centre de perspective » marxisant, où les femmes s'occupent de toutes les tâches subalternes et les hommes commandent, comme dans son village. Elle décide d'organiser des sessions de réflexion fermées, intitulées par provocation : « Tous les hommes sont des fumiers. » C'est là qu'elle rencontre Sasha. Oksana, qui milite aussi aux Jeunesses communistes, passe de temps en temps, pour s'occuper de l'artistique. On y lit *Femmes et Socialisme* d'August Bebel. Quel auteur marxiste a si bien décrit la condition des femmes ?

La lutte des classes se décline désormais en lutte des sexes. Dans leur université de province, les militantes lancent un concours réservé aux filles. Des séances de « brain ring » (matches de cerveau) pour lutter contre le « plafond de verre » que les filles s'infligent à force de s'identifier à des potiches. Puis, elles décident de créer un groupe interdit aux hommes : Initiative féminine, qui deviendra « La Nouvelle Éthique » et enfin Femen.

Les photos de cette époque montrent des visages bien plus enfantins qu'aujourd'hui. Vêtues de T-shirts roses, des jeunes militantes, blondes et brunes, blanches et noires, tiennent des banderoles et des tracts, que personne ne lit. Ce sont les débuts du mouvement que Anna doit maintenant nous raconter face à la caméra.

— On essayait de convaincre les étudiantes qu'elles étaient discriminées, mais elles nous disaient que tout allait bien. On s'est dit qu'il fallait changer notre structure, et on a décidé de créer Femen.

— À l'époque, intervient Sasha, on n'utilisait pas nos corps !

Les mises en scène viennent progressivement. Par goût du spectacle, en souvenir de cet actionnisme slave, pour attirer l'attention dans cette société hypnotisée par la téléréalité. L'une des premières actions filmées par la télévision ukrainienne montre Femen sur les marches de l'université. Une performance mixte. Des copains garçons endimanchés, habillés en professeurs, portent des filles sur leurs genoux et leur donnent une fessée avant de choisir leur note. Une mini-pièce de théâtre pour dénoncer la promotion canapé qui sévit à l'université, dénoncée aux cris de « Nous sommes des étudiantes, pas des prostituées ! ».

Bientôt, le mouvement adopte l'emblème de la couronne de fleurs. Un diadème typique du folklore ukrainien, qui évoque les jeunes femmes libres et non mariées. Ni putains, ni vierges, mais rebelles. Bien trouvé. Par qui ? Qui a eu l'intuition de ce choc des symboles ? Viktor ou Anna ? Qui d'Ève ou d'Adam a forgé cette « cuisse », *femen* en latin ? Et le passage au « topless » ?

— Le 24 août 2009, raconte Oksana, c'était la fête de l'indépendance. Je suis montée sur un podium et j'ai enlevé mon T-shirt pour attirer l'attention, en appelant les gens à manifester pour leurs droits civiques et une véritable indépendance. Les gens ont bien réagi. Une petite vieille est venue nous soutenir. Le peuple était d'accord ! Après, on a commencé à introduire le « topless » de plus en plus souvent dans nos actions.

Oksana est fière de son anecdote. Le « bravo » de la vieille dame incarne à ses yeux le consentement du peuple et signe son école de pensée. Elle qui conserve fièrement sa carte des Jeunesses communistes et les photos où elle pose en uniforme de l'Armée Rouge, sans s'y résumer. Avec ses mains d'artiste, Oksana est une soldate d'un genre particulier. Une enfant sauvage ayant grandi dans une famille pauvre, entre un père qui boit, qui cogne, et une mère qui souffre. Les coups ne lui font pas peur, elle s'est si souvent battue. En action, elle peut se montrer intrépide et d'une témérité à toute épreuve. Dans la vie, elle se laisse porter. Les survivances du système éducatif soviétique l'ont sauvée. À 8 ans, elle est repérée pour son don et envoyée dans un atelier pour apprendre à peindre, des icônes qu'elle vend pour vivre à des mariages. « Aujourd'hui, mes véritables œuvres d'art, mes tableaux, ce sont nos créations avec Femen », me précise-t-elle.

Son geste a joué, mais le passage de Femen au topless est bien plus réfléchi et plus collectif. Des mois de débats entre les membres du noyau dur et même une quasi-scission. Car Inna était violemment contre.

*

L'interview se termine. Mon regard s'égare sur les photos clouées au mur. Inna est partout. Étranglée au moment d'une arrestation. Hurlante comme une possédée lors d'actions. Douce comme une première communiante quand il s'agit de photos privées. Mes yeux glissent de l'une à l'autre sans pouvoir m'en détacher, quand je tombe malgré moi sur la courbe de ses reins. Un cliché où elle est nue, de dos, et tient au bout de sa fourchette une Vareniki, ce fameux ravioli ukrainien dont la crème blanche lui coule dans la bouche, pendant qu'elle offre sa plus belle face arrière au lecteur, qui ne peut être que celui d'un magazine porno… Cette image d'Inna en femme-objet me révolte. Pourquoi avoir accepté une telle séance photos ? Ont-elles à ce point besoin d'argent ? Mais si c'est pour l'argent, pourquoi l'afficher au cœur du local, au risque qu'un journaliste puisse tomber dessus ?

Je cherche des réponses dans le regard d'Oksana, qui perçoit mon dégoût. Elle y répond en mettant les deux doigts dans la bouche, comme pour vomir. Voilà qui me rassure un peu. Mais si c'est une erreur de jeunesse, pourquoi l'afficher ? Dès mon retour, je poserai la question à Inna, qui se met à rire.

— C'était les débuts. On pensait que c'était bien pour faire connaître Femen… Aujourd'hui, c'est sûr, on ne le ferait plus.

En attendant, à Kiev, je reste avec mes questions, sans pouvoir communiquer autrement que par gestes avec Oksana.

Sasha, toujours excellente en interview, décrit parfaitement la condition des femmes en Ukraine. Il ne s'agit pas simplement de lutter contre la prostitution, mais de se révolter contre des destins joués d'avance.

— S'il y avait pas Femen, je serais sans doute mariée avec des enfants. Mes parents m'ont envoyée à la faculté d'Économie parce que c'est là qu'il y a les bons partis. Pour une femme, ici, tout tourne autour du fait de se marier, et plutôt avec un homme riche, ou mieux, avec un étranger.

Avant de connaître Femen, je n'avais pas mesuré combien l'Europe de l'Est était passée, si vite, de la misère égalitaire à la jungle capitaliste au détriment des femmes. Comment le montrer ? En filmant des prostituées, comme il en existe sur tous les trottoirs du monde ? Nadia a raison, cela ne sert à rien. Pourtant, il faut bien donner à voir ce « Kiev by night ». Les filles nous parlent d'un club plutôt sinistre : « Shooters ». Les tireurs. C'est là que des gars, ukrainiens ou touristes, viennent tirer un coup à Kiev. Tout est prévu pour leur faciliter la tâche. Jusqu'à minuit, le club est réservé aux filles, rendues coopératives grâce à l'alcool, gratuit et à volonté. Après, quand elles sont bien ivres et malléables, on laisse entrer les hommes pour qu'ils puissent faire leur marché. Des courses pas si chères. Quelques flûtes de champagne, devenues payantes, un retour en taxi et la vague promesse d'un futur mariage suffisent, surtout si on est étranger.

Nous avons prévu de filmer en caméra cachée, grâce à un bouton espion placé sur la chemise de Sasha. Dans le taxi, Nadia a comme un pressentiment.

— Peut-être qu'on devrait entrer séparément ?

Trop tard. Nous sommes déjà devant la porte d'entrée de la boîte de nuit, à la merci de quatre malabars qui nous dévisagent comme de la marchandise. Celui en charge du tri sélectif se montre sans pitié.

— Toi, toi, toi, mais pas toi.

Le « pas toi » vise Nadia, ses cinquante ans passés, et son bonnet rouge.

— Qu'est-ce qu'il dit ? s'énerve Nadia.

Le plus dur est de ne pas crier au scandale, mais de se contenir, humiliées et la tête basse, pour pouvoir entrer quand même, dans l'intérêt du film. Nadia repart à l'hôtel, et nous poussons la porte, l'estomac noué.

Derrière des drapés en velours d'un rouge brun décadent, les escaliers grimpent vers la piste de cirque, où s'agglutinent des jeunes Ukrainiennes surexcitées et déjà ivres mortes. Certaines vomissent dans les escaliers. Des vigiles en costard noir contrôlent la mise en scène avec des oreillettes. Sur la scène de la boîte, c'est l'heure du show. Une entraîneuse incite les filles à s'émoustiller en lançant un concours de strip-tease. Deux par deux, les filles montent sur scène sous les cris hystériques de jeunes filles en fleur, se déshabillent, se caressent mutuellement les seins et les fesses. Le regard satisfait, les vigiles vont bientôt faire entrer les vrais clients, ceux qui paient. J'en ai les jambes coupées. Olga, qui vient aussi pour la première fois, me lance un regard désespéré.

— C'est pire que ce que je pensais.
— Moi aussi.

Sasha a lu dans mon regard. Je lui demande de balayer la salle et de se concentrer sur les scènes où des hommes sont pris d'assaut par plusieurs filles, en état d'excitation réellement anormale. J'en suis à plaindre ces pauvres garçons, transformés en proies, et qui doivent choisir en quelques secondes laquelle combler de joie en acceptant de lui offrir un verre. Pathétique. Je n'arrive décidément pas à m'identifier. Ni au mâle qui se satisfait d'une marchandise si bon marché, ni aux femelles en transe à l'idée d'être achetées au rabais.

— Ils mettent quelque chose dans leurs verres, c'est pas possible ? dis-je à Olga, qui partage mon air consterné.

Pendant que je médite, déprimée, sur le sort des femmes, Sasha est alpaguée par un touriste. On filme encore un peu et je fais signe de décrocher. Besoin d'air frais.

— Les filles, exceptionnellement, je veux bien une cigarette.

Sasha sourit et me tend son paquet.

Le taxi tarde à venir et la caméra cachée tourne toujours. Devant nous, un groupe de filles particulièrement éméchées s'entasse à dix dans une voiture.

— La plupart n'ont pas de quoi payer le retour, m'explique Sasha. Elles cherchent juste à allumer des types dans l'espoir qu'ils les ramènent.

Parfois, le ticket retour tourne mal. Comme un soir où une jeune fille s'est fait violer et torturer toute la nuit par trois garçons ayant offert de la raccompagner. Son corps a été retrouvé brûlé au troisième degré. Les coupables, des enfants de politiciens, n'ont même pas fait un jour de prison. Les Femen ont organisé une action, sur le toit de la maison du procureur, pour dénoncer leur impunité.

*

Arrivée à l'hôtel, j'appelle Inna pour partager ma rage.

— C'était terrible la façon dont les filles se comportaient, lui dis-je avant d'essayer de la faire sourire. Rien que la façon dont elles se caressaient entre elles, j'ai cru devenir hétéro…

— Je ne te crois pas, me dit-elle d'un air tendre.

— Tu as raison. C'est passé.

En me couchant je repense à ma conversation avec un diplomate suisse, qui m'a reconnue le matin dans les rues de Kiev et avec qui on a pris un café juste avant d'aller chez Shooters : « Pendant l'Euro, le nombre de bordels a explosé, mais ils n'ont pas si bien marché. Quand les journalistes tendaient leur micro à des supporters de foot pour leur demander s'ils comptaient y aller, ils répondaient : "Pourquoi aller au bordel et payer ? Ici, les filles sont gratuites !" »

Je ne sais pas tout sur Femen, mais je sais une chose. Rien que pour cette phrase, elles méritent d'exister.

*

Le lendemain émerge difficilement, au milieu d'un épais brouillard. Olga est passée nous prendre en taxi et nous voilà bloquées dans les bouchons, agacées par la fatigue de la veille et la piètre qualité des images tournées en caméra cachée, qui ne rendent pas ce que j'ai ressenti. En haut de la colline, c'est le *fog*. Je peste.

— On va quand même filmer la grande statue à l'entrée de la ville avec cette lumière.

— Ben quoi, s'agace Nadia, ça donne une ambiance. On ne fait pas un film sur le beau temps. C'est la réalité !

Sa voix a grimpé et je sens que nous allons nous engueuler pour rien. En plus, elle a raison, comme souvent lorsqu'il s'agit du film. Arrivée au mémorial et à la « Mère patrie », je pars me balader de mon côté avec mon « zoom ». Histoire de capter le son exotique des chants russes militaires que diffusent les enceintes.

La statue et son immense parc attirent des familles de toute l'Ukraine, comme un pèlerinage nostalgique de l'ère soviétique. J'imagine facilement la petite Inna, avec sa tresse blonde, tenant la main de son colonel de père. Les récits héroïques qu'il a pu lui tenir en serpentant parmi les chars de l'armée. Son visage, la bouche ouverte, en levant le nez vers cette immense femme en robe de fer, le regard fier et le bras levé vers la conquête.

— La « Mère patrie » Inna…

Au pied de la statue, sa majesté impressionne.

— C'est fou ce qu'Inna peut l'imiter quand elle pose, dis-je à Olga qui m'a rejointe et acquiesce.

C'est surtout vrai sur cette photo prise par un photographe français. On y voit Inna levant le même bras, seins nus et couronnée de fleurs, sur fond de barres d'immeubles soviétiques. Elle a gagné un concours prestigieux de photo-journalisme et restera sans doute dans les annales, mais ce n'est pas ma préférée. Inna est trop maquillée, trop statique, trop figée… J'en ai assez de voir cette femme en robe de fer. J'ai trop envie de l'attendrir.

En route pour le centre-ville, nous passons près du fameux Maïdan, la place où l'on se rassemblait pendant la révolution Orange. Ce n'est plus l'affluence des grands jours, mais l'opposition manifeste pour dénoncer l'élection volée par Viktor Ianoukovitch, qu'ils comparent à Staline. Quand nous arrivons enfin au centre-ville, les filles nous attendent dans l'un des restaurants de la chaîne la plus branchée de tout Kiev et qui s'appelle, ça ne s'invente pas, MAFIA. Un décor clinquant et kitch, où l'on mange des sushis et des plats plus variés que dans les gargotes traditionnelles. Enfoncées dans leur siège en similicuir noir, Sasha et Oksana nous sourient. Anna a toujours l'air tendue et contrariée. Je le suis moi aussi en voyant que Viktor n'est pas venu, alors que j'ai demandé à le rencontrer. J'ai l'impression qu'Anna n'a même pas transmis le message. Qu'ont-elles à cacher ? Je ne le saurai pas en leur posant la question, alors je change de sujet.

— Entre Safia et Inna, ça a vraiment été dur les derniers temps…

— Je sais, dit Anna. Je ne savais plus quoi faire. Je n'arrive plus à savoir qui dit vrai. Safia a de l'expérience, mais elle est trop proche de vos partis politiques et frileuse. Inna est une leader, elle sait comment faire Femen.

Qu'ajouter ? Moi-même je ne vois plus comment faire cohabiter tout ce petit monde au Lavoir.

— Je vais venir à Paris, dit Oksana, d'un air inquiet.

— Ça te fait plaisir ?

— Oui… Mais Inna je ne crois pas.

Son air soucieux me trouble. Quelque chose cloche entre elles. Camarades oui, mais pas amies. L'ont-elles jamais été ? Leur mariage forcé, au nom de la cause, commence à leur peser. Comme si des épisodes, trop douloureux, les avaient séparées. Ou simplement parce qu'elles sentent le mouvement leur échapper. Inna les inquiète. Oksana est visiblement envoyée pour la surveiller. Ce sera l'œil de Kiev, mais je ne m'en fais pas pour la colonelle Shevchenko. Plutôt pour sa camarade, dont elle ne fera qu'une bouchée et qui, visiblement, le sait.

— On va voir cette fameuse croix ! dis-je.

— *Davaï* (Allons-y).

*

Le Saint Graal se trouve en haut d'un immense escalier, si pentu qu'il essouffle. Arrivées au sommet de la colline, nous voilà dans un parc, au pied d'une jolie église claire, presque jaune. Le bruit de la ville baisse d'un ton et nous faisons face à la croix, légèrement moins grande que dans mon souvenir.

— Pour la remonter, ils ont bien dû couper cinquante centimètres à cause de l'entaille qu'on a laissée. Elle est donc plus courte maintenant ! me dit Anna avec une certaine fierté.

Je tente d'approcher pour mesurer de mes mains l'épaisseur de ce tronc, qui a donné tant de mal à Inna, mais le pied de la croix est semé d'embûches, des céramiques en forme d'anges.

— Depuis notre passage, ils ont mis des anges gardiens par peur qu'on revienne ! s'amuse Sasha.

On se met à filmer, sans être interpellées ni dérangées.

— Anna, pourquoi avoir choisi cette croix pour soutenir les Pussy Riot ? Il y a des polémiques là-dessus. Ce n'est pas une croix orthodoxe mais catholique…

— Peu importe, qu'elle soit catholique, orthodoxe ou juive ! C'est un symbole phallique. Elle est là, en haut d'une colline, pour montrer que la religion domine !

Anna martèle chacun de ses mots d'une main fendant l'espace comme si elle donnait un ordre. En d'autres temps, elle aurait fait un merveilleux commissaire bolchevique. En 2013, entourée de filles finalement autant marxistes que libertaires, dans un pays qui s'est toujours senti méprisé et humilié par le colon soviétique, issue de cette génération qui ne jure que par le web et la liberté d'expression, son aspiration révolutionnaire est moins totalitaire. J'en profite pour la questionner sur cette histoire de mémorial aux victimes du communisme. Après tout, je ne sais pas encore ce que mes « camarades » marxisants pensent de ce symbole-là.

— La croix que nous avons sciée n'est pas celle qui a été érigée en hommage aux victimes du stalinisme. Elle est un peu plus loin, elle est aussi en forme de croix mais en pierre… La rumeur a été lancée par les médias russes pour nous faire passer pour des staliniens.

— Et que penses-tu de ce mémorial ?

— Personnellement, je suis opposée au fait qu'il soit en forme de croix. Beaucoup d'athées et de Juifs ont été assassinés par la police secrète du NKVD (l'ancêtre du KGB). En quoi sont-ils concernés par un monument en forme de croix ? Dans un pays laïque, ce type de monument ne devrait pas être religieux.

Sa réponse me rassure. Mes amies marxistes ne sont ni négationnistes, ni antisémites, ni staliniennes. Je me tourne vers Olga.

— Ce serait bien que les filles fassent un skype avec Inna, comme elles le font tous les jours, qu'on puisse le filmer.

Sur le chemin, Anna nous parle d'actions qu'elles ont menées, ici et là.

— On en a fait presque partout…

— Visiblement, il était temps de visiter Paris.

*

Arrivées au local, une mauvaise surprise, odorante, nous attend. Un type est venu pisser contre la porte pour signer son dégoût, tout masculin, pour Femen. Les filles en ont vu d'autres. Anna se contente de râler, d'enfiler des gants Mapa roses, de prendre un seau, et se met à nettoyer. Le commissaire bolchevique a maintenant des airs de mère de famille. Une fois l'odeur âcre nettoyée à la Javel, Sasha se connecte avec Inna et lui fait visiter le local grâce à la petite caméra de l'ordinateur, pour lui donner l'impression d'être un peu parmi nous, avant de la poser sur le bureau.

— Inka !

— Hey !

— On était à la croix. Elle est plus petite maintenant mais tout le monde veut la voir ! Tu as aidé à la populariser ! Traître, tu voulais aider l'Église ! plaisante Anna.

Inna rit.

Elles continuent à se parler en russe.

— Pourquoi tu n'as pas répondu la dernière fois. Quand on va venir à Paris, on va parler de ton attitude ! Prépare la vaseline !

Sur place, je ne comprends pas cet échange en russe. Ce n'est qu'une fois à Paris, lorsque Olga nous envoie les traductions intégrales que je mesure combien le groupe est tendu. Quelque chose est en train de se casser. Inna a de moins en moins le temps de venir au rapport. Ses camarades sont terrorisés à l'idée d'être tenus à l'écart. Ils n'ont plus d'autres familles, pas d'autres amis, pas d'autre vie que ce feu nommé Femen. Au bout de quelques minutes de conversation, j'entre discrètement dans le champ de l'ordinateur pour lui sourire par-dessus l'épaule de Sasha et d'Anna.

— Caroline !

— Hello Inna.

Son visage s'illumine. Est-ce de me voir ou de nous savoir réunis à Kiev qui l'émeut ? Elle se met à raconter sa journée d'une voix joyeuse et troublée.

— On a fait un premier entraînement. C'était vraiment bien. Au début, les filles n'osaient pas crier, leur voix ne sortait pas… Alors j'ai crié plus fort, je les ai poussées, et certaines ont commencé à vraiment prendre

145

l'espace. On a tout filmé. Vous allez recevoir la vidéo dans un quart d'heure.

Il est temps de se déconnecter. Olga adresse un dernier coucou à Inna, et je note qu'elle l'appelle : « Inka » et non « Inna ».

— En russe, m'explique-t-elle en aparté, on met un « k » quand on veut prononcer un prénom de façon plus affectueuse.

Au moment de dire au revoir à Inna, juste avant de la quitter des yeux, je glisse un « Paka Inka » (au revoir Inka), qui la fait fondre et trouble les yeux qui nous surveillent.

*

Le jour tombe sur les dômes dorés de Saint-Michel. Des fidèles sortent de la messe, d'autres du travail. Yana veut nous montrer une statue qui l'inspire. Une héroïne soviétique ayant tenu tête aux nazis. Sa silhouette de bronze trône au milieu d'un petit parc servant d'aire de repos entre deux artères. Pour amuser notre caméra, elle tente de grimper sur son socle pour lui mettre une couronne de fleurs. Ce qui fait bondir de son banc une vieille dame et son roquet.

— Mécréante. C'est un blasphème. Laisse cette statue tranquille. Vous n'êtes que des dévergondées. Arrêtez de venir dans nos églises !

Yana esquive les coups de sac à main, tout en gardant le sourire.

— Mon Dieu, mais elle connaît notre histoire par cœur on dirait.

On s'éloigne pour laisser Yana nous en dire plus sur son parcours, et son étrange métier pour une féministe... strip-teaseuse.

146

— Je viens d'une famille qui n'a pas beaucoup d'argent. Le strip-tease, c'est ce qui m'a permis de payer mes études d'art. Comme beaucoup de filles à la fac.

— Tes parents en pensent quoi ?

— Pendant longtemps, ils n'ont rien su. Ma mère ne comprend pas comment je peux faire ça et Femen.

— Comment tu fais ? Ça doit être très dur d'être sans cesse harcelée par des clients.

— Justement, Femen m'aide à leur tenir tête. Ils essaient toujours d'aller plus loin, mais je leur dis d'aller se faire voir. C'est ça que j'ai appris à Femen. À savoir dire non.

La nuit tombe. Nous montons à l'atelier d'Oksana, juste à côté. Sur le mur qui fait face à la porte, un tagueur a écrit : « Femen, la honte de l'Ukraine. » Oksana a remplacé Femen par « Le gouvernement ».

Le soir, nous retrouvons Olga pour un dernier dîner. Franche, honnête, elle connaît par cœur les Femen sans en faire partie. C'est sur ses confidences que je mise pour en savoir plus sur Viktor.

— Il est comment ce Viktor ?

— Spécial.

— C'est-à-dire ?

— Très émotif. Il crie beaucoup. Entre Inna et lui…

— Ils se disputaient ?

— Sans arrêt.

*

Finalement, ce n'est pas à Kiev, mais à Paris que je trouve les réponses que je cherche. Un soir où j'ai rendez-vous avec Inna dans son studio, le son de son iPad claironne. On l'appelle sur skype.

— C'est Viktor, me dit-elle d'un air las.

Je me pose dans un coin et j'écoute, curieuse d'entendre sa voix. Elle coule comme un robinet ayant besoin de se déverser, d'un ton grave, un peu fou, accentué par la mauvaise transmission et les intonations naturelles du Russe. Il s'écoute parler, tandis que Inna lui prête à peine attention, regardant ses e-mails, relançant à peine. Ce qui semble l'angoisser.

— Si tu me parles moins, c'est que tu as trouvé conseil ailleurs, répète-t-il souvent.

La remarque me vise. Viktor surestime mon influence. Inna m'écoute parfois, mais l'avis d'une activiste de base, ou même d'une novice, aura toujours plus de poids. J'en viens à me demander comment il a pu, un jour, avoir le moindre ascendant sur elle. À moins que ce rejet vienne de là… De son obsession à ne pas retomber sous l'emprise d'un Viktor.

Quand l'a-t-elle vu pour la première fois ? Le jour où elle est allée porter plainte contre les *pickers*. Anna craignait qu'une bagarre n'éclate à la sortie du commissariat et a appelé deux amis garçons, dont lui. « Je n'y ai même pas prêté attention », me dit Inna. Elle ne le revoit plus pendant des mois, passés à diriger des actions. Grâce à ce talent inné pour être leader, elle finit par s'imposer comme l'un des piliers du mouvement, la seule pièce rapportée tolérée à ce niveau de décision, face à la « petite mafia de Khmelnitsky », comme ils le surnomment : Anna, Oksana, Sasha et Viktor.

Comme Anna, Viktor vient d'une famille pauvre. Sous l'ère soviétique, ses parents étaient acrobates, mais qui en a encore besoin quand le show URSS est terminé ? Son frère boit. Lui se noie dans les livres. Plutôt beau garçon mais introverti et tourmenté, il grandit en nourrissant des rêves de revanche dans ce cercle philosophique où Anna le rencontre. À l'époque, elle doit ramer pour le convaincre de s'intéresser au féminisme : « Les femmes, c'est sans avenir ! Pour commencer, elles ne sont jamais à l'heure ! » Tandis qu'elle s'essaye à la lutte des genres, lui tente de vivre de son talent pour la propagande, en donnant parfois des conseils stratégiques ou marketing. Pas au point de pouvoir s'acheter un appartement ou une voiture, juste de quoi louer un petit deux-pièces dans le centre de Kiev, où il vit seul, sans petite amie, à plus de 33 ans. Parfois, il va prendre un café avec Anna et ils parlent de Marx, de domination, de révolution. Sans doute des formes à donner à son mouvement. Mais c'est bien Anna et d'autres filles qui l'ont fondé. Viktor observe et commente, toujours amusé par ses camarades filles et leurs lubies. Quand se rapproche-t-il vraiment ? Comme beaucoup de garçons... Quand Femen commence à attirer la presse. Cette fois, oui, le féminisme l'intéresse. Est-ce parce que leurs « performances » ressemblent à la vie d'artistes qu'il a connues dans son enfance ? Plus certainement parce qu'il se verrait bien essayer ses théories révolutionnaires sur un groupe de filles, toujours plus faciles à manœuvrer que des garçons. Depuis que leur notoriété grandit, juste avant le passage au topless, il vient les voir très souvent et se met à donner des conseils ouvertement. Marx n'était-il pas un bourgeois qui voulait l'émancipation du mouvement ouvrier ? C'est ainsi qu'il se voit. En patriarche voulant l'émancipation des femmes. Pour cela, il est prêt à s'effacer, mais pas à renoncer à son orgueil, qui grandit avec le mouvement.

— Qui es-tu ? demande Inna, qui tombe sur lui au local et l'entend donner son avis comme s'il importait.

— Moi. Je suis le père du nouveau féminisme ! dit-il, sans vraiment plaisanter.

Inna en est stupéfaite. Elle préférait de loin que ce mouvement n'ait qu'une mère... Pourtant, l'enfant adopté doit se raisonner. Cette nouvelle famille est à prendre ou à laisser. Si elle doit changer les règles, ce sera de l'intérieur, avec le temps. Pour l'instant, il faut faire avec. D'autant que Viktor est redoutablement intelligent.

Elle peut l'écouter des heures convoquer l'histoire pour donner du lustre aux plans qu'ils échafaudent ensemble. Il lui arrive d'être de bon conseil, d'inspirer des communiqués un peu ampoulés mais enthousiasmants, qu'il n'écrit toutefois pas lui-même. Le génie sait à peine se servir d'un ordinateur ou devient tellement génial que cette tâche lui paraît subalterne. Il se contente de laisser son cerveau fuser d'idées brillantes, que les filles doivent ramasser, traduire en communiqué et en action. Elles doivent même s'occuper de tenir sa page Facebook et parfois de lui acheter ses billets de tramway, tellement il semble avoir perdu toute autonomie. Les filles sont si occupées à crier pour exiger de s'émanciper, qu'elles en oublient de résister. À force de régner sur une armée de femmes, le jeune patriarche en vient à se caricaturer. Il croit pouvoir sélectionner les filles en fonction de leur beauté, pour marquer les esprits dit-il, et jouit de les diriger pour la bonne cause, celle des femmes. Il se surestime. En bon Lion paresseux, Viktor passe surtout beaucoup de temps à bâiller et s'admirer, pendant que les lionnes partent chasser, prennent des coups, font de la prison, donnent les interviews.

Le soir, en rentrant, il faut en plus materner le « petit génie », ne surtout pas le contrarier, sinon il crie. Combien de fois est-il entré dans une colère folle en apprenant une action par la presse, ou lorsqu'il donne son avis mais qu'elles n'en tiennent pas compte ? Surtout Inna, la plus têtue. Comme deux êtres ultra-compétitifs, redoutablement doués pour manipuler, leur guerre d'ego emprunte à tous les registres de la domination. À lui les codes de la violence domestique, à elle ceux du combat de rue.

— Mon domaine, c'est de penser ! Le tien, c'est de faire ! lui lance Viktor.

— Mais qui es-tu pour me parler comme ça ! Ce mouvement, c'est agir, pas parler ! lui rétorque Inna.

Est-ce de là que vient sa méfiance envers le féminisme théorique, la théorie en général, et tous ceux qui prétendent donner des conseils sans enlever leur T-shirt ? Seule l'action compte. Or, c'est le domaine de Sasha et d'Inna. Pas celui de Viktor. Ni même d'Anna, qui s'occupe surtout des détails pratiques. Au point de se sentir de plus en plus écartelée entre son mentor et ses camarades lorsqu'une dispute éclate. Ce qui arrive de plus en plus souvent pendant l'Euro 2012.

Les filles multiplient les opérations coup de poing, en Ukraine et en Pologne, répondent à des centaines d'interviews. Elles n'ont plus le temps de dormir, à peine de manger, certainement pas d'écouter les états d'âme de Viktor. Pas même Anna qui l'a toujours admiré, même Sasha qu'il impressionne, surtout pas Oksana qui l'a toujours ignoré, et certainement pas Inna qui le voit comme le symbole de tout ce qu'elle combat en action : le patriarcat incarné.

Plus le féminisme pousse en elle, plus la prise de conscience est aiguë, moins elle supporte l'emprise de cet homme, qui la rabaisse systématiquement, ne cesse de la mettre en compétition avec Sasha, et peut devenir hystérique quand on lui tient tête. Les filles ont imaginé une action qui l'enrage : déguiser un champ de tulipes en bites et les émasculer à la serpe. Au moins là, l'ambiguïté n'est plus permise. Aucun homme ne peut bander sur ces images. Viktor, qui l'a découvert par la presse, arrive au local en hurlant, et repart la queue entre les jambes. Car cette fois, elles l'ont carrément mis à la porte.

— Vous n'êtes qu'une bande de sales garces injustes ! Je ne veux plus vous aider !

— On n'a pas besoin de toi, dégage ! crie Inna.

Jamais elle n'a été aussi fière d'elle et des filles. Ce jour-là, vraiment, elle a eu le sentiment de s'émanciper. Elles ne seront jamais plus des robots, et n'auront plus de contremaître. Luddite ! Le jeune lion a gagné.

Fourbu et griffé de partout, Viktor a quitté la meute, meurtri d'avoir consacré l'essentiel de sa vie à un mouvement de femmes qui le traitent en ennemi. Mais après quelques semaines, Anna lui reparle et négocie avec le groupe pour qu'il puisse au moins revenir de temps en temps. Quand il réapparaît, Viktor a perdu cinq kilos et mué en chien battu. Tout doucement, il s'autorise à redonner son avis, sans doute espère-t-il bien vite reprendre sa place en bout de table. En le voyant revenir, Inna ne pense qu'à fuir. À retourner à Kherson ou à demander l'asile politique à Paris. Elle le dit en plaisantant à Sasha, bien avant que l'idée du Centre international ne commence à germer. La Croix lui montre le chemin.

En la tronçonnant, Inna a coupé ses chaînes. Le jour où elle décide de s'enfuir, elle n'a même pas prévenu le groupe, et n'a rallumé son téléphone qu'une fois à Varsovie. Sans nouvelles depuis vingt-quatre heures, Anna et Viktor ont tout imaginé : qu'elle désertait et leur tournait le dos, comme elle a si souvent menacé de le faire. « Elle est contre nous depuis le début. Elle nous a lâchés ! » ne cesse de répéter Viktor à Anna. Quand Inna les appelle enfin, leur colère éclate.

— Où étais-tu ! Ça fait des heures qu'on essaie de te joindre ! crie Anna.

Viktor lui arrache le téléphone des mains et se met à hurler.

— Espèce de traître ! Traître ! Tu as trahi la cause, le mouvement, les filles ! Comment as-tu osé !

— Viktor, arrête de crier... Ils sont venus pour m'arrêter et ils traquaient mon téléphone. J'ai dû l'éteindre pour m'enfuir. Je suis à Varsovie. Je vais à Paris.

D'instinct, Inna comprend qu'elle doit donner des gages, les rassurer, si elle veut gagner du temps pour mener à bien son projet. Ouvrir le Centre, comme ils en rêvaient. Mais pas comme ils l'avaient imaginé. Mine de rien, Inna s'empare des rênes du mouvement. Car c'est à Paris que tout se joue désormais. C'est là que l'on pense et que l'on fait. Même si, pendant des mois, Inna feint d'être toujours aux ordres, docile et disciplinée. Elle écoute Viktor se prendre pour Marx, tout en écourtant leurs conversations ou en les limitant à des détails. Comme lorsque Inna le consulte sur une date ou un événement : « C'est quelle année déjà que Lénine a dit ça ? » Parfois, il suggère une idée d'action, qu'elle feint de considérer, mais dont les Françaises n'entendent jamais parler. Elles ne savent même pas qui est Viktor…

— Pourquoi passes-tu tant de temps en réunion ? lui demande souvent Anna par skype.

— Ici, c'est comme ça. On est en France. Les gens aiment parler, beaucoup, et les filles veulent tout envisager avant d'agir.

Les Ukrainiens ne comprennent pas où elle évolue désormais. Qu'on ne peut pas convoquer des filles au dernier moment, sans débattre avec elles, du message et du scénario. Ici, les femmes ont une vie, un avenir, un avis. Et ça plaît à Inna. Elle n'a pas fui Kiev pour reproduire son fonctionnement. Elle ne cherche qu'à gagner du temps et à s'émanciper. C'est à ça qu'elle pensait dans le bus qui l'amenait vers Paris. Elle se moque de savoir qu'il s'agit d'une des villes les plus belles au monde. Tout lui va du moment qu'elle peut enfin imaginer le mouvement dont elle rêve : Femen 2. Le vrai.

CHAPITRE 5

Si Dieu est Amour

Au Lavoir, c'est jour d'entraînement. Les journalistes attendent ce moment depuis que Inna a juré de lever une armée. Ils vont venir du monde entier, tous les samedis, pour filmer ces amazones en train de mimer la guerre contre le patriarcat. Comme je m'attends à la ruée, j'ai demandé à Inna de pouvoir venir plus tôt avec l'équipe. Nadia, qui tourne toujours avec sa petite caméra. Gaby, notre cadreur, se glisse entre les filles pour filmer leurs efforts en gros plan avec un C300, qui sait donner du lustre à la réalité.

— Un, deux, trois...

Inna enchaîne les pompes, la ceinture de son jogging chargée de micros HF, tout en comptant à haute voix pour encourager les filles. Essoufflées mais gonflées à bloc, elles vibrent aux cris de « Liberté pour les prisonniers politiques ! Pauvres à cause de vous ! Liberté, nudité ! Femen ! Femen ! » Aucune ne paraît prête à partir combattre en Biélorussie ou en Syrie. Sauf Oksana, qui vient d'arriver d'Ukraine après deux jours de bus. Le reste de la séance est assez décevant. La prof d'autodéfense est sympathique, mais transforme le camp d'entraînement militaire en cours d'aérobic. La surpopulation d'appareils photo, de caméras et de perches n'arrange rien. Même si les journalistes tiennent les images qu'ils étaient venus chercher. Inna me rejoint en haut de l'escalier, d'où j'observe.

— Tu en penses quoi ?

— Le côté self-défense, pas terrible. Les filles ont l'air molles. C'est mieux quand tu prends la main pour les entraîner comme activistes, là ça a de la gueule. Avec un montage soutenu, ça devrait faire l'affaire.

— Le côté chewing-gum, ça leur passera… Avec les actions. Tu verras.

Inna m'adresse un clin d'œil, frôle ma cuisse et se lève comme un chef qui doit repartir au front donner ses ordres. Je ne veux pas la démoraliser, mais je n'y crois pas. Le contraste entre les Ukrainiennes et les Françaises est trop flagrant. La démocratie attendrit les corps et l'esprit. Je ne vois pas comment transformer ces gamines pleines d'avenir, venues à Femen pour quelques sensations, en « warriors » dignes du bloc de l'Est.

*

17 novembre 2013

Pour leur première grande mobilisation, les opposants au droit au mariage pour tous ont pris d'assaut la place Denfert-Rochereau, noire de monde. Un choc quand je sors du métro, soudainement plongée au milieu de cette foule repeinte en rose et bleu, fiévreuse d'excitation à l'idée de défiler contre les droits des autres, dont les miens. Les manifestants ont beau faire des efforts, vibrer au son d'une vieille musique techno et dissimuler leur rage derrière des sourires mièvres, leur haine suinte de partout. Dans leurs ballons montrant une famille traditionnelle. Dans ces pancartes rédigées à la main indiquant la différence entre un pénis et un utérus. Dans la façon d'arborer leurs bambins en guise de trophées, l'air de dire « ce n'est pas pour vous ». Irrespirable. Je me penche vers Éloïse, la Femen brune qui nous a traînés ici en pensant nous conduire à la contre-manifestation.

— C'est pas du tout ici... Ils sont où tes amis ?

Nous sommes venues filmer la foule et ses opposants, mais les rares contre-manifestants se trouvent éparpillés façon puzzle. Notre maigre escouade est noyée au milieu d'un flot de vaisseaux ennemis. Oksana, qui est venue avec son « boy friend » ukrainien, pour des repérages en vue de l'action de demain, s'en inquiète.

— Tomorrow... Compliqué. Autant de monde ?

— Non, demain, moins de gens. Mais plus extré-mistes. Plus violents.

Nadia voudrait rester pour filmer. Il faudra ces images si les Femen passent à l'acte sur le thème du mariage pour tous. Mais je n'y tiens plus. Tout le monde me reconnaît, certains croient que je suis venue défiler avec eux, cette idée m'insupporte. Il faut bifurquer au plus vite, trouver une rue moins peuplée pour observer de loin.

— C'est fou ce qu'ils sont nombreux ces salauds... se désespère Éloïse.

— C'est horrible. Horrible..., répète en boucle Sandra, une jeune maquilleuse lesbienne, également Femen.

Je ne dis rien, je serre les mâchoires, mais je suis peut-être la plus atteinte de tous. Je ne croyais pas devoir

157

revivre ça, quinze ans après le débat sur le PACS. Un combat que j'ai mené à la fois comme présidente du Centre gai et lesbien et journaliste au magazine *Têtu*, mais surtout comme rédactrice en chef de la revue *Pro-Choix*. À l'époque aussi, les opposants à l'égalité des droits tentaient de maquiller leur homophobie. Je trouve exactement les mêmes combines, les mêmes manœuvres, les mêmes acteurs. À commencer par mon adversaire de l'époque, Christine Boutin, restée dans les annales de l'Assemblée pour avoir tendu la Bible en direction du perchoir au moment des débats. Quinze ans plus tard, je repense à sa menace, brandie face à moi, lors du premier grand débat télévisé sur le droit au mariage pour tous, sur le plateau de *Mots Croisés*.

— Vous verrez, si le gouvernement s'acharne, ce sera la guerre civile… Des citoyens, des maires, vont désobéir !

J'avais souri.

— Mais enfin, madame Boutin, vous êtes une dangereuse anarchiste. Et le respect de la loi républicaine ? Vous nous annoncez des tensions, des révoltes… À Neuilly, on va brûler des voitures contre le mariage pour tous ?

Christine Boutin avait haussé les épaules. Deux mois plus tard, elle tenait ses promesses d'apocalypse. Incroyable le climat dans lequel peut plonger ce pays grâce aux réseaux de l'Église, aux cars des Associations familiales catholiques (les mêmes qui ont défilé contre le PACS) et aux conseils stratégiques d'Alliance Vita, l'association de Christine Boutin, qui va pourtant cette fois rester en seconde ligne. Trop usée par la dernière bataille, ridiculisée même, et surtout mariée à son cousin germain. Pas idéal pour expliquer que « le droit au mariage pour tous » risque d'ouvrir la voie à l'inceste et aux alliances contre nature… Les manifestants doivent se chercher une autre égérie, si possible branchée et insoupçonnable d'homophobie primaire. Et Dieu créa Frigide Barjot.

Un pseudonyme glané au sein du groupe satyrique anarcho-droitier, Jalons, du temps où elle vivait de ses sketchs potaches et se trémoussait en robe à paillettes pour chanter : « Fais-moi l'amour avec deux doigts. » Avec ses manières de « fille à pédé » et son look trans-sexuel, Frigide Barjot est insoupçonnable de vouer les homos au bûcher. Simplement, depuis qu'elle a découvert Dieu, elle préfère les voir en boîte de nuit qu'à la maternité. Est-ce une conversion si soudaine ? Virginie Tellene, de son vrai nom, vient d'une famille très à droite. Papa fréquentait Jean-Marie Le Pen. Mais l'origine de ses démons est à chercher ailleurs. Dans son livre *Touche pas à mon sexe*, elle confie avoir rêvé de faire un enfant avec son amour de jeunesse, un homme qui préfère les hommes. Sainte Frigide l'aurait bien convaincu de rentrer dans le droit chemin (le sien) en lui prêtant son utérus. Mais à quoi peuvent servir les utérus des « filles à pédés » si les hommes gays peuvent adopter ? Il faut bien garder certains privilèges… Sans choquer cette France passionnée d'égalité depuis la guillotine. La catho-branchée a plein d'idées pour rajeunir les slogans des nostalgiques de l'Ancien Régime. Comme ce credo inscrit sur des milliers de pancartes : « Y A PAS D'OVULES DANS LES TESTICULES ». On a beau être prestataire de Dieu, tout le monde ne peut pas être aussi inspiré que Léonard de Vinci… Ni avoir les mêmes anges gardiens que la chapelle Sixtine.

Ce jour-là, place Denfert-Rochereau, le service d'ordre est assuré par une ribambelle de jeunes hommes aux cheveux terriblement courts. Leurs T-shirts « Longs-dale » ne trompent pas sur l'appartenance à des groupuscules d'extrême droite. Des garçons très nerveux. Surtout lorsque notre petite escouade débouche dans l'une des artères qui attend la marée. Un peu plus tôt, nous avons croisé deux homos tentés par l'action kamikaze : brandir le drapeau gay, seuls, face aux chars de Barjot. J'en ai les tripes retournées et retrouve mes vieux réflexes militants : combattre la haine par la fierté.

— Allez, on fait une ligne et on se prend la main.

L'espace de quelques minutes, Éloïse, Sandra, Oksana et son ami, Nadia et moi, des filles et des garçons, quelques hétéros et des homos que nous ne connaissions ni d'Ève ni d'Adam, tous ensemble en ligne, nous nous mettons à former un cordon sanitaire symbolique, très loin de la foule, mais face à elle. Pour le geste, pour la gloire, pour sauver nos amours, et peut-être plus encore nos amours-propres. En nous voyant, calmes et sereins, mais main dans la main, des manifestants adverses se mettent à huer. Surtout une petite vieille qu'on ne peut plus arrêter.

— Ooouuu. Vous n'avez pas honte. Dégénérés… Vous gâchez votre vie !

Leurs crachats contre nos mains liées. Les nervis du service d'ordre viennent me bousculer pour casser la chaîne. « Allez Fourest, dégage. Va faire ta pub ailleurs. » Je le repousse calmement, avec une force physique qui me surprend. En priant pour qu'aucune caméra ne filme. Contrairement à ce qu'il imagine, je n'ai aucune envie d'être là face à eux. Je pense simplement aux gamins qu'il m'est arrivé de recevoir quand je présidais le Centre gai et lesbien. Certains voulaient se jeter dans la Seine à cause de l'homophobie. Combien vont se détruire

160

après avoir vu cette manifestation ? Et si l'image de notre cordon, minoritaire mais vaillant, pouvait en sauver quelques-uns ? Ça vaut la peine de tenir tête, mais pas de se mettre en tort. La résistance pacifique, c'est comme le coïtus interruptus. À un moment, il faut se retirer.

— Allez c'est bon. On décroche.

En partant, je m'aperçois que nos troupes ont considérablement grossi. J'aimerais me mettre sur le côté de l'artère, boire un café pour voir le camp adverse défiler, les compter et filmer, mais je ne suis plus du tout discrète avec mes nouveaux amis, qui me suivent et viennent s'asseoir avec nous en terrasse. Les gardes mobiles n'aiment pas du tout cette idée, et je les comprends. Ils déboulent à quarante, en tenue de CRS, pour nous pousser fermement hors des abords de la manifestation.

— Allez, levez-vous, vous partez.

— Si vous insistez…, dis-je en levant le camp, cette fois pour de bon.

En rentrant chez moi, j'ai mal au ventre en voyant la façon dont certains confrères couvrent la Manif pour tous. Sans interroger le chiffre délirant des organisateurs, ni même tendre le micro là où il le fallait. Leurs reportages survolés accréditent l'idée de manifestants pacifiques, venus scander des slogans plutôt drôles, en écoutant de la musique techno. Un vrai conte pour enfants, loin de la haine que j'ai observée sur place. Mais ce qu'une image peut fabriquer, une autre peut le défaire.

*

Au Lavoir, les Femen se préparent aux grandes manœuvres sur les planches du théâtre. Une dizaine de filles sont assises en tailleur, sous le halo d'une lumière tamisée. D'autres observent, dans les strapontins d'un velours bleu très cinématographique. Nadia et Gaby filment. Privilège suprême, la camarade Shevchenko m'a donné l'autorisation d'assister au complot. C'est le moment que les caméras ne montrent jamais, celui où les militantes Femen discutent du scénario et des mots d'ordre.

— Donc on a « In gay we trust », « Fuck Church »… Que de l'anglais, se plaint Julia. Ce serait bien de mettre un peu de slogans en français.

— Aussi d'avoir des slogans tournés vers l'homophobie, dit une autre, qu'on n'ait pas l'impression de sauter sur ce thème pour attaquer les catholiques.

— Comment ça ? s'agace Éloïse la rousse. Ce n'est pas un prétexte. Les religions, c'est l'une des cibles de Femen.

— Oui, mais il faut quand même d'autres slogans en français, insiste Julia.

Nadia renonce parfois à être derrière la caméra pour souffler des slogans. Fiammetta lance le plus drôle : « Jésus aussi avait deux papas. » Les Françaises éclatent de rire. On essaie de traduire l'allusion au Père et au Saint-Esprit à Inna et Oksana. En oubliant qu'elles viennent d'un monde chrétien orthodoxe, où la Trinité se conçoit autrement. Inna, qui ne veut surtout pas contrarier Fiammetta, se joint aux rires et tâche de prononcer la phrase en français.

— Jésus avé dou papa !

Avec ses cheveux attachés, son pardessus kaki tout fripé, ses airs de jeune fille rangée, on ne dirait pas qu'elle prépare le commando de l'année. Elle pense, depuis le début, qu'il fallait éviter la grande manifestation de Barjot pour défier un cortège moins nombreux et ouvertement homophobe : celui des catholiques inté-gristes de Civitas, qui manifestent le lendemain.

À force d'enquêter sur ces groupes, je connais leur dangerosité, mais les filles, qu'en savent-elles ? D'un air angélique, elles s'entraînent à avancer en ligne en criant « Marie, marions-nous ! ». C'est drôle, à condition de pouvoir faire trois mètres avant d'être rouées de coups. Sandra, la maquilleuse qui était avec nous la veille, s'en inquiète.

— Ils vont nous sauter dessus, vous ne vous rendez pas compte, on n'aura le temps de rien faire…, dit-elle d'une voix tremblante.

— Il peut y avoir de la bagarre, admet Inna. S'ils se battent, on se bat. Cela peut être aussi totalement paci-fique. S'ils ne font rien, on choisit les plus « freeky », surtout les femmes les plus bizarres, et on les embrasse, dit-elle en faisant rire les filles.

L'ambiance est détendue. Trop. Je ne peux pas laisser ces filles monter au front sans m'assurer qu'elles réalisent le danger. Je rabats ma capuche sur la tête, je bombe le torse sous mon blouson en cuir et je fonce vers elles en feignant de les tabasser.

— Préparez-vous à ça ! À des nervis en blouson de cuir, avec des casques de moto, qui vont tenter de vous massacrer !

La façon dont j'ai surgi les a glacées. Ça y est main-tenant, elles réalisent. Sarah n'ira pas. Les autres croisent les doigts pour que je sois parano.

— Caroline ! Tu n'es pas obligée de les effrayer, me gronde Inna.

— Si… Elles doivent savoir. Ce sont des durs que vous allez défier. De vrais intégristes, entourés de nervis. Ils peuvent devenir fous et cogner.

— Parfait. Ils montreront leur vrai visage, conclut Inna.

Elle n'est pas folle au point de partir au combat sans limiter les risques. Les filles ont prévu d'utiliser des extincteurs pour tenir la foule à distance, comme au moment de l'Euro 2012. Elles montent l'une après l'autre sur les toits du Lavoir pour s'entraîner. La colonelle Shevchenko montre l'exemple en tenant son extincteur comme un flingue.

— Vous devez toujours le tenir loin de vous et viser le sol. Comme ça le jet de fumée blanche rebondit et ça crée un écran entre nous et les autres. Ça nous protège et c'est très beau à l'image.

Elle dégaine. L'engin crache un nuage blanc, un peu irritant, sans faire pleurer comme du gaz lacrymogène. Les filles se relaient pour essayer, en toussant légèrement quand elles avalent les particules. Il ne reste plus qu'à prier pour que les catholiques intégristes tolèrent aussi bien l'éjaculation féminine que les supporters de foot.

*

Le matin, tout le monde arrive à l'heure au Lavoir. Les visages sont graves et concentrés. Dans un silence presque religieux, Oksana, ceinte d'une coiffe de nonne, peint ses nouvelles icônes.

Chacune choisit son slogan. Inna, bien sûr, opte pour le plus violent : « Fuck Church. » Les extincteurs sont rebaptisés « Sperme de Jésus », inscrit en lettres gothiques sur les bouteilles. L'insémination artificielle est pour bientôt. Inna rameute ses troupes et les galvanise.

— Prêtes ?

— Oui !

— Vous les haïssez ?

— Ouiiii !

— Good.

Mains dans les poches, visage tendu, elles s'engouffrent dans la bouche du métro Château-Rouge, filmées par plusieurs équipes dont Nadia et Gaby. Il n'y a presque que des hétéros et quelques bisexuelles pour mener l'escouade. Celles qui ont trop peur ramasseront les vêtements et surveilleront les arrières, au même titre que les garçons : le petit ami d'Oksana et le mari de Nathalie.

En ce qui me concerne, tirant les leçons de la veille, il n'est pas question de me rendre sur place en même temps que les Femen. Je pars de mon côté, avec Fiammetta et une amie, tout en restant en liaison téléphonique avec l'une des militantes. Bien plus qu'hier, je ne suis pas là pour occuper le devant de la scène mais pour rester en coulisses. Dans le rôle du guetteur que j'aime tant. Pour être le plus discrète possible, je cache mes cheveux sous un bonnet noir de saison et j'enfouis mon menton dans une écharpe. Fiammetta n'est pas rassurée pour autant.

— Caro, remonte ton écharpe.

Le risque existe, je le sais. À force de monter des images pour France 5 sur Civitas et ses alliés des Jeunesses nationalistes, ces nostalgiques de Pétain et de Mussolini, je visualise très bien le danger.

Arrivées au métro École Militaire, nous sommes cernées par des escadrons de jeunes aux cheveux très ras, portant des drapeaux français ou des emblèmes royalistes. J'ai beau connaître ces réseaux par cœur, les décortiquer depuis quinze ans, leurs regards fiévreux m'hallucinent. J'enfonce mon bonnet. Les cars de CRS sont déployés le long de l'avenue prévue pour la manifestation. Les terrasses de café peuplées de journalistes, dont certains attendent probablement le signal des Femen. Nous tâchons de gagner les abords du rassemblement par l'avenue la plus clairsemée.

Me voilà immergée au cœur de la manifestation depuis dix minutes, cernée par des visages hostiles et des pancartes contre l'« homofolie », lorsqu'une fièvre gagne la foule par la gauche… Je monte sur un banc pour voir la scène. Inna mène la fronde d'un air de défi. À son signal, les filles se dénudent et se mettent à scander « In Gay we trust » en lançant des confettis. L'image est surréaliste. Les manifestants se figent de rage, puis se déchaînent. Sentant la foule se jeter sur elles, les filles appuient sur les extincteurs, en tâchant de viser le sol comme prévu, mais certains membres du Service d'ordre leur tordent les bras et la fumée blanche part dans tous les sens. Masqués par un rideau de particules, les coups et les injures pleuvent de partout. Des nervis en blousons noirs entrent en action, avec la rage de chiens d'attaque. Un prêtre traditionaliste les encourage.

— Allez-y les garçons, faites votre travail !

Un père de famille abandonne son enfant dans sa poussette pour aller gazer les filles avec une bombe lacrymogène. Un autre, en anorak rouge, dont nous apprendrons plus tard qu'il est colonel dans l'armée, perd littéralement la tête et se joint à la ruée. Il agite ses poings contre une photographe venue avec les Femen, en criant « Salope ! ». Bien plus grande et costaude que lui, elle le repousse d'un immense coup de talon : « Gros con va ! »

La bagarre s'étend. Les journalistes ont peur et reculent. Certains sont aveuglés par le rideau de fumée.

166

Nadia a le visage entièrement blanc mais continue à filmer. Les filles sont jetées les unes contre les autres, tirées par les cheveux, battues dans le dos, sur les seins, frappées au visage. Julia tombe à terre. Oksana est désarticulée de toutes parts. Son petit ami intervient pour éviter qu'elle ne boxe à son tour. Inna est bastonnée. Une sorte de loup en blouson noir, les cheveux gominés vers l'arrière, lui a saisi la queue-de-cheval et tourne sa tête à lui décoller la nuque, avant de lui mettre un coup au visage. Nathalie saigne. Violemment poussée, Marguerite rejoint Julia à terre. Quand elles se relèvent, elles sont de nouveau cognées. Les Femen reculent. Il est temps de passer au plan B : tendre l'autre joue.

Déjà loin de la manifestation, les filles se retournent vers leurs agresseurs pour lancer des baisers. Un geste chrétien qui ne semble pas les émouvoir. Une deuxième salve démarre, lancée par un nervi qui crie : « En avant mes camarades ! » Les nonnes courent. Les fauves fascistes sont à leurs trousses.

— Courez ! Courez ! crie Nadia, le souffle court.

— Sales pédales ! hurlent les assaillants.

Le loup prend son élan et se jette à pieds joints sur le bassin d'Inna, puis la menace en russe :

— 35 rue Léon, on te retrouvera salope !

L'adresse du Lavoir… Surprise, Inna doit penser à fuir. Les filles se cherchent des yeux, se frôlent les mains et s'élancent dans un geste d'une rare beauté. Plus loin, un autre père de famille abandonne sa poussette pour plaquer Marguerite contre une voiture. Les filles courent toujours, à la recherche de policiers qui tardent à intervenir. Elles finissent par s'abriter près du métro « École Militaire », sur un bout de trottoir gardé par un cordon de CRS.

— Où est Caro ? demande Fiammetta à Nadia.
— Je ne sais pas. Elle n'était pas avec toi ?
— Au début, puis je ne l'ai plus vue.
Je l'appelle, fébrile.
— Ils m'ont tabassée. Méchamment. J'arrive.

*

En voyant les coups pleuvoir sur les filles, j'ai sauté du banc pour m'approcher. Impuissante comme un journaliste ou un garçon Femen, censé regarder les filles se faire massacrer sans intervenir. Au moins décidée à filmer les agresseurs avec mon iPhone, au cas où mon équipe n'aurait pas réussi à capter leur violence. L'un des agresseurs se met à me hurler dessus.
— Tu filmes pas !
Je le dépasse sans ranger mon appareil, quand un autre prend son élan pour se jeter sur mon dos et m'écraser au sol. Il est si lourd que ma tête rebondit sur le trottoir. Alors que les filles sont en train de vivre un supplice à trois mètres, je suis recroquevillée contre une voiture pour amortir les coups qui pleuvent sur mon dos et mes jambes. Cinq nervis s'acharnant à coups de pied.

Combien de chaussures tapent le long de ma colonne ? Il y a ce brun en blouson de cuir marron, celui qui m'a fait tomber et porte un autocollant des Jeunesses nationalistes. Son ami au crâne rasé, en rouge et noir, particulièrement sauvage. Un autre crâne rasé en survêtement bleu et noir. Encore un autre dont je ne vois que les semelles. Et un immense malabar, plus âgé, qui tient à distance ceux qui pourraient m'aider ou me filmer, comme ce journaliste du *Parisien.fr*. Après quelques longues secondes passées en position fœtale pour me protéger, j'arrive à pivoter et à rendre des coups de pied depuis le sol. Ils ne touchent pas mes assaillants mais les font reculer. Le temps de bondir sur mes pieds. L'un de mes agresseurs se rapproche et m'arrache mon bonnet, comme pour vérifier.

— Salope de Fourest !

— Connards. Vous êtes bien dans la merde mainte-nant.

Jamais de ma vie je n'ai été aussi heureuse d'être un peu connue. Ils ne pourront pas s'en tirer. Je les pour-suivrai le restant de leur vie, jusqu'à ce qu'ils passent en justice. C'est cette idée qui tient ma rage face à eux, lorsqu'un jeune homme, très doux, entre dans mon champ de vision.

— Caro, qu'est-ce que tu fais ! Il faut courir. Ils vont te tuer !

Je mets une longue seconde à comprendre qui est ce garçon, qui tient un immense sac Tati rempli de vête-ments et me parle gentiment… C'est Laurent, le mari de Nathalie. Il a ramassé les manteaux des filles et tenté d'assommer plusieurs agresseurs avec son sac. Je ne le connais pas, mais lui sait qui je suis. Belle rencontre dans cet espace-temps figé, face à des chiens féroces. Soudain, je réalise qu'il faut arrêter de leur tenir tête, les poings levés, si je ne veux pas reprendre une seconde raclée. Sitôt les talons tournés, je reçois un coup violent à la tête, porté par l'un des lâches, qui ne frappent décidément que par-derrière. Je manque perdre l'équi-libre, me rétablis et accélère le pas, malgré une intense douleur à la jambe. La meute a grossi et me poursuit d'injures : « Salope de Fourest ! Sale pédale ! »

J'entends même une réplique surprenante venant d'un groupe fasciste… « pourriture d'islamophobe ! »

Ma curiosité est trop forte. Je me retourne et j'aperçois un immense garçon brun, métis, en tenue de camouflage, qui hurle après moi en compagnie des crânes rasés.

Plus loin, le père de famille qui a gazé les filles avec sa bombe lacrymo les rejoint et m'accuse de « blasphème ». Ces mecs sont fous. L'un d'eux va finir par me tuer. La prof de self-défense des Femen surgit, un peu désarmée, et me conseille de courir. Pas question. S'il y a une leçon que j'ai apprise dans la savane, où je passe mes étés, c'est qu'il ne faut jamais courir face à des prédateurs, sinon ils vous identifient à une proie, et fondent sur vous pour vous achever. Arrive enfin ce qui n'arrive jamais dans la savane… une voiture de police ! Elle met les derniers fauves en fuite. Le premier groupe des assaillants est déjà reparti vers la manifestation, en levant le bras et en scandant « Jeunesses, Jeunesses… Nationalistes ! ». Sans savoir qu'il s'agit de certains de mes agresseurs, Fiammetta les a croisés et filmés. Grâce à elle, je tiens ma revanche : des images qui signent leur forfait.

*

Comme je boite, je mets quelques minutes à rejoindre le périmètre sécurisé par les CRS, où je retrouve Fiammetta, Nadia, et mes camarades… couvertes de bleus et en sang.

— Ça va mon cœur ? dit Fiammetta en s'approchant de moi, tellement désolée de ne pas m'avoir protégée.

— Tout va bien, ne t'en fais pas. Mais ils ont de bonnes chaussures, ces connards.

Inna est au milieu des filles, si martyrisées que des traces rouges laissées par les coups se mêlent aux slogans noirs qui ont bavé. Elle se tient la mâchoire avec la main, encore sous le choc d'avoir perdu une dent dans la bataille. Un filet de sang coule du nez d'Oksana. La lèvre de Nathalie est fendue.

— Putain, ils nous ont bien massacrées ! dit-elle avec son accent du Sud.

Les flics nous amènent trois homos, venus contre-manifester avec drapeau gay, qui pourraient bien finir en pâtée pour chiens cent mètres plus loin. La presse nous a rejoints et filme ce bout de trottoir servant soudainement d'Arche de Noé à toutes les créatures haïes par les fascistes : des féministes, des homos et des journalistes.

Encore essoufflées, le regard ahuri par la violence de ce qu'elles viennent de vivre, les filles se prennent par les épaules et se mettent à scander : « In gay we trust ! In gay we trust ! In gay we trust ! », puis : « Fuck Church ! Fuck Church ! » Les homos qui observent la scène applaudissent, émus aux larmes, fiers de leurs gladiatrices. La scène est si belle que je me joins à elles, la main sur l'épaule d'Oksana. À l'autre bout de notre chaîne humaine, Inna a un regard que je ne lui connaissais pas. Intense et surpris.

— Ça va, tu ne les trouves pas trop mous nos fascistes ?

— Ça va, me dit-elle, essoufflée. *They are hot !*

On ne comprend pas à quoi jouent les policiers. S'ils veulent arrêter les Femen pour manifestation illégale ou nous protéger. Trois crânes rasés sont maintenus dans le périmètre sécurisé. Inquiétante proximité… On finit par comprendre qu'ils sont interpellés, et nous gardent le temps d'être sûrs de pouvoir nous évacuer. Des confrères, encore stupéfaits, demandent timidement à m'interviewer.

— Caroline… Que s'est-il passé ?

— Des nervis se sont mis à brutaliser les Femen. Ils m'ont aussi jetée à terre pour me tabasser.

— Parce qu'ils vous ont reconnue ?

— Honnêtement, je ne sais pas pour les premiers coups. Après, c'est sûr, ils m'ont reconnue et là j'ai pris une seconde raclée, avec des insultes homophobes.

— Merci, me dit la journaliste de la Chaîne parlementaire, réellement désolée et choquée.

La nouvelle de mon agression se répand sur Twitter. Je reçois un coup de fil de David Assouline, porte-parole du parti socialiste, qui connaît bien l'extrême droite pour l'avoir affrontée il y a quelques années, comme jeune militant trotskiste.

— Caroline, qu'est-ce qui se passe ? Il paraît que tu as été agressée.

— Oui, par des gros bras de Civitas…

— Où es-tu ?

— Encerclée par les forces de l'ordre, avec les Femen. Ils ne nous laissent pas sortir, je ne sais pas ce qui se passe.

— Je préviens Manuel Valls.

Quelques minutes plus tard, alors que les filles commencent à être embarquées une par une dans un panier à salade, on vient me chercher.

— Madame Fourest, suivez-nous.

C'est la première fois que je m'apprête à entrer dans un fourgon blindé. Tout se ralentit comme dans un vieux mélo. Inna crie mon nom, visiblement très fière.

— Au revoir Caroline !

— Au revoir Inna ! dis-je en lui faisant signe.

À l'intérieur, je retrouve plusieurs de mes camarades, torse nu, un peu inquiètes de ne pas savoir ce qui les attend, mais bravaches et déconnantes comme après une belle bataille. Laurent est là. On se sourit.

— Toi alors, t'es une vraie... Tu m'as fait peur tout à l'heure. J'ai vraiment cru qu'ils allaient te tuer et tu ne voulais pas lâcher.

— Merci d'être venu à ma rescousse.

— Tu crois qu'on est arrêtées, Caroline ? me demande Nathalie.

— Aucune idée, mais on va le savoir...

Mon portable vibre. C'est Manuel Valls. On se connaît pour avoir débattu ensemble sur la laïcité, du temps où il était maire d'Évry, et pour avoir mené ensemble la bataille pour la crèche Baby-Loup, menacée de fermeture à cause de la plainte d'une salariée voilée. Il vient aux nouvelles. Je lui explique que je suis dans un fourgon de police avec les Femen.

— Vous êtes arrêtées ?

— Ah ça, je ne sais pas... dis-je en ayant envie de rire.

— J'appelle le préfet et je me renseigne, me répond le ministre, toujours très sérieux.

La scène m'amuse, malgré la douleur à ma jambe qui se réveille. Je soulève mon jean sur un tibia violet, qui commence à gonfler. Peu après, je reçois un sms du président, avec qui nous avons souvent échangé sur la laïcité. Il s'inquiète de l'agression et me soutient. J'en profite pour lui mettre la pression. « Merci monsieur le président. Les coups n'auront pas fait mal si vous ne reculez pas d'un pouce sur ce dossier. » Ce qu'il promet.

Soudain, mes hématomes font moins mal. Au vu du nombre de demandes d'interviews qui patientent sur ma messagerie, le débat sur le mariage pour tous vient de connaître un tournant. Cette fois, la violence homophobe se voit... sur nos corps, et ça me soulage.

*

Arrivés devant le commissariat, les policiers nous aident à sortir du fourgon, très courtoisement. Il faudrait porter plainte contre nos agresseurs, mais on crève d'envie de rejoindre le reste des troupes. Fiammetta a invité tout le monde à se remettre de ses émotions à la maison. Quand j'arrive, l'appartement ressemble à un hôpital improvisé. Les Femen, rejointes par leurs petits amis, des militants garçons de Femen et quelques goudous, trinquent pour se remettre. Cécile, la chanteuse du groupe Anatomie Bousculaire, qui était avec moi au début de la manifestation, n'en revient toujours pas.

— Les filles, franchement, vous m'avez bluffée. C'était d'une violence... Et vous avez été d'un tel courage... Franchement, je suis fière de vous connaître.

L'ambiance est joyeuse et réconfortante. En route, j'ai continué à répondre à des journalistes. Des équipes débarquent à la maison, tantôt pour m'interviewer, tantôt pour interviewer Inna, qui ne se déplace plus sans un sac de petits pois congelés sur les fesses.

— Ça va ?

— Oui, sourit-elle, j'ai pris un coup. Fiammetta me l'a donné pour apaiser la douleur.

J'aime l'idée de cette solidarité. Dans un coin, j'aperçois une goudou qui se tient la mâchoire.

— Toi aussi tu as reçu des coups ?

174

— Oui mais moi, c'est Inna.

Inna s'approche pour me raconter en riant.

— Caroline, c'est ta faute !

— Comment ça ma faute ? dis-je, étonnée.

— Tu m'as dit que les fachos portaient des blousons de cuir et chargeaient avec des casques de moto !

Je regarde sa victime, et je comprends. Elle a le crâne rasé, porte un blouson en cuir, et elle est venue au secours des filles avec un casque de moto. Dans le feu de l'action, Inna l'a prise pour un nervi et lui a collé une droite, avant de comprendre le malentendu. Depuis, Inna ne cesse de s'excuser.

— Je suis vraiment désolée...

On rit à s'en tenir les côtes, qui font mal. Mon téléphone ne cesse de recevoir des sms de soutien de tout Paris, de mes amis, de confrères, de politiques. Le cabinet de la garde des Sceaux tient à me dire l'émotion de la ministre. Le préfet m'appelle pour me demander de venir identifier les premiers suspects arrêtés. Cette fois, il faut déposer plainte. J'appelle un taxi et nous retournons au commissariat du 15e, avec Inna et les principales militantes agressées.

*

Sur place, les policiers nous montrent trois crânes rasés à travers une glace sans tain, qui ne nous disent rien. Pas les bons. Deux policiers viennent me voir, sincèrement désolés de ne pas s'être interposés plus tôt. Je repense au mal que les Femen se sont donné pour les contourner, et bredouille :

— Non, vraiment, ce n'est pas grave... Je vous assure.

À 23 heures, il faut encore attendre pour porter plainte. La fatigue se fait sentir. Les hématomes commencent sérieusement à tirer. On plaisante avec les membres de la brigade. Surréaliste pour Inna. Comme on patiente dans un bureau où nous sommes seules, je m'installe derrière l'ordinateur et feins de l'interroger.

— Alors madame Shevchenko, vous avez de sérieux antécédents on dirait...

— Caroline, sois sage !

— Comment vont tes fesses ?

— J'ai mal.

— S'il a sauté sur ton bassin, tu peux avoir un traumatisme à la colonne, il faut aller voir un médecin.

— Non, pas question. Pas de médecin !

Elle a sa bouille d'enfant jamais malade, qui déteste les docteurs.

— OK, dis-je, si tu ne veux pas aller voir un médecin, je le fais venir à toi.

J'envoie un message à l'urgentiste Patrick Pelloux, un ancien confrère chez *Charlie Hebdo*, un ami, et surtout le roi du Samu.

— Je suis avec les Femen et quelques-unes ont pris des coups qui m'inquiètent.

— Vous êtes où là ?

— Au commissariat du 15ᵉ.

— Bouge pas, j'arrive.

Dix minutes plus tard, montre en main, Patrick est au commissariat, en blouse, avec sa mallette et deux confrères. Bien que séduite, Inna feint de trouver mon efficacité absolument normale. Je passe la tête dans le bureau où elle finit de porter plainte pendant que Patrick l'ausculte.

— Alors ?

— Sa dent a sauté mais ça va. Et le bassin a l'air de fonctionner. Elle a quel âge ?

— 22 ans.

— Oh, à cet âge, tout se répare !

Je suis tellement soulagée que j'en oublie de lui montrer mes jambes, mon dos et mon tibia enflé. À 37 ans aussi, tout se répare ?

*

À minuit, nous sortons fourbues du commissariat. Je propose à Inna de la ramener au Lavoir, placé sous protection. Dans le taxi qui file vers la rue Léon, nos mains se rapprochent.

— J'ai adoré t'avoir à mes côtés sur le champ de bataille, me dit Inna.

Elle sourit, épuisée, au bord de l'abandon.

Quand nous arrivons au Lavoir, Oksana et son petit ami sont déjà là, avec des amis du Lavoir. Appolonia, une jeune artiste qui vit au Lavoir et suit Femen depuis l'Euro, lève son verre de rosé.

— Chapeau les filles. Vous avez été d'un courage... Les images font vraiment flipper.

Avant de se détendre enfin, Inna demande à voir la vidéo de Joseph, l'un des réalisateurs qui suit Femen. Elle est forte, mais loin de restituer ce que nous avons encaissé. On peut enfin décompresser. Inna, qui a toujours mal aux fesses, crie en s'allongeant sur son lit. J'ai terriblement envie d'être seule avec elle. Elle aussi. Elle me regarde en se tenant les fesses de douleur et nous rions doucement. Il est tard. J'appelle un taxi.

— Salut tout le monde.

— Attends, dit Inna, je te raccompagne.

Nous voilà seules au rez-de-chaussée du théâtre, semi-éclairé et désert. Derrière la porte blindée, des policiers en civil font la ronde. Mon taxi vient d'arriver et patiente. Un immense ange de tulle nous observe. Une troupe l'a laissé là entre deux répétitions. Inna se serre contre moi. Sans ses talons, ma guerrière n'est pas si grande et s'emboîte aisément à l'intérieur de mon torse. Mes bras l'enlacent, mes mains parcourent son dos et je respire son être. Nos lèvres se frôlent, mais son menton esquive. À cause de sa dent cassée, ou de cette peur panique qui la gagne quand elle croit s'abandonner. Je bats en retraite, tout en remerciant Dieu et les siens d'avoir inventé l'homophobie. Ne serait-ce que pour avoir vécu cette soirée, l'une des plus romantiques de mon existence.

*

Au Lavoir, les entraînements ont repris. Inna avait raison. Après une telle épreuve, les filles sont plus concentrées, puissantes et soudées. Le mouvement, de plus en plus médiatisé, attire aussi de nouvelles recrues, fascinées par ces amazones ayant su défier Civitas. L'affaire tourne en boucle dans les médias. Celle de mon agression aussi. L'image d'Épinal bâtie par Frigide Barjot, Christine Boutin et ses amis vient de s'effondrer sous les coups portés par d'autres opposants, moins malins et plus directs, qui ont le mérite de rappeler que l'homophobie blesse tous les jours, et qu'elle blessera tant que les homosexuels seront inégaux en droits.

En attendant, j'ai mal partout. Les hématomes aux

fesses, aux jambes et aux coudes sont devenus violets. Mon tibia ne se remettra jamais. Les vaisseaux sanguins ont été si écrasés qu'ils en gardent une trace indélébile, vaguement bleutée, même des mois après l'agression. Ma nuque s'est tellement raidie sous le choc qu'elle ne bouge plus tout à fait, même après quinze séances de kiné. Ne surtout pas s'en plaindre devant ma guerrière, pas vraiment du genre à proposer un massage. Sur Facebook, elle arbore fièrement le trou dans sa dentition, mais ne sourit plus comme avant, pendant des mois. Le temps qu'un dentiste se propose de lui fabriquer une incisive gratuitement, grâce à l'entremise d'une ancienne du Mouvement de Libération des Femmes, qui soutient Femen.

*

Côté enquête, le Groupe d'investigation transversale nous appelle pour identifier certains agresseurs arrêtés. Les filles ont déjà défilé deux par deux devant le miroir sans tain. C'est mon tour. Un inspecteur, qui pourrait jouer dans la série PJ, vient me donner ses instructions.

— Madame Fourest, suivez-moi. Ils ne peuvent pas vous voir mais vous entendent. Vous me signalez à voix basse les numéros que vous pensez reconnaître.

Des hommes défilent en tenant des numéros. Trois individus composent la première fournée. Je reconnais le crâne rasé au blouson noir liséré de rouge, celui qui ne sait visiblement que froncer les sourcils d'un air abruti. La seconde moisson comporte une prise de choix : le plus violent d'entre tous, « le loup », qui a menacé Inna en russe. Il a bien mauvaise mine. Quand la police est venue l'arrêter, il a vomi de peur. La troisième ligne défile. Je n'y trouve ni le colosse qui tenait la presse à distance avant de me frapper à la tête, ni le petit brun au nez troussé qui m'a plaquée à terre. Celui-là, même si je dois y passer quinze ans, j'ai bien l'intention de le retrouver.

J'y parviens quelques mois plus tard, grâce à la diffusion d'un reportage, où il est filmé en caméra cachée, juste après l'agression.

— Sa tête a heurté le rétroviseur avant de s'éclater sur le trottoir ! dit-il d'un air très satisfait.

Des antifascistes m'ont également permis de retrouver un autre agresseur : le dérangé qui m'a poursuivie en criant « pourriture d'islamophobe ». Il s'appelle Rémi Lelong et milite au Front national de Seine-Saint-Denis. Appréhendé, il se met à éructer en direction de la vitre.

— Cours Fourest, cours ! On te retrouvera partout en France !

Sa menace m'arrache un sourire. D'abord parce qu'il a eu l'intelligence de la formuler à voix haute devant toute la brigade Ensuite parce qu'elle est tirée d'une pastille humoristique écrite par mon amie Sophia Aram, le jour où je suis venue présenter mon livre sur Marine Le Pen à la matinale de France Inter. Avec sa plume habituelle, drôle et fine, Sophia m'y invite à chausser des baskets vu le nombre de groupes fâchés par mes enquêtes... et conclut en parodiant le film *Forrest Gump* : « Cours Fourest, Cours ! »

La consigne a été retournée par des sympathisants d'extrême droite, qui haïssent Sophia autant que moi. Depuis ses chroniques acides sur « le père, la fille et les simples d'esprit » votant Front national, elle a même reçu des menaces. Une violence encouragée par plusieurs cadres du parti.

Julien Dufour, l'un des cadres montant de l'ère Marine Le Pen, bientôt candidat à la mairie de Boulogne-Billancourt a commis ce tweet juste après mon agression : « D'ordinaire, je n'aime pas qu'on tape les femmes... Mais Caroline Fourest est-elle une femme ? »

Quelques mois plus tôt, un autre secrétaire du FN, Philippe Chevrier, également proche de la présidente, se laissait aller à la sortie d'une réunion du parti : « Quand est-ce qu'on l'emmène la Fourest ? On la met à poil, on l'attache à un arbre, on se la prend, on met des cagoules, on va avec la Fourest en forêt de Rambouillet et on la laisse. » Des propos enregistrés et rapportés par une journaliste en infiltration[1]. La femme de Chevrier, qui est aussi l'une des lieutenantes préférées de la présidente du FN, Marie-Christine Arnautu, était présente à la manifestation de Civitas pour défiler avec eux. J'espère qu'elle a goûté au spectacle d'une agression rêvée par son mari... Mise à exécution par les gros bras des Jeunesses nationalistes. Un mouvement dirigé par un ancien élu du Front, Alexandre Gabriac, exclu à cause d'une photo révélant son goût pour les saluts fascistes. Soyons précis : à cause de la parution de cette photo dans la presse. Le FN ne pouvait ignorer que Gabriac militait depuis des années à l'Œuvre française, une organisation de chemises brunes où l'on se salue « à l'italienne », façon Mussolini. Une fois exclu par la nouvelle présidente, Gabriac a fondé Jeunesses nationalistes, la branche jeunesse de l'Œuvre française. Le chef de cette maison-mère fasciste, Yvan Benedetti, est aussi un ancien responsable du Front, exclu pour des propos antisémites. Il a mené la

---

1. Rapporté par Claire Checcaglini dans son livre, *Bienvenue au Front – Journal d'une infiltrée*, février 2012, Jacob-Duvernet.

campagne de Bruno Gollnish contre Marine Le Pen pour tenter de succéder au « père-fondateur ». Ce qui a également joué dans sa mise à l'écart.

Ces réseaux se déchaînent en apprenant les menaces proférées contre moi par un militant du Front. Le site de l'Œuvre française et des Jeunesses nationalistes publie une affiche imitant le film *Forrest Gump*, où ma tête a remplacé celle de Tom Hanks, avec un sous-titre explicitement menaçant : « Cours Fourest, Cours ! »

Après la rue, la bataille se poursuit sur Internet. Civitas, dont les cadres ont été convoqués par la police, redoute la dissolution et contre-attaque. Son site accuse les Femen d'avoir « gazé » des enfants avec leurs extincteurs, qu'elles ont principalement inhalés. Surtout Nadia, qui en a eu le visage entièrement repeint, sans la moindre conséquence. Si l'enfant tousse, c'est sans doute parce qu'il a respiré le gaz lacrymogène que son propre père a déversé sur les filles... L'idée, comme toujours, étant de brosser les féministes et les homosexuels en dangers pour la jeunesse. Sur la toile, j'ai même droit à une vidéo me décrivant en « pédophile mangeuse d'enfants ». Même les islamistes n'ont pas tant d'imagination. Pour couronner le tout, « Boulevard Voltaire », un site qui défend souvent le pire sous couvert de liberté d'expression, ironise sur les menaces qui me visent en me montrant en cadavre à la morgue.

Une vidéo plus comique vient de Russie, où le parlement s'apprête à voter une loi criminalisant la « propagande homosexuelle ». En France, nombreux sont les militants d'extrême droite à être fascinés par Poutine : la façon dont il extermine les Tchétchènes ou met en cage les Pussy Riot. Certains sont même appointés. Quand leurs sites ne suffisent pas, la propagande d'État passe par *La Voix de la Russie*, une télévision russe destinée au public francophone, essentiellement visible sur Internet. L'émission phare revient sur le match « Femen vs. Civitas ». D'un ton de procureur monocorde, la présentatrice se range aux côtés « des catholiques de la tradition », venus défendre la vraie famille dans une ambiance bon enfant, lorsque les Femen, qualifiées de « cinglées » haïssant « la moitié mâle de l'humanité », sont venues les agresser, eux et leurs enfants, en compagnie de Caroline Fourest, « une lesbienne déguisée en journaliste ».

Hilarant. Je crois reconnaître le sens de l'humour d'Alain Soral, ancien conseiller de Jean-Marie Le Pen, l'une des têtes de pont de l'extrême droite française pro-Poutine. Sans doute aussi l'une des plumes les plus misogynes, antisémites et homophobes de ce pays. Son site, Égalité et Réconciliation, a décidé de cracher sa bile sur une Femen en particulier : Éloïse la rousse tatouée, qu'il accuse d'être une escort-girl, à partir de photos de charme publiées sur un site de rencontres... L'attaque se répand à la vitesse de l'éclair sur Internet. Une gifle d'une violence inouïe pour Éloïse. Elle ne comprend pas comment ils ont pu se procurer ces photos, très anciennes. Du temps où elle était pigiste, elle s'était inscrite sur ce site dans l'espoir de mener une enquête sur les escort-girls. Son ex-petit ami a gardé la trace de son profil et l'a menacée de publier ces photos lors de leur rupture. Jusqu'à tomber, visiblement, entre de mauvaises mains... Grâce à l'entremise de services bien renseignés sur Femen ? J'appelle Inna.

— Tu as vu les saloperies sur Éloïse ? Qu'est-ce que tu vas faire ?

— Rien. Qu'ils le croient… Où est le problème si une ancienne escort milite à Femen pour se venger des proxénètes ?

Après tout, elle a raison. Femen n'a jamais prétendu être une ligue de vertu. Tant mieux si le mouvement attire des filles que l'industrie du sexe aurait pu broyer.

— Caroline, il y a autre chose.

— Quoi ?

— L'autre jour, je marchais près du Lavoir et un type est passé en moto. Il m'a menacée en russe.

— Encore ! Tu as vu son visage ?

— Non. Mais ça a recommencé hier. Un grand type, crâne rasé, nous a suivies avec Oksana et nous a fixées d'un air très suggestif.

— Tu crois que c'était un Russe ?

— Je ne crois pas, mais un type d'extrême droite, c'est sûr. Dans le quartier, on ne voyait que lui.

— Fais attention à toi, surtout le soir. Ne sors jamais seule.

Le Lavoir est surveillé depuis quelque temps. Tous les soirs, Inna aperçoit une ombre guetter depuis la fenêtre d'en face. Ami ou ennemi ? Je préfère penser qu'il s'agit d'une planque policière. Mais j'aimerais qu'elle dorme ailleurs. Nadia trouve un petit studio près de République, que sa locataire, une amie, veut bien prêter pour quelques jours. Il pourrait servir de refuge nocturne à Inna et Oksana, le temps que les menaces se calment.

— Profitez-en pour dormir au chaud et en sécurité.

— Non, tout va bien, je t'assure.

— Arrête. Les menaces, je sais ce que je sais, il faut dormir en paix, c'est important. Prends ces clefs et va passer quelques soirées loin du Lavoir. Tu en as besoin.

*

Il faudra insister plusieurs jours, l'attirer dans un restaurant près du canal Saint-Martin, pour la décider à
dormir dans le studio. Mais une fois à l'intérieur, bon
sang ce qu'elle aimera cette chambre de poupée. Le
premier matin, Inna et Oksana ouvrent leur fenêtre sur
des gens roulant à vélo le long du canal.

— Ça c'est Paris !

Paris, c'est aussi la capitale de l'amour. Un mal soudain, presque une épidémie, frappe l'escadrille Femen.
Sasha tombe amoureuse d'un cinéaste qui suit le groupe.
Oksana, qui pratique le « Free love », a fondu pour un
Français et une Française, sans avoir rompu avec ses
autres boy friends ukrainiens. Inna, la dernière debout,
tente de résister. Un soir après dîner, nous marchons le
long du canal, dans ce décor de film immortalisé par
Arletti. Sur le pont, elle regarde l'eau refléter ses pensées
et moi l'eau refléter sa beauté. Elle va flancher,
s'approche, puis se cabre comme un enfant effrayé.

— C'est une catastrophe ton pays. On va toutes finir
par abandonner la lutte à cause de ce romantisme, ce
n'est pas possible !

— Pourquoi vois-tu l'amour comme un ennemi ?
On peut être féministe, guerrière et s'offrir des trêves...

— Moi, je ne peux pas.

— Pourquoi ?

— Si j'abdique, je ne serai plus bonne à rien ! me
lance-t-elle avec un air de reproche.

Ce n'est pas du cinéma. Elle y croit. Inna peut se
mettre nue pour combattre mais n'envisage plus
d'enlever son armure, de peur de ne plus pouvoir
repartir au combat... qui ne cesse jamais.

185

*

Il est peut-être minuit. L'air est frais mais le trajet sublime. Traverser le Pont-Neuf jusqu'à la Samaritaine, marcher le long des quais jusqu'à l'Hôtel de Ville... Fiammetta et moi revenons d'une soirée chez notre amie Darina Al Joundi, où nous avons fêté l'obtention de sa nationalité française. En arrivant dans le Marais, j'entends fuser une insulte.

— Fourest, islamophobe !

Je me retourne. Un petit gros au crâne rasé se terre à l'entrée d'un bar. Un militant d'extrême droite ? Ici ? J'approche.

— C'est toi qui cries ?

— Tu ne me reconnais pas ?

Mes yeux s'ajustent à la pénombre. Je distingue les traits d'un visage familier... Un ancien d'Act-Up, avec qui j'ai milité pour le PACS il y a quinze ans !

— Arlindo ? C'est toi qui cries ça ? Mais ça ne va pas ?

— Islamophobe ! Pourriture ! Tu es la honte de cette communauté !

Je suis tellement sidérée que j'ai un mouvement de recul. Il en profite pour avancer et se montre menaçant.

— Tu veux faire quoi ? Comme les fachos, me tabasser ?

— Tu mens, tu n'as jamais été agressée...

Cette phrase me sidère. Prendre des coups de la part d'homophobes, c'est une chose. Pareil couteau entre les omoplates venant d'un militant gay me donne la nausée. Fiammetta s'avance vers lui comme si elle allait frapper. Je sens qu'il va prendre pour Civitas, pour les coups qu'elle n'a pas pu m'éviter... J'entrevois déjà la tête

186

d'Arlindo en sang sur le trottoir, les pompiers, et les manchettes : « Caroline Fourest et sa femme agressent un homosexuel. »

— Fiam, arrête. Tu vois bien qu'il n'a pas toute sa tête !

On s'en va. Mais Arlindo nous poursuit en vociférant.

— Mais viens Fiam, frappe-moi ! Frappe-moi ! Islamophobe !

Je me retourne.

— Islamophobe ? Mais ça va pas ? C'est toi le collabo des homophobes !

Bienvenue dans un monde à l'envers où le procès en « phobie » ne servira pas de repère. Arlindo me traite d'« islamophobe » simplement parce que je combats les fascistes et les intégristes voulant discriminer entre autres les homosexuels. Quitte à se ranger dans le camp de « l'homophobie », qu'il pense pourtant combattre au même titre que « l'islamophobie ». Les deux termes désignent pourtant des maux fort différents. Le mot « homophobie » implique clairement le rejet de l'homosexualité et donc des homosexuels, tandis que l'« islamophobie » (rejet de l'Islam) n'est pas forcément « musulmanophobie » (rejet des musulmans). Par sa sémantique confuse, le terme englobe de simples laïques et de véritables racistes.

Il arrive que de faux laïques se servent de la critique de l'Islam pour attaquer les musulmans, mais en l'occurrence je me suis toujours battue contre cet amalgame. À la télévision, face à Marine Le Pen, où j'ai dénoncé un extrait du programme du Front national raciste envers les musulmans. Mais aussi sur Internet, où j'ai été l'une des premières à contrer Riposte laïque, un groupe passé de la défense de la laïcité au rejet de l'Islam et des musulmans. Au point d'être leur bête noire.

Ça n'a pas empêché des groupes gauchistes et islamistes d'attaquer une conférence que je devais donner contre l'extrême droite et le racisme à la fête de *L'Humanité*.

Tout comme eux, la mauvaise foi d'Arlindo est évidente, mais le mal qui nous oppose plus profond. En tant qu'universaliste, j'essaie de tracer des frontières en fonction des idées : les laïques de tous les horizons contre les intégristes de toutes les religions. Le monde d'Arlindo est tissé de « communautés ». Les homosexuels et les musulmans sont censés se serrer les coudes face aux majoritaires. Être lesbienne et critiquer Tariq Ramadan, l'idole des communautaristes, fait de moi une « traître ». Qu'importe si je le combats parce qu'il enseigne, entre autres choses, une théologie appelant à brûler vif les homosexuels, c'est moi qui mérite le bûcher !

Cette folie dépasse le seul cas clinique d'Arlindo. Presque tout le Pink bloc, un collectif d'associations homos gauchistes, est gagné par la fièvre au nom de l'union sacrée des damnés de la Terre. Fiammetta apprend qu'ils sont décidés à agresser des personnalités jugées « traîtres » lors de la manif pour défendre le mariage pour tous. Seront visés Christophe Girard (le maire du 4e arrondissement), Bertrand Delanoë et moi. On nage en plein délire. Quel cadeau pour les anti-mariage pour tous si la manifestation offre un tel spectacle !

La menace est réelle. Quelques jours après mon altercation avec Arlindo, je suis expulsée d'un bar homo : La Mutinerie, dont j'apprends à cette occasion qu'il est tenu par des fans de Didier Lestrade (un ancien leader d'Act Up très communautariste) et de Tariq Ramadan. J'y vais pour fêter l'anniversaire d'une amie russe, lorsqu'un petit groupe de filles vient m'agresser.

— « Fourest dégage, tu es la honte de la communauté, on ne veut pas de toi ici. »

Sale semaine. Je laisse glisser et continue à boire mon verre. Pendant que mes amies tentent de comprendre.

— Ça doit être un malentendu.

Pourtant, c'est bien à moi qu'elles en veulent, et aux Femen. La plupart sont transsexuelles, proches du Strass (ce lobby pro-prostitution), pas vraiment en phase avec les positions des féministes ukrainiennes, tout en soutenant le voile par solidarité envers toutes les « communautés ». Une belle bande de paumées, venues se défouler en m'agrippant par les épaules : « Islamophobe, putophobe, transphobe ! » On bat les records de procès d'intention absurdes et fantaisistes. J'essaie de les calmer.

— Les filles….

— Ne nous assigne pas à notre genre !

Cette fois, c'en est trop. Je sors le plus calmement possible, en leur conseillant d'aller consulter. Pourvu que ces fous ne viennent pas gâcher la mobilisation pour le mariage pour tous… Barjot et Civitas adoreraient.

*

La manifestation doit partir de la Bastille. Le cortège des Femen sera parmi les premiers. Les organisateurs leur ont réservé une place de choix et, sur mes conseils insistants, prévu une sécurité. Reste une question à régler : où mettre les vêtements pendant qu'elles manifesteront en culottes repeintes aux couleurs de l'arc-en-ciel ? C'est l'idée, pour une fois douce et simple, que les militantes françaises ont suggérée aux Ukrainiennes.

— Pourquoi pas ? a dit Inna, qui n'y voit pas une action, plutôt une récréation, histoire de célébrer leur coup d'éclat contre Civitas.

L'image promet d'être belle. Notre équipe de tournage patiente dans la galerie du Lavoir, en attendant l'autorisation de monter au studio pour filmer. Je n'arrive pas à donner le signal. Même dans la vie de Femen, il y a des moments intimes, où la nudité n'est pas encore endossée comme un uniforme. La présence d'une caméra, surtout tenue par un homme, a quelque chose de déplacé dans ce studio grouillant de filles en culotte, en train de se coiffer ou de se peindre mutuellement.

Inna peint Suchita en vert. Jenny passe du noir au rouge. Éloïse la brune opte pour un violet foncé. C'est la première fois qu'elle va manifester seins nus. Elle ne peut s'empêcher de comparer son corps de trentenaire à celui des filles de dix ans de moins... Celui d'Inna donnerait des complexes à n'importe quelle activiste. La couleur rose dont elle s'est enduite jusqu'aux oreilles et ses cheveux bouclés remontés en chignon la rendent encore plus belle. J'essaie de voiler mon regard et de longer les murs, tellement j'ai l'impression d'être un garçon entré, tout habillé, dans le vestiaire des filles.

Au sol, une banderole attend d'être portée au ciel : « IN GAY WE TRUST ». Comme toujours, chacune choisit son slogan. Certaines optent pour le thème du cortège. Inna préfère un credo ambigu, peint en lettres noires sur son torse : « I can be a lesbian » (Je peux être lesbienne). Je souris. Serait-ce un message ? Ou veut-elle

190

rappeler au monde entier qu'elle est encore hétéro ? Éloïse se pose les mêmes questions que moi à voix basse.

Nous rions, sous le regard jaloux d'Inna, qui ne sait pas comment gérer notre liaison naissante au milieu de ses soldates. Oksana doit peindre son collant rose. Arrivée à l'embranchement des jambes, au moment de tracer Femen sur sa vulve, elle tourne la tête vers moi en marmonnant une allusion en russe, où je joue un rôle certain. Inna passe du rose au rouge extrême.

— Oksana ! crie-t-elle en s'éventant avec sa main.

Au moment de descendre les escaliers, les filles, bariolées de slogans arc-en-ciel, croisent un autre convoi : celui d'hommes en barbe et en djellaba, venus rendre un dernier hommage à l'un des volontaires musulmans du Lavoir, décédé quelques jours plus tôt d'un accident. L'équipe s'inquiétait d'éventuelles frictions. Mis à part quelques insultes misogynes, marmonnées à voix basse, les deux cortèges se croisent sans échanger de coups. Un net progrès comparé à la dernière fois que les filles ont coupé la route à des intégristes.

*

La place de la Bastille est saturée de monde, de toutes les couleurs et de toutes les sexualités. Les slogans sont drôles : « Mieux vaut un mariage gay qu'un mariage triste », « Jésus avait deux pères et une mère porteuse » et l'un plus directement adressé à Christine Boutin : « Je veux épouser mon copain, pas mon cousin germain. » Quel bonheur de pouvoir se laver ensemble de toutes les saletés entendues ces jours derniers sur le pavé de Paris. Reste à éviter les communautaristes hystériques...

Les organisateurs m'ont envoyé une équipe de costauds très sympathiques, qui m'escortent jusqu'au carré VIP, où je retrouve Fiammetta. Avec elle à mes côtés, je ne crains rien, jamais. Je lui souris. J'aime son air de petite brute quand elle croit devoir me protéger. Après vingt minutes et quelques centaines de mètres passés à marcher pour l'égalité, mon ange gardien aperçoit Arlindo, qui suit le carré de tête d'un air fanatique. Un peu plus loin, il revient avec une dizaine de militants. Ils cherchent visiblement un moyen de franchir le cordon de sécurité pour m'attaquer. Pile au moment où le cortège passe à deux rues de chez nous.

— Messieurs, on s'arrête là, vous pouvez nous raccompagner, dis-je aux gars de la sécurité.

— Entendu, madame Fourest.

Mon garde du corps en chef lève la main et nous voilà entourées de cinq autres molosses fendant la foule.

— Si vous avez besoin un jour, n'hésitez pas madame Fourest, me dit-il. Je suis militant PC et j'étais à la fête de l'Huma quand les Indigènes de la République et leurs amis vous ont agressée. C'est une honte… Ce sera toujours un honneur pour moi de vous protéger.

— Merci, c'est très gentil.

Nous grimpons les escaliers comme des mômes, pas mécontentes d'avoir pu manifester sans offrir aux dingues l'occasion de tout gâcher.

— Quand même, dis-je, elles doivent se geler.

*

Une heure qu'elles marchent en petite culotte par un temps polaire, seulement réchauffées par l'amour d'une foule, fière et reconnaissante.

— Merci pour ce que vous avez fait contre Civitas !

C'est beau de voir triompher ces guerrières, largement hétéros, dont deux, fraîchement arrivées de l'Est, crient en français : « Homophobe dégage ! » Inna éberluée, découvre un peuple, des milliers de gays et de lesbiennes. À quoi pense-t-elle un peu troublée ? À son slogan ? À nous ? Elle guette surtout d'éventuels trouble-fête. Quelques silhouettes patibulaires inquiètent la sécurité. Il faut décrocher. Au signal, le service d'ordre écarte la foule pour laisser partir les Femen en file indienne. Une sortie en majesté, sous les applaudissements et mille regards disant « merci ». Les filles lèvent le bras de la victoire, émues comme rarement. Éloïse m'appelle.

— Vous êtes où ?

— Déjà rentrées. Et vous ?

— On vient de finir.

— Vous voulez passer à la maison pour boire un chocolat chaud ?

— Carrément.

À en croire les cris, l'invitation réjouit. En raccrochant, je me tourne vers Fiammetta.

— La peinture écolo qu'on a choisie pour les murs, elle est lavable ?

— Pourquoi ?

— Parce que je viens d'inviter quinze filles peintes de la tête aux pieds, à venir à la maison.

— Très bien, sourit Fiammetta. Fais du feu. Ça va les réchauffer.

*

La cheminée déploie sa flamme quand la sonnerie claironne d'un air appuyé. La marque de fabrique d'Inna, qui arrive, surexcitée.

— Bonjour Caroline Fourest ! dit-elle en entrant d'un air gai et joueur, suivie d'une armée arc-en-ciel.

Vincent et Nicolas, deux garçons Femen, ont rejoint le cortège. Les filles s'affalent dans le canapé, plutôt chocolat à l'origine, mais désormais pailleté de bleu. La couleur de Marguerite.

— Désolée.

— T'inquiète, ça part à l'eau.

Fanny, dont le jaune a bien tenu, chauffe ses fesses devant la cheminée.

— On peut prendre une douche pour s'enlever la peinture ? demande Éloïse.

— Bien sûr.

Comme si je venais de donner l'autorisation à des enfants de sauter dans une piscine, la salle de bains est prise d'assaut. Des éclats de rire jaillissent de la porte coulissante ajourée, qui donne sur le salon. Certaines choisissent la baignoire, d'autres la douche en tadelakt, où l'on peut aisément tenir à trois, sous l'œil d'une girafe incrustée dans la chaux. Ma grotte de Lascaux jouit du plus beau des spectacles. Inna et Oksanna nues, en train de frotter leurs corps pour redevenir opales. Je n'ose pas m'approcher. Moi la femme en T-shirt, presque l'homme du foyer.

Quand les enfants ont fini de jouer, je me décide à passer la tête pour les dissuader de tout nettoyer. Accroupie et à peine couverte d'une serviette, Inna tente d'éponger le parquet avec son drap de bain.

— Hello Fourest... Désolée, me dit-elle en rougissant et en cachant ses seins, comme s'ils n'avaient pas été pris en photo deux cent mille fois par des photographes du monde entier.

— Tout va bien, viens plutôt manger, dis-je en tournant la tête, comme un garçon de bonne famille.

*

25 novembre : manifestation contre les violences faites aux femmes. Act Up ferme le cortège en hurlant des slogans en faveur de la prostitution. Pathétique. On a le droit d'ignorer la traite des femmes, mais pas de moquer les féministes qui s'en soucient dans une marche sur les violences... Je file en salle de montage. Encore deux films à monter sur les extrêmes, trois équipes de tournage à diriger, une productrice à rassurer...

Quand je retrouve les filles en fin de journée, dans un bistrot près d'Opéra, la conversation chauffe sur la prostitution. Avec sa bouille d'enfant charmeuse, Cécile, la chanteuse d'Anatomie Bousculaire, s'est lancée dans une opération suicide : tenter d'expliquer à Inna qu'elle n'est pas sûre de vouloir interdire la prostitution, par peur de sanctionner les prostituées. Je me pose les mêmes questions depuis des années, sans avoir trouvé la réponse. Mais je n'aurai jamais l'audace d'ouvrir ce débat avec une Femen ukrainienne.

— Caroline aide-moi ! dit Cécile d'un regard suppliant.

— Ah non, sur ce coup-là, il faut que tu le saches, tu es seule.

— Inna, poursuit-elle d'un air effrayé, comprends ce que je te dis... Je sais que tu as raison. Que la prostitution, à 99 % c'est de l'exploitation, c'est mal, c'est atroce, mais qu'est-ce qu'on fait quand des prostituées te disent qu'elles ne veulent pas qu'on les mette hors la loi ?

195

— Tu entends ce que tu dis ! hurle Inna, au point que toute la brasserie se retourne. Parce que quelques aliénées sont opprimées par choix, il faudrait légaliser l'oppression !

Plus les décibels montent, plus j'aime cette idée de ne pas prendre part au combat, pour une fois. Ma journée a été suffisamment intense. Et ce débat ne mène jamais nulle part. Je préfère siroter ma bière en assistant au spectacle, qui me lave un peu des images de crânes rasés et d'islamistes que j'ai en tête à cause du montage dont je suis plutôt contente.

— Caroline, pourquoi tu souris ! crie soudain Inna, qui m'a demandé de la rejoindre d'un air autrement plus tendre, tout à l'heure au téléphone.

— Je pensais à autre chose... Ça ne sert à rien d'avoir ce débat. Tu as raison, il faut une loi, combattre les trafics. Mais Cécile n'a pas tort, des prostituées il y en aura toujours. Il ne faut pas que la loi les pénalise... Plutôt les clients.

— Mais ça on est d'accord ! crie Inna.

— Alors, pourquoi tu cries ?

La conversation se poursuit sur la distinction entre féminisme et moralisme. Cette fois, je m'en mêle.

— Trop de gens croient vraiment à la caricature qu'on fait du féminisme. Un mouvement rigide et frigide. Alors que c'est tout le contraire. C'est un mouvement d'émancipation, qui prône la liberté sexuelle...

— Et la polygamie peut-être ? me lance Inna avec un regard noir.

La flèche ne m'a pas visée par hasard. Je tente de relever le gant de la façon la plus élégante possible, au milieu de regards interrogateurs.

— La polygamie comme reconnaissance légale d'un privilège patriarcal, bien sûr que non... Il faut la combattre. Mais le droit à l'amour libre, pour les hommes comme pour les femmes, bien sûr que ça fait partie de l'émancipation !

Inna lève les yeux au ciel. J'en demande trop à ma féministe de 22 ans, passée directement du patriarcat post-soviétique à la lutte contre l'industrie du sexe.

*

Une fois seules, notre débat se prolonge dans un restaurant, à la lueur des bougies, où la reine des Amazones a décidé de me cuisiner sur ma conception de l'amour et de la fidélité.

— Essaie de m'expliquer... comment ça marche entre toi et Fiammetta ?

— C'est difficile à expliquer.

— Essaie !

— Nous sommes fusionnelles, depuis dix-sept ans. Mais il arrive, très rarement, que l'on s'autorise à vivre une autre histoire d'amour. C'est le cas en ce moment. Fiammetta vit une histoire de son côté, notre couple est entre parenthèses, pas notre complicité.

— Fiammetta voit quelqu'un ?

— Depuis quelques mois...

— Et tu n'en souffres pas ?

— Pas vraiment. J'essaie d'être heureuse pour elle, et d'en profiter pour ne pas culpabiliser quand je pense à toi.

— Je ne comprends pas.

— Je comprends que tu ne comprennes pas. D'ailleurs, je ne conseille à personne cette liberté. Il faut une complicité inouïe pour la vivre sans s'abîmer. Tu as entendu parler du pacte entre Beauvoir et Sartre ?

— Oui. Et de Voltaire aussi.

— Oh ça va ! Bon. En plus, c'est un mauvais exemple. Parce que, à mon avis, Sartre et Beauvoir n'étaient plus vraiment un couple à la fin. Mais ils avaient ce pacte. Être un couple, au moins intellectuel, sans s'empêcher de vivre d'autres histoires...

— Sauf que c'est Sartre qui imposait cette idée à Beauvoir, non ?

— Je ne sais pas. Pourquoi les juger ? Beauvoir avait aussi des amants et des amantes. En plus, dans un couple de filles, c'est différent. Nous sommes plus fusion-nelles, plus à égalité, il n'y a pas ce poids du modèle patriarcal qui complique tout. Je suis vraiment heureuse quand Fiammetta l'est. Elle l'est vraiment quand je peux vivre ce que je n'ai pas pu vivre pendant toute mon adolescence, à cause de l'homophobie. Quand j'étais plus jeune, j'étais persuadée que je tuerais ma mère si j'embrassais les filles dont j'étais amoureuse. J'ai raté tant de rencontres... C'est aussi pour ça que je me bats. Pour ne plus jamais m'interdire d'aimer. Tu comprends ?

— Je comprends. Mais ce n'est pas pour moi, Caro-line. Je ne pourrais jamais accepter d'être avec quelqu'un qui ne m'appartient pas entièrement. Tu ne peux pas imaginer à quel point je suis égoïste.

— Ça sert à quoi d'être communiste ? dis-je d'un ton tendre. L'amour, ce n'est pas fait pour posséder. C'est fait pour partager. Tu crois que tu pourrais apprendre à partager ?

— Non.

La sentence m'atteint, plus que je ne l'aurais imaginé.

— Alors, nous ne vivrons jamais ce que nous avons à vivre, dis-je, la voix cassée.

Inna semble aussi perdue que moi.

— Non, me dit-elle d'un air grave. Pourtant, je n'arrive pas à regretter de t'avoir rencontrée.

Le dîner se termine sur des regards sans issue, émus, le souffle fatigué à l'idée de ce combat contre le désir au nom de morales si différentes.

— Tu as les clefs du studio que je dois rendre à Nadia ?

— Mince, elles sont au Lavoir...

— Elle en a vraiment besoin.

— Qu'est-ce qu'on fait ?

— Je te ramène en taxi et tu me les descendras.

Dans le taxi, nous n'échangeons aucune parole. Seuls nos genoux se touchent. La voiture se gare au coin de la rue Léon. Je sors pour la laisser passer, et reste là, un pieu dans le cœur, pendant qu'elle monte chercher les clefs.

Quand elle redescend, j'ai l'impression de la voir en action. Elle marche vers moi d'un pas de lionne, comme si elle allait se mettre torse nue et crier. Mais ce n'est pas le scénario qu'elle a imaginé. Tout en glissant les clefs dans ma main, elle colle ses lèvres, douces et fermes, contre les miennes. Mon bras tente de la rattraper, mais son coude se dégage d'un air triste.

*

Dans le taxi, je lui écris un sms, qui reste sans réponse. Le lendemain, après de longues heures passées sans se parler, ce qui n'est pas si souvent arrivé, je reçois enfin un texto.

— Tu me manques.

— Moi aussi. Terriblement.

CHAPITRE 6

Le pape, un messie et quelques cloches

Un soir, je lui donne rendez-vous pour un pique-nique improvisé dans le studio du canal Saint-Martin, que nous avons finalement pu garder quelques jours. En arrivant, je sors de mon sac à dos une bonne bouteille de vin, des tonnes de chamalow et des barres chocolatées que je lance sur le lit. Inna rit.

— C'est Noël ?

— Non, c'est notre dîner. Le chocolat face à l'adversité, il n'y a que ça de vrai !

Soudain, elle change d'humeur et j'entrevois une moue terrorisée. Chaque fois que j'approche d'un peu trop près, son corps entre dans une panique difficile à décrire, comme si j'étais un policier voulant la plaquer au sol, un tortionnaire du KGB voulant la kidnapper, un mafieux voulant la violer. Elle me désire. Mais son corps ne sait plus comment se laisser apprivoiser.

— De quoi tu as peur ? Que je te viole ? Je suis venue manger des chocolats ! D'ailleurs regarde, dis-je en rassemblant ce déluge de friandises au milieu du lit, ce sera notre frontière. Une rivière de chocolat nous sépare et je m'allonge à l'autre bout du matelas. Comme ça tu es protégée.

— Pourquoi penses-tu que cette frontière est là pour me protéger ? Peut-être qu'elle est là pour te protéger de moi...

Je lève des yeux interrogateurs vers Inna. Elle a dit sa réplique avec une sensualité folle, que son corps regrette déjà. Un pas de plus vers la rivière en chocolat et elle se jette dans la Seine. Je bats en retraite. De toute façon, c'est une très mauvaise idée. Pour mon équilibre, pour son déséquilibre... Mieux vaut bifurquer.

— Comment te sens-tu ?

— Je ne sais pas trop. La journée, ça va, je souris, personne ne voit rien. Mais la nuit, c'est atroce, je me sens si seule, si perdue... Je pleure sans pouvoir m'arrêter.

— Tu as parlé à ton père récemment ?

— Oui. En deux phrases, il m'a mise à terre.

— Pourquoi ?

— D'une voix calme, il a simplement dit : « Ma fille. Il est temps de regarder ta vie en face. Tu n'as plus de pays, pas d'endroit où dormir, pas de métier. Es-tu satisfaite ? »

— Il est dans son rôle. Je serais lui, je te dirais la même chose... Et ta sœur ?

— Elle ne veut plus me voir. Elle dit que ça fait pleurer mon neveu de me parler par skype, qu'il vaut mieux m'oublier puisque je ne reviendrai jamais.

Inna en a les larmes aux yeux, et moi une envie folle de franchir cette rivière pour la prendre dans mes bras.

— Elle veut se protéger. Ça lui passera. Ils savent que tu as demandé l'asile politique ?

— Non. Ça les tuerait.

— Et tes camarades, à Kiev, ils en disent quoi ?

202

— Ils ne sont pas pour. Sasha a peur que ça nuise à l'image de l'Ukraine.

À cette phrase, je bondis.

— Tu plaisantes ! L'image de l'Ukraine, vous la massacrez chaque fois que vous dénoncez la prostitution. Tes papiers, c'est ta seule chance de ne pas aller en prison. C'est Sasha qui ira à ta place si tu n'obtiens pas l'asile ? Franchement, ils me gonflent tes amis. Le collectif c'est bon pour se battre. Pas pour s'enfoncer ensemble !

Inna franchit la rivière.

— Hé, calme-toi. Je suis d'accord. Je ferai les papiers.

— *Da* ! dis-je avec une bouille d'enfant contrariée, troublée de la sentir si près.

*

Inna est partie passer les fêtes à Varsovie avec sa sœur Ioulia, qui, finalement, est venue la chercher. Quinze jours interminables, durant lesquels elle baisse la garde et redevient la cadette. Ioulia a plutôt bien réussi dans le marketing. Elle s'angoisse pour Inna, qui esquive la moindre conversation sérieuse grâce à un sourire (refait juste à temps par le dentiste), une pirouette ou en courant les musées.

Varsovie, qu'elle aime tant, est couverte de neige. Son neveu la fait fondre. Elle adore les enfants prometteurs et intelligents. Quand l'un d'eux lui plaît, elle entre dans un état second et se met à le prendre en photo comme si elle préparait le casting Femen de la prochaine génération. Les autres enfants, moins vifs, ne l'intéressent pas. Ils ne servent à rien, elle n'en fera rien, elle ne les regarde même pas. Sa sœur est habituée et en rit.

— Et toi ? Quand vas-tu faire un enfant ?

Cette question brise Inna. Dans son pays, une femme doit muer en mère avant 25 ans.

— Je ne vivrai pas assez vieille pour faire des enfants.

— Ne dis pas ça !

Sa sœur déteste quand Inna prend ce ton fanatique et morbide.

— Tu es à jour de tes vaccins ? demande-t-elle soudain.

— Quoi ?

— Je suis sûre que tu n'es pas immunisée contre le tétanos. Avec tout ce que tu escalades, tout ce que tu fais, c'est dangereux, viens avec moi aux urgences, on va te faire le vaccin.

— Mais enfin, tu es complètement hystérique !

Inna rit, mais sa sœur lui empoigne le bras et la traîne vers un dispensaire, où un médecin de garde se voit sommé de piquer cette jeune femme irresponsable dans les plus brefs délais. La camarade Shevchenko en ressort le bras en écharpe, encore stupéfaite de ne pas avoir su déjouer cette attaque. Elle n'a plus l'habitude qu'on s'inquiète pour elle. Son corps non plus. Cette ambiance de maison normale, cette couette douce, la tuent à petit feu. Comme si la tension accumulée depuis des mois pouvait enfin s'abattre sur chaque muscle, elle tombe malade. La fièvre et une toux incontrôlable la clouent au lit pendant les fêtes.

« Le repos ne me réussit pas. J'ai mal partout, si tu savais… », m'écrit-elle dans un sms, en ajoutant des mots tendres.

204

*

Quand nous nous retrouvons enfin à Paris, elle me serre dans ses bras comme une enfant excitée, puis se met à tousser comme une enfant malade

— Tu as pris tes médicaments ?

— *Da*, mais ça ne part pas… Je tousse tout le temps.

— Allez viens, je connais un meilleur remède.

— Lequel ?

— Du vin français !

— Ça ne marchera pas. Il me faut un remède ukrainien…

— Lequel ?

— Une nouvelle action !

— Ma parole, c'est une addiction. Et qui sera la prochaine cible ?

Inna se penche vers mon oreille et chuchote d'un air de conspirateur.

— Le Vatican…

*

Même les livres que lisait son père avant d'asperger son nourrisson d'eau glacée ne devaient pas conseiller pareil traitement : se mettre nue sous la neige pour hurler sous les fenêtres du pape quand on a mal à la gorge.

Place Saint-Pierre, où tombent quelques flocons, Inna ne sent plus sa trachée, ni le froid. Elle ne pense qu'au périmètre. Avant la chaîne qui entoure le parvis, c'est le territoire italien. Après, celui du Vatican. Les deux services travaillent souvent en équipe. La dernière fois que Femen est venue à Rome, pour protester contre les positions du pape sur l'IVG, les filles n'ont pas fait trois mètres avant d'être interpellées par les Gardes suisses. Seule Sasha est passée. À peine le temps de se jeter à genoux sur le parvis et de brandir sa pancarte, on l'avait déjà rhabillée. Si leurs fiches sont à jour, Inna craint de ne pas pouvoir franchir la chaîne. Peut-être Elvire et Marguerite, qui l'accompagnent. Mais non, miracle, la foule est si dense que les trois Femen parviennent à se faufiler sous les fenêtres du pape lorsque l'angélus commence.

Le vieil homme blanc apparaît à la fenêtre, voûté, un capuchon sur la tête. Sa voix débite un sermon sur la famille. Au signal, les filles dégainent leurs seins contre l'homophobie en hurlant : « Homophobe, tais-toi ! », « Homophobe Shut up ! » La foule se fige. Les touristes prennent des photos. Les croyants sont furieux. Une dame d'une cinquantaine d'années se jette sur Inna pour la battre avec son parapluie : « Tu es le diable ! *Tu sei il diavolo !* » Inna a envie de rire, mais quand même ça fait mal... La police italienne entre en action. Une policière se saisit d'elle.

Quatre heures plus tard, les Femen sont toujours au poste, sans vêtements, à grelotter avec des détenus de droit commun. Elvire plaisante pour détendre l'atmosphère. Marguerite reste concentrée. Inna ne rêve que d'un bain chaud.

*

Sur Internet, les commentaires sont déchaînés : « Bande de garces, toujours à vous en prendre aux catholiques. Essayez d'attaquer l'Islam si vous avez des couilles ! »

*

Pendant que Femen multiplie les victoires contre les troupes de l'Église catholique, il reste un front, béant comme l'une des plaies d'Égypte : le sexisme en terre d'Islam, où des femmes se soulèvent pour réclamer l'indépendance et le droit à disposer de leurs corps. Non pas en brûlant des soutiens-gorge mais en arrachant des voiles, et plus récemment en posant nue sur Facebook.

À chaque révolte ses icônes. Celle des corps arabes s'appelle Aliaa Magda el Mahdy, le « messie » en arabe, et elle a 21 ans. Son arme ? Une photo presque innocente, où elle pose nue, en souliers rouges, contre le harcèlement. Elle se serait sans doute perdue dans la mémoire flottante de la toile si elle n'avait suscité ce déluge de commentaires furieux et tant de menaces. Son acte a inspiré des milliers de jeunes révolutionnaires dans le monde arabe et en Europe. Nous brûlons d'envie de l'interviewer pour le film.

Très peu d'équipes ont réussi à l'approcher. Depuis l'apocalypse, le messie a dû fuir son pays et se cache, quelque part dans le nord de l'Europe. Il faut des semaines pour remonter sa piste, grâce à l'entremise de son petit ami, Kareem Ameer, un blogueur égyptien que j'ai soutenu lorsqu'il était en prison sous Moubarak, et qui nous recommande. Le nom de Nadia, persécutée comme Aliaa, achève de la mettre en confiance.

Trois semaines plus tard, nous voilà sur les routes de Suède, à la recherche d'une petite ville et d'une gare où le « messie » nous a donné rendez-vous. Des kilomètres de neige éclatante, parfois fondant sur des sapins, sous un ciel bleu vif ensoleillé. Que c'est beau. Et triste… d'imaginer Aliaa cachée si loin de ses latitudes égyptiennes. Le taxi, conduit par un réfugié irakien, nous attendra deux heures. Nous marchons dans les couloirs de la gare à la recherche de l'icône. Mes yeux tombent sur une jeune fille frêle, emmitouflée dans un anorak rouge, si fragile que je la reconnais à peine.

— Aliaa, c'est toi ?

— Oui…

Son débit est lent, saccadé, étouffé, et finit souvent par un petit sourire nerveux. Comme si ses poumons manquaient d'oxygène, tétanisés par la timidité ou la dépression. Je tente de la mettre à l'aise, tout en me torturant de questions : « A-t-elle vraiment conscience de son geste ? »

Après une heure d'interview, au bar d'un hôtel près de la gare, Nadia et moi sommes rassurées, et même impressionnées. Une fois en confiance, le débit s'améliore. Son discours articulé est même très sensé. À l'évidence, Aliaa a conscience de son geste, de son impact, et de la société qui l'entoure. C'est même à cause de cette pression que son corps et sa voix sont privés d'oxygène. Par une colère sourde, accumulée depuis l'enfance, qui l'empêche de respirer.

— Tu t'attendais à de telles réactions après ta photo ? demande Nadia.

— Oui… Mais pas à devoir quitter l'Égypte… Ils m'ont insultée, menacée… Une fille que je croyais être une amie m'a même fait kidnapper par des garçons qui voulaient me violer… Comme j'ai posé nue, ils pensaient que j'aimerais ça. Ils ont été choqués quand je me suis mise à crier.

On lui montre plusieurs actions des Femen sur l'iPad, pour avoir son avis, en s'arrêtant sur l'action du

Trocadéro contre le voile intégral, où Safia a peint le nom d'Aliaa sur son torse.

— Qu'est-ce que tu en penses ? demande Nadia.

— Je suis d'accord avec elles et leur mode d'action. Parce qu'ils en ont toujours après nos corps.

— Si on fait une action avec les femmes arabes à Paris, pour défiler nues dans les rues, est-ce que tu viendrais avec nous ?

— Peut-être, oui… dit-elle en réfléchissant. Ça dépend du thème de la manifestation et si je suis d'accord avec.

Mine de rien, Nadia vient de nouer le premier chaînon d'une petite révolution en marche. Si Aliaa se reconnecte au monde des vivantes, si elle réapparaît pour une action topless avec des féministes d'autres pays, explosion garantie. Au moment de finir l'interview, Inna m'appelle.

— Caroline, tu peux transmettre mon bonjour et toute mon admiration à Aliaa.

Soudain, les yeux d'Aliaa s'éclairent. Les deux icônes se cherchent depuis des mois sur Facebook sans se trouver, à cause des messages noyés sous le flot de menaces ou de déclarations enflammées qu'elles reçoivent l'une comme l'autre. Tisser ce lien me console de laisser Aliaa repartir seule dans la neige, vers cet exil où elle vit sans amis, dans un foyer pour immigrés où elle n'a même pas de chambre à elle.

*

Le soir même, une première rencontre virtuelle a lieu sur Facebook entre le messie et l'amazone, puis sur skype, la planète de tous les possibles. Sans visa, ni frontières, ni espions. J'ai beau l'avoir prévenue, Inna est aussi déroutée que moi par le débit d'Aliaa. Mais après quelques jours, la conversation devient plus fluide, et elles comptent leurs points communs.

— Je ne peux plus retourner en Égypte !

— Je ne peux plus retourner en Ukraine !

— Parce que j'étais nue !

— Parce que j'étais nue aussi !

Elles rient, d'un son différent. Inna est fascinée par ce drôle d'animal-totem, qu'elle rêve de voir ceinte d'une couronne de fleurs. Aliaa l'attendait pour retrouver la force de parler. Les menaces, la pression de ses parents, les maltraitances depuis l'enfance, l'enlèvement, la tentative de viol... Elle déverse une à une ses brûlures, puis veut agir et crier.

— Quand veux-tu venir à Paris ? demande Inna.

— Samedi. Ils votent la Constitution égyptienne. Les islamistes vont gagner... Je veux faire une action pour dénoncer le mélange entre politique et religion.

*

Aliaa doit atterrir d'ici à une heure à l'aéroport de Roissy. Inna revient d'Autriche, où elle était l'invitée d'un festival. Je tourne dans l'aérogare, impatiente à l'idée de les voir réunies. Tous les passagers sont sortis. Toujours pas de Inna. Lorsque les portes vitrées s'ouvrent enfin sur elle, je comprends qu'il y a un problème.

— Qu'est-ce qui se passe ?

— Aliaa a été bloquée. Elle n'a pas pu prendre son vol.

210

Ses jambes la portent difficilement. On s'assoit pour qu'elle m'en dise plus.

— C'est fou. Hier soir, j'ai réservé son vol via la carte bleue d'une militante. Ce matin, quand elle s'est présentée à l'aéroport avec son billet, une femme de la compagnie aérienne a regardé son dossier et lui a dit qu'elle ne pouvait pas imprimer son billet parce qu'il n'avait pas été réservé avec sa carte à elle...

— C'est une plaisanterie, on fait ça tous les jours.

— Je sais ! J'ai réservé un second vol grâce à la carte d'Arash, le réalisateur iranien qui était avec moi à Vienne. Cette fois, c'était bon. Aliaa était dans la salle d'embarquement, son bagage était enregistré, quand des membres de l'aéroport sont venus la chercher pour lui dire qu'elle devait débarquer.

— Je n'arrive pas à y croire.

— Il y a autre chose. En arrivant ici, les policiers m'ont prise à part et m'ont fouillée de la tête aux pieds... J'étais la seule de l'avion à y avoir droit. Tu vois, ton pays, l'Europe, même ici, nous ne sommes pas vraiment en démocratie.

Les yeux verts d'Inna sont indignés, réellement choqués de renouer avec un climat qu'elle croyait avoir laissé en Ukraine. Je n'arrive pas à imaginer qu'on veuille à ce point empêcher Inna et Aliaa d'agir ensemble. Même si la Suède est une démocratie particulière, où la police a de grands pouvoirs, il a fallu des pressions incroyables venant d'Égypte ou qu'ils croient à un attentat terroriste pour déclencher un tel dispositif !

— Et Aliaa ?

— Elle est toujours à l'aéroport... En pleurs, me dit Inna.

La vision de la jeune Aliaa el Mahdy, toute seule et désemparée à l'aéroport, me tord les tripes. Je l'appelle.

— Allô Aliaa. C'est Caroline. Qu'est-ce qui s'est passé ?

Elle me raconte sa mésaventure entre deux sanglots.

— Ils ne veulent pas me laisser sortir…

— On va essayer de comprendre, je te le promets. En attendant va dans un hôtel te mettre au chaud. Je paierai.

Avant de quitter l'aéroport, je demande à mon équipe de tournage de nous rejoindre directement au Lavoir. Inna fait peine à voir, avec son écharpe tressée aux couleurs de Noël, son vieux blouson de cuir noir, ses moufles et son visage blême, couvert de boutons. Je la sens s'enfoncer dans la déprime. Son refuge serait-il une autre prison ?

Quand le reste des filles arrive au Lavoir, elle s'est transformée en leader, plus belle et déterminée que jamais. Casquette enfoncée sur ses cheveux raides, le feu dans les yeux, elle dirige ses troupes vers l'ambassade d'Égypte. Un cortège silencieux, presque mortuaire. Elvire porte à bout de bras la photo d'Aliaa, entourée de Femen, habillées pour une fois, et qui arborent un visage fermé. Safia et Loubna, qui tiennent à marquer la présence de femmes d'origine arabe aux côtés d'Aliaa, nous ont rejointes. Sans adresser un mot aux Femen, avec qui elles sont toujours fâchées.

— Les gars, vous me figez la situation ! ordonne un policier.

Les gardes mobiles se déploient. Ils attendaient une manifestation d'opposants égyptiens et ne comprennent pas ce débarquement soudain. L'un des policiers me reconnaît et vient à ma rencontre.

— Qu'est-ce qui se passe, madame Fourest ?

— Ce sont les Femen. Ne vous inquiétez pas, elles vont bientôt s'en aller.

Le policier appelle sa hiérarchie. Les gardes mobiles continuent de former un cercle étouffant autour des filles et quelques journalistes pris dans les filets. Notre équipe filme, pendant que je porte le pied de caméra, en prenant soin de rester en retrait. Seul mon téléphone est dans le cercle, entre les mains d'Inna, qui n'a pas assez de forfait pour appeler en Suède. Sauf que j'ai oublié d'enlever le code. Elle s'en aperçoit au moment d'appeler Aliaa devant toute la presse.

— Et merde, Caroline, c'est quoi le code !

Je suis trop loin pour entendre. Nadia doit prêter son portable et se ruiner, tellement la voix d'Aliaa peine à sortir.

— Aliaa, c'est Inna. Je suis avec les journalistes devant l'ambassade. Raconte ce qui s'est passé.

Grand blanc. Totalement épuisée et intimidée, Aliaa bredouille une histoire de carte bleue et de billets annulés qu'aucun journaliste ne peut exploiter. Surtout pas les photographes suivant habituellement Femen. Non seulement les filles sont habillées, mais en plus il faudrait travailler !

— Je vous demande d'enquêter, martèle Inna, pour savoir qui est responsable de cette interdiction de voyage au cœur de l'espace de Schengen.

Autant dire qu'on lira seulement quelques lignes dans la presse. À peine quelques clichés. Moi-même, je ne sais toujours pas ce qui s'est passé. Seulement que Femen ne pouvait s'en tenir là.

Une semaine plus tard, Inna s'est envolée pour Stockholm, avec Fanny, une activiste française. Si Aliaa ne peut venir à Paris, l'action se fera en Suède, à l'occasion du second tour du vote sur la constitution égyptienne. Inna s'attend à être arrêtée à tout moment, mais tout va bien. Elle peut atterrir et serrer Aliaa dans ses bras.

J'aurais dû être du voyage. Les contraintes financières de la production et mon emploi du temps m'en empêchent. La mort dans l'âme, je dois céder la place au réalisateur iranien, qui nous revendra les images. Il est stupéfait par la timidité d'Aliaa lorsqu'il la croise brièvement dans le hall de l'hôtel.

Quand il la retrouve le lendemain dans la chambre des filles, pour filmer la préparation, c'est une autre femme : dévêtue, désinhibée, jambes écartées sur son fauteuil, rouge aux lèvres, en train de fumer une cigarette comme si de rien n'était. La scène amuse Inna. Elle adore voir cette jeune Égyptienne devenir libre le temps d'une action. Comme une victoire du corps politique sur le corps opprimé. Oksana a confectionné des faux livres religieux : un Coran, une Bible et une Torah.

— « Nice », dit Aliaa. Moi j'ai amené un drapeau égyptien.

— Parfait, dit Inna. Tu as tes souliers rouges pour prendre la même pose que sur la photo ?

— Oui. C'est l'une des rares choses que j'ai emmenées d'Égypte.

Une fois devant le consulat, elles n'ont que quelques secondes pour se déployer. Aliaa pose le faux Coran sur sa toison puis se drape dans le drapeau égyptien. Ses seins nus crient : « La Charia n'est pas une

214

Constitution. » Fanny et Inna ont pour cache-sexe une fausse Torah et une fausse Bible. Qui pourrait deviner en voyant mon amazone narguer le monde des puritains qu'elle est plus pudique qu'une armée de femmes voilées ? Moi je le sais. Et la photo de l'action me bouleverse.

Aliaa bondit de joie en regagnant la chambre de l'hôtel et parle sans discontinuer, comme si elle avait subitement retrouvé l'oxygène qui manquait à ses poumons. Elle en profite pour livrer à Inna tous ses secrets : les raisons de sa colère, les coups de son père, sauf à la tête, disait sa mère, sinon « tu vas la rendre débile ». Les sexes d'hommes se frottant contre elle dans la rue. Son corps qui ne lui appartenait plus. Sa panique à l'idée de sortir dehors.

À l'aube, Inna se réveille bouleversée par ces récits, à en pleurer, à en vomir. Les adieux sont déchirants.

— Je ne veux pas que vous partiez, je veux que vous restiez ici. J'aimerais tellement que vous viviez ici.

— On va se revoir. Je te le promets.

Le chauffeur de taxi s'agace. Inna doit fermer la portière et laisser s'éloigner sa petite sœur de combat, en pleurs à l'idée de retrouver sa solitude. Tandis qu'elle regagne la sienne.

*

Plus l'hiver avance, plus la verrière du Lavoir laisse entrer un froid polaire. Même dans le studio, où le radiateur est cassé. Inna dort avec une bouillotte en forme de chat orange que je lui ai achetée. Le soir, elle descend au bar pour chauffer un plat au micro-ondes, puis remonte skyper pendant des heures. Sans trouver le sommeil. Elle n'a pas fermé l'œil depuis deux nuits et m'appelle, comme tous les soirs.

— Devine quoi ? Pour combattre ma dépression, j'ai acheté des draps aux couleurs arc-en-ciel…

— Tu veux dire que tu dors dans un drapeau gay ?

— C'est ça.

— Très encourageant, dis-je d'un air suggestif.

— Stupide lesbienne ! dit-elle en éclatant de rire. Tu ne crois pas si bien dire.

— Quoi ?

— Je vais me marier…

— Mais encore ?

— À la manif samedi, pour le mariage gay, on y va en mariées.

— Ah… Et tu as déjà choisi ta fiancée ?

— Une nouvelle activiste. Tu verras.

*

Après « I can be a lesbian », Inna va donc se marier. L'idée doit venir du groupe français. Ses rangs s'étoffent de lesbiennes depuis l'action contre Civitas. Bizarrement, elles résistent mieux au magnétisme d'Inna que certaines militantes hétéros, qui pourraient se damner pour un battement de cils de leur générale. Inna a quand même choisi d'épouser une lesbienne : Pauline, 26 ans. Écrivaine quand elle est amoureuse. Activiste quand il faut défendre les droits des femmes. Avec ses yeux noisette déterminés et ses longs cheveux assortis, elle a belle allure en action.

En arrivant au métro Denfert-Rochereau, je tombe sur le cortège des Femen, mon amazone et sa mariée.

— Tu connais Pauline ? glisse Inna avec un petit sourire sadique.

— Enchantée, dis-je très poliment à cette militante, plutôt sympathique et qui ne comprend pas la raison d'une présentation si appuyée.

À la sortie, il faut jouer des coudes pour se frayer un chemin. La place est bloquée par la foule, impossible de bouger. On doit être deux fois plus nombreux que la première manifestation des anti-mariage pour tous, mais personne ou presque n'en parlera. Les organisateurs ne sont pas assez « barjots » pour multiplier les chiffres réels par six. Et BFM TV, qui a déroulé le tapis rouge aux opposants, préfère parler du Vendée-Globe…

C'est pourtant bien un exploit sportif que réalise Femen ce jour-là. Rester deux heures, presque nues, à battre le pavé par un vent froid terrible. Pour se réchauffer, il y a la séance des baisers. Deux par deux, sous les acclamations et des jets de confettis, les filles s'embrassent. Tout le monde y passe. Il ne reste plus que le clou du spectacle, celui que les photographes sont venus filmer… Le baiser entre Inna et Pauline. Même moi, j'ai hâte… qu'on en finisse ! À cet instant, je suis la seule à savoir la peur qu'Inna doit surmonter.

— « Allez », dit-elle soudain à Pauline en lui tendant des lèvres figées et glacées. Avant de recommencer plusieurs fois pour les photographes, et même de monter sur le toit de la voiture, comme sur une pièce montée, pour un très beau cliché.

« Ça va, maintenant, faudrait qu'on avance », dis-je en jouant des coudes pour tenter de lancer la marche. Avec mon blouson de motard et mon bonnet noir, je suis tout à fait crédible en membre du Service d'ordre. Je tends la main à Andromak, une petite butch entièrement tatouée et percée qui milite aux Femen, et l'on se met à pousser comme dans une mêlée de rugby. Une équipe de Canal + tente de me rejoindre pour me filmer depuis une heure, mais je préfère la semer pour jouer aux gros bras.

*

Après une bonne heure passée à battre le pavé et à braver le froid, les filles ont les lèvres bleues. Aucune n'ose se plaindre pour ne pas décevoir leur générale. Fiammetta doit ordonner à Pauline d'aller enfiler un anorak pour éviter un malaise. La veille, elle a bravé la neige suisse pendant des heures, avec Inna et Elvire, pour protester contre le sommet de Davos. Une résistance héroïque qui a épuisé leur épiderme. Même Inna a la chair de poule.

Au moment de quitter la manifestation, deux policiers en civil proposent de nous escorter jusqu'au métro, au cas où. En route, je repense aux dix baisers que Inna a distribués, tout en me cherchant du coin de l'œil. Histoire de voir si la jalousie pourrait marcher... Enfin divorcée, elle s'approche pour vérifier.

— Alors ?

— Quoi ? dis-je d'un air bougon amusé.

— Tu veux m'épouser ?

— Inna...

— Ah non c'est vrai, tu es déjà mariée.

218

*

Depuis que Safia n'est plus dans les parages, c'est à moi que revient de déjouer tous les problèmes techniques de mon exilée, sans carte bleue. Je n'ai qu'un rêve : la savoir autonome. Avec son nom sur une carte bleue et un compte bancaire. Le défi n'est pas mince pour une jeune femme de 22 ans venant d'Ukraine, pays fiché comme lieu de tous les trafics, et qui n'a ni revenus ni salaire... À part l'avance de Grasset pour ce livre. Encore faut-il arriver à la déposer !

Après avoir essuyé le refus d'une dizaine d'établissements bancaires, j'ai l'impression d'être un proxénète voulant blanchir l'argent de sa « gagneuse ». Mon amie Tania de Montaigne me conseille d'aller frapper à la porte d'une banquière hors normes, qui adore les livres, connaît les miens et travaille au Crédit Mutuel. Le compte est ouvert en moins d'une demi-heure. Incroyable. Lorsque Inna arrive en retard et entre dans le bureau, j'ai déjà presque tout négocié. Elle n'a qu'à signer, incrédule. Bizarrement, à la sortie, c'est moi qui exulte. Ma bolchevique semble perdue dans ses pensées.

— Hé, tu pourrais avoir l'air plus heureuse ! Ça y est tu as un compte et bientôt une carte bleue !

— *Spasiba*, Caroline. C'est vrai, je pensais que je serais plus heureuse. Comme si ces choses-là, matérielles, ne me touchaient plus. Ou alors, je n'arrive pas à y croire. Je suis comme ça. C'est comme pour les papiers de réfugiée, je n'arriverai à y croire que quand j'aurai la carte entre les mains...

Elle ne verra pas ses papiers de réfugiée avant de très longs mois, passés à faire la queue, dès 8 heures du matin, lors d'une dizaine de rendez-vous, tantôt à l'OFPRA, tantôt en préfecture. Sans que personne puisse lui dire quelle sera la prochaine étape, ou quand elle aura enfin un nouveau passeport et le droit de voyager. Un parcours du combattant qui lui rappelle une expérience traumatique, à 19 ans, lorsqu'on lui a refusé un visa pour se rendre en Europe. Parce qu'une jeune Ukrainienne voyageant sans être mariée est toujours un peu suspecte d'être une prostituée...

— C'est toujours la même prison ! me dit-elle quand elle perd patience.

Pourtant, sa demande est examinée avec la plus grande bienveillance. Mes contacts au ministère de l'Intérieur me l'assurent. Ce qui est plutôt généreux sachant ce que leur coûte d'avoir Femen sur le sol français. Il se trouve que son dossier correspond parfaitement aux critères de l'asile. Depuis la révolution, notre pays tend la main à ceux qui fuient la persécution en raison de leur combat pour la liberté. C'est son histoire et son honneur. Pascal Brice, le nouveau directeur nommé à l'Office de Protection des réfugiés, un homme d'une droiture et d'un sens républicain assez remarquables, me le confirme. Ce n'est pas une faveur, mais une question de principe.

Je reste inquiète à l'idée que Inna et ses camarades remuent tout Paris avant d'avoir obtenu le fameux sésame, mais j'essaie de me rassurer... Même si Femen tape sur les nerfs du ministère de l'Intérieur, cette démocratie sait faire la part des choses. J'ai confiance, mais pas Inna. Elle n'a pas grandi dans une démocratie, une vraie, et vit dans l'angoisse d'être renvoyée en Ukraine. Plus j'essaie de la rassurer, plus elle panique.

— J'ai tellement besoin de toi, pour tout. C'est fou.
— Ça t'angoisse ?

— Bien sûr. Je te confie trop de choses. Sur moi, sur le mouvement...

— Ai-je déjà utilisé quoi que ce soit contre toi ?

— Non, mais tu peux changer d'avis.

— C'est vrai. Si je finis par penser que ton mouvement dessert la cause féministe plus qu'il ne la sert, je prendrai mes distances. À toi de faire en sorte que ce ne soit jamais le cas. Jusqu'ici, je ne crois pas avoir déçu ta confiance.

— Je ne fais confiance à personne, Caroline, il faut que tu comprennes ça. Jamais.

— Je comprends. Ça doit être usant.

— Et toi, tu me fais confiance ?

— Absolument pas.

— Vraiment ? dit-elle, surprise.

— Vraiment.

— Ça doit être usant.

— Ça l'est.

*

Paris, 12 février 2013

La journée a mal commencé. Par un rendez-vous manqué dont je vais me mordre les doigts. Aurais-je pu lui faire entendre un autre son de cloche ? La dissuader d'entrer dans Notre-Dame si nous avions déjeuné ensemble comme prévu ? Rien n'est moins sûr. Je me souviens d'un soir où nous sommes passées devant la cathédrale, après un dîner. Inna la dévorait des yeux.

— Tu savais que les groupes anti-IVG se réunissent souvent sur ce parvis pour prier ?

— *So* ? Ce n'est pas vraiment le moment de leur faire de la publicité ? En plein débat sur le mariage pour tous, ce n'est pas l'actualité…

— Non, mais ça veut dire que Notre-Dame, c'est leur lieu.

— C'est avant tout un lieu touristique. Mais à quoi tu penses ? Encore cette envie de carte postale ! La cathédrale te plaît, elle ferait une belle photo, alors tu veux l'attaquer ?

— Mais non, pas pour une carte postale, a-t-elle ri en me prenant le bras.

— Je te préviens, ici ce n'est pas comme en Ukraine. Les églises et l'État sont séparés. On a divorcé grâce à la laïcité. Ça veut dire qu'on se fiche la paix, chacun chez soi.

— Mais de quoi tu parles, Caroline ! L'Église se mêle tous les jours de politique. Regarde, les manifestations pour le mariage pour tous… L'Église n'est pas derrière peut-être ?

— Si !

— Alors !

J'abdique puis reviens à la charge, lui parle des identitaires, un mouvement d'extrême droite sur lequel j'enquête et qui vient d'envahir le toit d'une mosquée à Poitiers, façon Charles Martel.

— Que tu le veuilles ou non, leur attaque colore toute action à venir contre un lieu de culte, fût-ce une église.

Mes subtilités « bourgeoises » et françaises ne l'intéressent guère. Elle ne m'écoute plus et pense plutôt à cette action menée en mars 2010 en Ukraine. Pour satisfaire le clergé, un député vient de proposer d'interdire le droit à l'avortement. Les filles dénoncent alors un complot « entre l'Église et l'État ». La cathédrale Sainte-Sophie, blanche et bleue surmontée d'or, est à deux pas de leur local. Sac au dos et capuche sur la tête, elles grimpent les escaliers jusqu'au clocher et s'y enferment avec une chaîne, le temps de déployer une immense banderole disant « STOP » aux positions de l'Église, tout en sonnant les cloches comme des endiablées. Jusqu'à ce que la milice de l'église n'enfonce la porte et qu'on les embarque. L'opération, comme souvent, est conduite par Inna. À l'époque aussi, tout le monde a tenté de la dissuader. Avec le recul, les gens adorent cette scène, moi la première.

Sauf que Paris n'est pas Kiev. Notre-Dame n'est pas Sainte-Sophie. Et le jour choisi décidément maudit. Vu de Femen, il est parfait. Un pape réactionnaire qui démissionne, le jour où le Parlement vote la loi sur le mariage pour tous, ça se fête ! Ce que Inna ne perçoit pas, c'est que ce geste de Benoît XVI est peut-être le plus moderne de tout son pontificat. Démissionner d'un poste pareil met en péril le mythe de l'infaillibilité papale, un acte presque révolutionnaire. Peu importe que ce sursaut soit dû à la faiblesse d'un homme et non à sa grandeur d'âme, il ébranle tout l'édifice. Et puis, on ne frappe jamais un homme à terre. Pas même un pape homophobe... C'est ce que j'aurais tenté de lui dire si j'avais pu la voir quand la nouvelle est tombée.

Inna vient d'atterrir d'Allemagne, après avoir été invitée à la Berlinale. Et bien sûr, elle n'a pas dormi. Le jour, elle s'est abreuvée de films comme l'histoire de cette femme persécutée à cause d'un avortement, qui la hante encore. La nuit, elle et Sasha se sont remémorées leurs faits d'armes et ont trinqué à la révolution. Sa voix déraille de fatigue quand elle m'appelle en sortant de l'avion.

— Ça va ?

— Oui, mais j'ai tellement sommeil.

— Tu préfères qu'on annule notre petit déjeuner et qu'on se voie pour déjeuner.

— *Da*…

— Va dormir. Je t'appelle à midi pour te réveiller.

À midi, la dépêche tombe : « Le pape Benoît XVI démissionne. » Dans deux heures, je dois participer à plusieurs plateaux télévisés. Ça nous laisse le temps de déjeuner. J'appelle Inna en boucle, mais elle a plongé dans un sommeil profond. À 13 h 40, je reçois un texto.

— Désolée, je dormais !

Puis un autre, juste après.

— Oh mon Dieu, Le pape a démissionné, je ne peux pas te rejoindre maintenant ! Je suis avec l'Ukraine sur skype. Urgence !

*

Le lendemain matin, j'apprends par Facebook qu'elles ont mené une action à Notre-Dame. Après tout, pourquoi pas ? Aller sous les fenêtres d'une cathédrale pour marquer le coup… J'envoie un texto ironique à Inna : « Alors ça y est, tu la tiens ta carte postale ! » Sa réponse me fige. « Non, on était à l'intérieur. Ils ont éteint la lumière pour nous tabasser. Très violent ! »

J'essaie d'en savoir plus, si les filles sont blessées, mais Inna ne répond plus, trop occupée à s'expliquer avec la police. Je fonce sur le site de Femen, où sont postées les premières photos, assez spectaculaires. Huit Femen, en short noir, frappent deux immenses cloches en or exposées dans la nef en attendant d'être hissées en haut des tours. Depuis l'autre pièce, Fiammetta m'entend crier :

— Bon sang, mais qui a laissé traîner ces cloches ! Ils sont fous ! Évidemment qu'elle allait entrer !

*

Un peu plus tôt, les filles se sont donné rendez-vous au Lavoir pour arrêter le scénario, choisir les slogans et se peindre. Certaines vont participer à une action pour la première fois, comme Andromak, la petite butch tatouée et tatoueuse, ou Sarah la rousse, une scénariste de BD d'une trentaine d'années qui vient d'arriver.

— Nous sommes allées repérer hier avec Fanny, dit Inna. Il n'y aura pas de messe à cette heure. Ce sera calme. Quel titre vous voyez pour l'action ?

— Moi je sais, dit Sarah, avec un air d'enfant bien qu'elle soit l'une des plus âgées... « *Pope no more !* » (plus jamais de pape).

— Oui, génial. *Pope no more !*

Tout le monde approuve. Reste à répéter.

— *So...* Quand on arrive, on enlève nos manteaux et on se met en rond autour des cloches pour les frapper avec des bâtons. Ça vous va ?

— On ne va pas les abîmer ? s'inquiète Julia.

— On a prévu de la mousse noire pour amortir. Et puis ce sont des cloches !

Le convoi s'ébranle et serpente jusqu'à la nef. Au signal, les Femen se retrouvent en tenue d'Ève sous le regard affolé des paroissiens et celui, plus amusé, des touristes. Quatre par quatre, elles encerclent les saintes cloches – dont l'une s'appelle « Marcel » – et se mettent à les frapper d'un air mécanique : « Pope more, homophobe dégage ! » Mais à cause de la mousse et du fait qu'elles retiennent leurs coups, aucun son ne vient ponctuer leur blasphème. Décidée à l'entendre jouir, Inna franchit le cordon rouge qui protège la cloche et se glisse sous sa robe pour saisir son battant qu'elle balance de tout son poids contre la paroi. Le tocsin de la revanche sonne enfin. Des femmes invitent l'Église à se repentir de ses terribles péchés. La scène, d'une beauté apocalyptique, saisit d'effroi les croyants : « Mais qu'est-ce qu'elles font, elles sont folles ! », « Salopes ! »

N'écoutant que son credo, Inna entre en transe. La fatigue aidant, elle a décollé. Les lumières des flashes crépitent quand soudain, c'est l'obscurité. Les prêtres ont coupé l'électricité. Affranchis du regard des paroissiens, les hommes d'église se défoulent à coups de pied et de poings sur le corps des harpies. Seuls quelques flashes permettent de capter leur violence. Jetées dehors, sur le parvis, les filles comptent leurs bleus.

— Ça va ? demande Inna à l'une de ses activistes qui se tient la mâchoire.

— Mais ils sont malades là-dedans ! crie Marguerite, la lèvre en sang.

Sa dent a sauté sous les coups portés. Les policiers qui interpellent les Femen ont presque pitié de leurs corps suppliciés. Ils les gardent un peu, notent que leurs bâtons sont enveloppés de mousse, puis les relâchent. De toute façon, elles auront droit à un procès. Le curé de Notre-Dame annonce qu'il porte plainte. Mais c'est dans la presse qu'on prépare le jugement premier. À part le journaliste de *Libération* qui les a suivies sur place, toute l'équipe de *Charlie Hebdo* et quelques fans sur Internet, personne ne comprend la provocation. Entrer dans une église, ce jour-là, ressemble à un caprice. Sur Internet, c'est à qui se moquera des Femen le premier. Ne ratant aucune occasion, mes adversaires me rêvent en Machiavel ayant armé le bras des Femen contre ces pauvres cloches. En vérité, je suis terriblement agacée.

*

Dès le lendemain, je convoque Inna.

— Tu peux passer à la maison. Il faut qu'on parle.

— Tu as l'air bien sérieuse. Ça va ?

— Oui, c'est sérieux.

À l'heure dite, Inna sonne. Sans trop claironner, comme elle le fait toujours. À croire qu'elle snobe ma sonnette depuis qu'elle a fait jouir d'immenses cloches dorées.

— Entre, dis-je d'un air sévère. Tu veux du thé ?

— *Da...*, dit-elle en jugeant ma mauvaise mine.

— Tu es contente de ton effet ?

Inna ne répond pas tout de suite. Elle prend le temps de sentir le sachet de thé, en poussant un petit cri de contentement dont elle sait qu'il peut m'attendrir. Sans effet.

— Oui, plutôt. Il y a beaucoup de commentaires, beaucoup de presse...

— Mais le contenu des articles, tu t'y intéresses parfois ?

— Caroline ! Qu'est-ce que tu as ? Qu'est-ce que tu veux ?

— Comprendre si tu mesures l'erreur stratégique que tu viens de commettre ! Tu viens de perdre tout le crédit que vous aviez gagné. Rentrer dans une église, ce n'est pas comme s'attaquer à un cortège intégriste, ni aller sonner les cloches à Kiev. Ici, c'est un pays laïque. Ils nous fichent la paix au Parlement, on leur fiche la paix dans leurs églises !

— Notre-Dame, c'est une église ouverte à tous…

— Mais justement, c'est un symbole d'ouverture aux touristes, un symbole de Paris. En l'attaquant, tu t'en prends plus aux Parisiens qu'à l'Église !

— Mais je croyais que le problème, c'était de s'attaquer à l'Église…

— *Hey stop.* Le problème, ce n'est pas le blasphème. Je t'assure, je le défends, je le crois nécessaire. Simplement, on ne rentre pas chez les gens sans une bonne raison.

— Mais c'était le jour du vote de la loi sur le mariage pour tous !

— Justement, c'est le jour d'une victoire.

— Contre laquelle l'Église s'est battue…

— Oui mais une victoire. Et surtout, c'était le jour où le pape annonce qu'il va rendre les clefs de l'Église, le geste le plus moderne de sa vie !

Cette fois, elle entend l'argument, qu'elle n'avait pas considéré.

— D'accord, mais c'est aussi le jour du vote de la loi sur le mariage pour tous. C'est ça l'actualité.

— Justement non, c'est ça que tu as sous-estimé parce que tu ne parles pas français. Cette actualité est passée inaperçue. Tout le monde ne parlait que de la démission du pape, de sa « modernité ». Du coup votre geste a l'air injuste. Vous allez vous faire détester.

— Mais Caroline, tu veux toujours convaincre tout le monde, on n'est pas là pour être aimées ! Femen est un mouvement radical. C'est bien d'être controversé.

— Je t'entends, je suis en partie d'accord. Mais il y a plusieurs façons de braquer les gens. Si c'est parce qu'on met la barre trop haut et qu'ils ne peuvent pas suivre, c'est de la radicalité. Si c'est parce qu'on vise à côté, et qu'ils ne comprennent rien à ce que vous voulez dire, ça s'appelle de la connerie. J'espère que vous allez vous faire lyncher. Si les gens haussent simplement les épaules, vous aurez l'air idiotes. Si la réaction est disproportionnée et hystérique, là d'accord, vous aurez montré qu'il y a un problème…

Il faut croire que le ciel nous a entendus. Les foudres médiatiques s'abattent sur Femen. Avec un ton et une violence que j'étais loin d'imaginer. Des éditorialistes mâles, dont je soupçonnais depuis un moment la misogynie, sortent du bois pour se gausser. Certains proposent de les renvoyer en Ukraine, si possible sur un trottoir. Sur Internet, des ligues de vertus et autres fascistes jurent de leur donner la fessée. Mais le signe le plus préoccupant vient de la classe politique, de droite comme de gauche, qui se prosterne devant l'Église. Avec *Charlie Hebdo*, nous pensions avoir démontré l'intérêt démocratique du blasphème pendant l'affaire des caricatures de Mahomet… Surtout s'il irrite l'épiderme chatouilleux des croyants. Il faut croire que ça ne vaut plus que pour l'Islam, même à gauche. Le maire de Paris fait une déclaration catastrophée. Le ministre de l'Intérieur, Manuel Valls, publie un communiqué consterné, dans lequel il rappelle que la laïcité garantit « aux croyants de pouvoir pratiquer leur religion dans la dignité et le respect mutuel ». Il conclut en apportant son « soutien aux catholiques de France qui ont pu être offensés par ce geste grossier ». À sa décharge, il est officiellement chargé de la relation avec les cultes... Inna se marre.

— Vous prétendez être un pays laïque et vous avez un ministre chargé des cultes ?

— Des relations avec les cultes ?

— Et ?

— C'est mieux. Mais oui, tu as raison, cela pose question. Et ces réactions... si agressives. Il y a dix ans, on pouvait tout dire sur le catholicisme et rien sur l'Islam. Maintenant, on dirait que c'est le contraire.

Rebâtir la digue laïque passe par sauver le soldat Femen. Inna n'a pas tort. L'Église a rompu le pacte de non-agression en premier, en lançant ses troupes à l'assaut du droit au mariage pour tous. Elle se mêle de nos lits, de nos familles, de nos enfants, et il ne faudrait pas poser un pied chez elle pour lui dire notre façon de penser ? Si seulement Femen voulait bien argumenter...

Parfois, c'est la barrière des langues qui leur joue des tours. Comme sur le plateau de Canal +, *Le Supplément*, où Inna doit donner une longue interview au cœur de la tempête. Elle bataille en russe, longuement, sort fière d'elle puis déchante en voyant la tête d'Elvire, restée en coulisses, consternée par la traduction... Inna m'appelle en pleurs.

— Caroline, c'était terrible. J'étais si contente de moi, j'avais répondu à tout, longuement, mais la traductrice n'arrivait pas à suivre, elle n'a traduit qu'une idée sur trois et elle m'a donné une voix totalement stupide. J'avais l'air d'une blonde sans cerveau ! Rien de ce que j'ai dit n'est passé !

— Mince... Retrouve-moi chez Angelina.

— C'est quoi ?

— Le meilleur chocolat chaud de Paris. Dans ces moments-là, il n'y a que ça à faire.

— Vraiment ?

— Oui, vraiment. Je t'envoie l'adresse par sms. Pour le reste, il y aura d'autres émissions pour se rattraper.

L'émission passe trois jours plus tard. Un naufrage. Inna, une immense couronne de fleurs sur la tête, est à peine reconnaissable avec cette voix de gourde. La traductrice mange tous les mots et perd le fil de ses idées. Un vrai pot de fleurs, incapable d'argumenter. Alors qu'en russe, son ton est ferme. Elle fait même des réponses trop intellectuelles pour une émission grand public. J'en ai les tripes retournées. Il faut d'urgence batailler en français.

Je prends ma plume pour me moquer « des vierges effarouchées » dans le *Huffington Post,* rejointe par quelques camarades éditorialistes qui ont la même analyse : on peut trouver l'action à Notre-Dame plus ou moins pertinente mais pas s'évanouir comme si elle avait crucifié le Christ ! Confortés par nos arguments, les soutiens, ceux qui n'ont pas trouvé l'action si absurde ou si choquante, se font enfin entendre pour dénoncer l'hystérie ambiante. Inna a suivi la bataille au fleuret de loin, comme un lutteur s'intéressant vaguement à l'escrime.

— Alors ces batailles parisiennes, c'est si ennuyeux que ça ? D'accord, ce n'est pas de la bagarre de rue, mais c'est amusant quand même, non ?

— Intéressant. Je crois que je commence à comprendre comment ça marche. Il suffit qu'une ou deux intellos respectées donnent le ton et tout le monde se met en mouvement.

— Tu crois que tu pourrais y prendre goût ?

— Pourquoi pas.

— Alors apprends le français, ça devient urgent.

*

C'est la Saint-Valentin. Inna adore la cuisine indienne. J'ai choisi de l'inviter au Yugaraj, l'un des meilleurs restaurants indiens de Paris, à l'angle de Saint-Germain et des quais. Elle arrive en retard, comme toujours. J'ai déjà commandé un lassi à la mangue et des nans au fromage pour patienter.

— Pardon, Caroline.

— Ce n'est pas grave. Qu'est-ce que tu commandes ?

— De la soupe !

— Inna, de la soupe dans un restaurant indien, tu es sûre ?

— Mais oui, ils en ont...

— Tu ne veux pas plutôt un lassi et un byriani ou un Thali ?

Elle s'obstine. Le serveur est aussi désemparé que moi. La soirée se passe sans qu'elle fasse allusion à la date du 14 février, qu'elle n'a pas l'air de remarquer. Hors du temps, comme toujours. J'espérais pourtant qu'elle y verrait un signe de ma bonne volonté, une sorte d'officialisation de ce « nous » que nous peinons à définir. Mais non. Nous parlons politique toute la soirée. Désespérant... Jusqu'au moment où l'extrême droite sauve ce dîner en lui donnant un certain cachet. Michel, l'un des piliers du Lavoir moderne, m'appelle d'un air moins nonchalant qu'à l'ordinaire.

— Salut. Tu es avec Inna ?

— Oui, pourquoi ?

232

— On a reçu la visite des fachos. Ils ont laissé un mot. Hervé les a mis en fuite, mais il s'est fait tabasser.

— Bouge pas, on arrive.

Je raccroche et fais signe à Inna de se lever.

— Qu'est-ce qui se passe ?

— Des militants d'extrême droite sont passés au Lavoir.

— Cool.

Je savais qu'elle réagirait ainsi. Fière, excitée. Nous hélons un taxi pour retrouver l'équipe du Lavoir au plus vite. La présence des Femen est une bénédiction, mais aussi une source de stress permanent. La porte s'ouvre sur Anne, la gérante, toujours douce et fiable, malgré l'adversité. Elle boit une bière au bar avec Hervé.

— Qu'est-ce qui s'est passé ?

— Ils étaient une dizaine, des jeunes aux cheveux très courts, juste après qu'Inna est partie, me dit Anne. Ils ont amené des fleurs et laissé ce tract à l'intention des Femen, pour la Saint-Valentin…

— C'est la Saint-Valentin ? Je n'avais pas fait attention, dit Inna en me regardant d'un air amusé qui m'agace.

J'imagine la scène si elle était partie dix minutes plus tard ou si les visiteurs avaient su avec qui elle allait passer la Saint-Valentin… C'est bien pour lui souhaiter cette fête qu'ils ont pensé cette petite virée. À leur façon. Des roses pleines d'épines et un petit mot menaçant : « La galanterie n'est pas une obligation. » Un avertissement signé « Projet Apache ».

— Oh, ça va, dis-je en rassurant Anne et Hervé. C'est la branche parisienne des identitaires. Anciennement très méchants, nationalistes révolutionnaires, mais

233

plutôt rangés aujourd'hui. Enfin je veux dire… À droite du FN, mais structurés. Ça m'étonnerait qu'ils soient assez idiots pour passer à une action physique. Ils menacent, c'est tout… Ils t'ont vraiment amoché ?

— Non, ça va, dit Hervé. Je les ai suivis jusqu'au métro pour les prendre en photo. À un moment, ça les a énervés, ils m'ont fait tomber à terre et ils m'ont malmené mais ils ont eu peur des gars du quartier.

— Tu devrais quand même porter plainte, pour les dissuader de revenir. Mais c'est une victoire.

— Pourquoi ? demande Anne.

— Parce que la dernière fois qu'ils sont venus dans le quartier, c'était pour jouer les résistants aux prières de rue. Et là, c'était bien joué. Des gens pouvaient les prendre pour des laïques. Cette fois, ils viennent pour agresser des féministes et défendre l'honneur bafoué du catholicisme. Le doute n'est plus permis. C'est très utile comme clarification.

Ma mine réjouie rassure un peu Hervé et Anne, mais déçoit Inna.

— C'est nul comme agression. On ne peut rien en faire.

— Si… Tu peux tresser une couronne Femen avec leurs fleurs et leur retourner le compliment. Ce serait drôle.

Miracle de la Saint-Valentin, Inna a décidé de m'écouter. Dès le lendemain, elle organise une séance photos, où on la voit tresser une couronne avec le bouquet des identitaires, une rose entre les dents, avant de leur retourner le compliment. J'adore voir cette Jeanne d'Arc ukrainienne repousser la conquête identitaire à coups de fleurs depuis le quartier de la Goutte d'Or où elle résiste mieux au communautarisme qu'aucun ersatz de Charles Martel. Le message les vexe terriblement.

*

Les patriarches n'ont pas dit leur dernier mot. Comprenant qu'on ne peut envoyer une bande de garçons contre des filles, même avec des fleurs, sans avoir l'air agressifs, ils décident de former un bataillon féminin. Un après-midi, Anne se trouve submergée par un lâché de militantes identitaires et royalistes, toutes vêtues de T-shirts blancs, visiblement excitées à l'idée de venir délivrer leur message antiféministe dans l'antre des Femen. Le moins qu'on puisse dire, c'est qu'elles détonnent avec leurs airs de futures femmes au foyer.

Sans doute consciente de ses limites, l'une d'elles a la bonne idée de revenir faire un stage en infiltration. À peine deux entraînements. Assez pour offrir un moment de gloire médiatique à son groupe : Les Antigones, qui déclare la guerre à Femen. On les présente un temps comme vaguement féministes, alors qu'il s'agit clairement d'un groupe d'extrême droite. Il suffit de lire leur manifeste : « Filles de nos pères, épouses de nos maris, et mères de nos fils. » Un certificat de soumission au patriarcat en bonne et due forme, relayé sur Twitter par Fabrice Robert, le fondateur du Bloc identitaire.

Contrairement à ce qu'elles affirment dans la presse, les Antigones ne sont pas des oies blanches tombées du ciel, mais un mouvement proche des cercles de la Nouvelle Droite, païenne et racialiste. Antigone, fille d'Œdipe, s'est battue contre le pouvoir politique incarné par son oncle pour faire triompher la loi divine, en vue d'enterrer son frère selon la tradition. Bien trouvé quand on veut créer un mouvement de femmes s'opposant au féminisme et au mariage pour tous en vertu de l'ordre naturel.

Dommage tout de même, les Antigones peinent à rivaliser avec les Femen en matière de talent pour la communication. Leur envoyée, Iseul, aurait dû rester un peu plus longtemps en infiltration… Sa voix tremble, ses mots se noient dans sa gorge et elle perd régulièrement le fil de ses idées entre deux questions. Comme lors de cette longue vidéo tournée devant Notre-Dame, où deux apprentis journalistes, visiblement issus des mêmes cercles militants, l'interrogent le plus sérieusement du monde, en « exclusivité », comme si elle avait infiltré Al Qaïda ! Scoop 1 : Femen est un mouvement féministe radical. Scoop 2 : qui s'entraîne physiquement. Scoop 3 : dirigé par des Ukrainiens. Al Qaïda, on vous dit… Dommage d'avoir passé deux après-midi à faire des abdos pour percer de tels mystères. Regarder un reportage ou aller sur Internet aurait suffi.

Les garçons identitaires sont plus convaincants quand ils décident de se baptiser Homen et de manifester contre le droit au mariage pour tous, tétons à l'air. Courageux mais pas téméraires, leur visage est caché par des masques blancs quand ils bloquent des rues et visent le siège du Grand Orient de Paris. Ce qui est tout de même très marqué historiquement… Ces garçons d'extrême droite voudraient bien passer pour des martyrs. Ils se plaignent de faire souvent de plus longues gardes à vue que les filles. Un « deux poids, deux mesures » qui signerait le fait que nous vivons en « dictature socialiste ». Sauf qu'ils incitent à la discrimination et non à l'égalité, à rebours de nos principes républicains, qu'ils méprisent cordialement. Les Femen font aussi de la garde à vue, puisqu'elles ne déposent pas leur manifestation. Mais on les arrête parfois pour « exhibition sexuelle » et on les parque à côté d'hommes qui se masturbent en public. Ce qui n'arrive jamais aux Homens. Les tétons féministes restent plus subversifs que ceux des patriarches.

*

Il ne suffit pas d'enlever son T-shirt en criant pour être Femen. Il faut donner un sens à son corps. La cible du jour est bien trouvée. *Il Cavaliere*. L'homme qui a fait le plus, depuis Benito Mussolini pour avilir l'Italie. La vie politique italienne ressemble de plus en plus à un jeu de téléréalité pour gagner un bain moussant en compagnie d'escort-girls. Le voir se représenter à une élection après le Rubygate, malgré tous ses procès pour corruption, me donne la nausée. Savoir que Inna et les filles l'attendent au tournant lorsqu'il viendra voter, me procure un plaisir certain. À chacun ses fantasmes.

Grâce à de fausses accréditations de journalistes, elles planquent depuis trois heures dans le bureau de vote, au milieu de la foule des photographes. *Il Cavaliere* arrive, avec son sourire ultra-bright, son teint UV et ses cheveux teints. Il serre des mains, sûr de son pouvoir et de sa virilité, lorsque Inna crie :

— Basta Berlusconi ! Basta Berlusconi !

Dopée à la testostérone, la garde du Cavaliere fonce sur elle, la traîne au sol et l'écrase violemment contre le corps d'Elvire. Pendant que Oksana subit une clef qui déboîte sa clavicule. Ultra-violent. Inna a la joue compressée contre une grille et le torse aplati contre le bitume glacé. Car il neige, pour changer. La vidéo de l'attaque m'arrache un alléluia de joie. Celle de la contre-attaque des envies de vendetta. Inna a beau me rassurer d'un texto, je suis persuadée que cette fois il faut voir un médecin.

Patrick Pelloux est prêt à les examiner, elle et Oksana, quand elles veulent. Reste à trouver un subterfuge. Depuis Civitas, j'ai compris que Inna n'accepterait jamais de prendre soin d'elle. Trop guerrière, trop gamine aussi. Mais j'ai une idée. Je lui donne rendez-vous à la maison, où passe justement mon ami Patrick, par le plus grand hasard...

— Puisqu'il est là, s'il t'auscultait ? dis-je d'un air innocent qui me trahit.

Je ne sais pas mentir, c'est un vrai handicap. Inna râle, mais abdique. Preuve qu'elle a vraiment mal. Je leur laisse ma chambre d'où je l'entends crier. Sa cheville enflée tourne au violet. Ses jambes et son dos sont couverts de bleus, mais c'est le rein qui inquiète le plus Patrick. Il nous livre son diagnostic.

— Le rein est touché. Plein de sang.

— C'est grave ? dis-je d'un air trop angoissé.

— Il faut qu'elle prenne des anti-douleurs, qu'elle boive au moins deux litres d'eau et qu'elle fasse pipi dans des flacons qu'on testera avec des languettes, pour voir si ça part tout seul... Sinon, il faudra opérer.

Cette fois Inna n'a plus ses airs d'enfant capricieux, elle redevient la petite fille sage qui comprend que c'est sérieux. On remercie Patrick et je pars à la pharmacie, en jurant de l'achever si elle ne boit pas ses deux litres quotidiens.

— *Da,* Caroline, *da...*, fait-elle, résignée, en gémissant de douleur.

238

Les jours suivants sont très romantiques, passés à lui demander si elle a fait pipi dans son flacon et de quelle couleur est son testeur. Après quelques jours, tout va mieux. Le sang est parti. Ma guerrière est réparée. Un jour, son corps payera l'addition. Elle l'écrit dans son Journal en 140 signes quotidiens (génération twitter oblige) : « Verrai-je un jour, à nouveau, mes jambes non couvertes de bleus ? »

CHAPITRE 7

Des corps kamikazes

Après cinq mois de tournage et deux mois de montage, le film est enfin terminé : *Nos seins, nos armes.* Un hommage à ces corps en lutte qui relient des féministes de l'Est à celles du monde arabe. Rien à voir avec les autres enquêtes que j'ai réalisées jusqu'ici. Femen est aux antipodes des groupes sur lesquels je travaille habituellement... Les islamistes ou les mouvements d'extrême droite se présentent comme des victimes de la démocratie, qu'ils disent respecter, tout en rêvant de la poignarder. Il faut les décrypter. Femen, au contraire, crie sur tous les toits que ses militantes sont dangereuses, voire terroristes, alors qu'elles se battent pour l'égalité. Seuls Inna et Viktor m'inquiètent. Leurs tempéraments tourmentés, leur guerre d'ego, pourraient un jour aller trop loin. Mais pour le moment, aucune image ne permet d'étayer mes craintes. Jusqu'ici, Femen n'a jamais combattu qu'avec des armes pacifiques ou tronçonné des symboles. Je garde mes doutes pour ce livre et laisse vivre le film.

Les premiers retours sont très enthousiastes. Fabrice Puchault et Barbara Hurel, notre premier public, ceux qui l'ont commandé pour France 2, sont conquis. Fabrice, qui est un peu à l'origine de toute cette aventure, a cette formule qui me touche : « Au fond, c'est ton premier film d'amour. » S'il savait… combien je préfère travailler sur des personnages aux antipodes de mes idées. Tel un chirurgien qui opère pour la centième fois à cœur ouvert, j'ai mes habitudes, une carapace. Elle me permet de les disséquer froidement, sans avoir la main qui tremble. Avec Femen, c'est différent. Il faut accepter d'être porté, par un élan plus intime, plus fort, plus angoissant.

Ce soir, c'est l'avant-première. Grâce à Sophie Dulac, l'une des plus grandes distributrices, le film est projeté au cinéma L'Arlequin, quelques jours avant sa diffusion sur France 2. Trois cents invités de la presse ou du monde associatif. Rémy Pfimlin, le président de France Télévisions, s'est déplacé. Voir ce grand patron, centriste et démocrate-chrétien, en grande discussion avec Inna a quelque chose de surréaliste… Une journaliste que je respecte beaucoup a totalement changé d'avis sur les Femen. Beaucoup viennent nous voir, moi et Nadia, pour nous dire « Merci ». Mais ce ne sont pas leurs mots qui nous touchent. Ce sont leurs regards. Comme si le film leur avait transmis l'envie de se battre. La foule m'empêche d'aller jusqu'à Inna. Je la retrouve tard, après mille échanges, la mine défaite, au bord du malaise.

Jusqu'ici, elle n'a vu que des extraits sur le banc de montage, pour régler des problèmes de traduction. Cette fois, elle a senti tout un public vibrer pour ses aventures et celles de ses camarades. Une personne normale serait émue. Inna n'est pas normale. Elle me fusille du regard. Aux autres, elle sourit, pour tenter de faire bonne figure. À moi, elle ne masque rien. Toutes ces couronnes de fleurs ne lui font pas penser à Femen, mais à son enterrement.

— J'ai l'impression d'avoir quatre-vingts ans, Caroline. Je vais mourir. On va mourir. Toute cette reconnaissance pour Femen, c'est comme si on écrivait notre épitaphe.

— Tu m'as dit un jour « la fin est toujours un commencement », lui dis-je doucement.

— C'est ma phrase préférée...

— Un certain Femen, hooligan, isolé, ukrainien, va peut-être mourir... Mais un nouveau mouvement va naître : plus mûr, plus international. C'est une belle naissance, Inna !

— Je ne sais pas.

Quand je la mets dans un taxi, j'ai l'impression de raccompagner une vieille dame. En route pour l'une de ces nuits cauchemardesques qu'elle est capable de s'infliger. Blanche. Le corps noué de bleus qui se réveillent.

*

Ukraine, mars 2013

À Kherson, le ciel est couvert. Le père d'Inna n'a plus de nouvelles de sa fille depuis deux mois. Au début, ils se parlaient presque chaque semaine par skype, mais depuis Noël, rien. Sa fille lui échappe. Pourtant, il n'a jamais autant pensé à elle. Il parcourt du matin au soir les nombreuses dépêches et articles qui lui sont consacrés, dans toutes les langues, qu'il lit grâce au traducteur automatique de Google. Un article de Jeff Tayler dans *The Atlantic* s'apprête à le dévaster.

D'habitude, ce sont des flots de critiques ou de photos, ou toujours ces mêmes reportages sur sa fille montant un camp d'entraînement à Paris. Celui-là est différent. Jeffrey, qui parle sept langues dont le russe a tiré le portrait des plus grands de ce monde. Il a réussi à saisir ce que d'autres n'ont jamais effleuré. Valéry Shevchenko apprend que sa fille pleure souvent, la nuit, en pensant à ceux qu'elle a laissés derrière elle. Qu'un proche lui manque tout particulièrement... Lui, son père. En lisant ces lignes, le colonel va s'asseoir sur son lit et fond en larmes. Quand sa femme entre, elle se met à crier.

— Que se passe-t-il ? Qu'est-il arrivé à Inna ? Dis-moi ! Elle est morte, c'est ça !

Il tente de la calmer.

— Non ma chérie, ne t'inquiète pas. Innochka va bien.

Il lui traduit *The Atlantic*, et ils se tiennent là, assis sur le lit, comme dans l'attente d'un deuil, qui peut à tout moment les foudroyer.

*

À Paris, Inna me tend sa main.

— Je vais mourir jeune, c'est écrit. Regarde ma ligne de vie, elle est si courte...

Je la serre.

— C'est pour ça que tu penses devoir mourir jeune ?

— Fais voir la tienne.

Je lui tends ma paume.

— Tu vois, ta ligne est longue, si longue...

244

Je ne sais quoi répondre. C'est vrai, elle est plus longue, mais ce n'est pas une prédiction de bohémienne. C'est un chemin que j'ai tracé et négocié à chaque carrefour, en me fixant des objectifs. Inna est trop passionnelle, trop instable, enfermée dans son mode de vie absolutiste, pour regarder si loin. Il faut pourtant que je la rassure.

— Moi aussi, quand j'avais vingt ans, je ne pensais pas vivre longtemps.

*

Pour choquer les journalistes, Inna a pris l'habitude de comparer Femen à une sorte d'« Al Qaïda pacifique », avec les seins pour seules armes… Sauf s'il faut vraiment les prendre. C'est ce qu'elle déclare à une équipe de télévision américaine. La phrase est passée. Car bien sûr, sitôt la caméra éteinte, le camarade Shevchenko a éclaté de rire et s'est mis à plaisanter. Les journalistes sont repartis rassurés et séduits, comme toute personne qui croit rencontrer une Inna plus douce que ses métaphores guerrières. Pourtant, plus je m'approche, plus je perçois une autre facette, plus sombre. Un tempérament réellement torturé, qui m'inquiète.

Pour l'instant, Femen n'a jamais franchi la ligne. Mais un jour, qui sait ? Et si son mouvement tournait mal, comme c'est arrivé à tant de groupes d'extrême gauche ? De quoi aurais-je l'air, moi la spécialiste des fanatiques ? On dira que mes sentiments ou nos luttes communes m'ont aveuglée… Je hais cette idée. Mon engagement doit toujours passer après mon devoir de lanceuse d'alerte, auquel je me crois profondément destinée. Autant que Inna se croit destinée à mener la révolution.

Avoir succombé à son charme n'endort en rien ma méfiance. Au contraire, elle devient maladive, tellement j'ai peur de faillir. Plus mes sentiments grandissent pour Inna, plus je me mets à traquer le moindre indice, à guetter la moindre faille, à calculer et recalculer les risques d'une dérive. Comme si je cherchais un moyen de la désamorcer. Surtout depuis ce fameux soir.

Nous revenons d'un dîner chez Loubna, dans l'espoir d'une énième réconciliation qui tournera court. La soirée s'est néanmoins bien passée. À part quelques éclats de voix, très vifs, entre Inna et moi à propos de la stratégie. Trop brutaux pour ne pas dévoiler une intimité qui surprend nos camarades. Le vin nous met d'accord sur le fait que nous avons trop en commun pour ne pas joindre nos forces, d'une façon ou d'une autre.

Nous sommes parfaitement ivres quand le taxi arrive pour nous ramener, moi, Inna et Oksana. Son toit vitré suffit à enchanter les deux hooliganes, qui regardent le ciel en chantant à tue-tête. L'ébriété rajeunit soudainement ma bolchevique, qui montre un visage moins grave, plus adolescent. Celui qu'elle a souvent avec d'autres militantes, rarement avec moi. Comme une fille qui ouvrirait son sac à main, elle allume son iPad pour passer en revue des photos qui nous amusent.

— Tu veux voir la photo de notre groupe préféré ? lance Inna, d'un air de conspirateur.

Je m'attends à une pochette de Jim Morrison ou d'un groupe pop russe, que je ne connais sûrement pas, quand le doigt d'Inna s'arrête sur une photo de la Bande à Baader. La fameuse Fraction Armée rouge.

— RAF ! me dit-elle, en faisant rire Oksana.

— Connais pas, dis-je en mentant à moitié.

— Tu connais pas ! hallucine Oksana, qui semble encore plus fascinée.

Je connais, mais je n'ai pas reconnu tout de suite leur acronyme en Allemand : RAF (Rote Armee Fraktion). Cela me sauve, quelques minutes, le temps de contenir ma fureur. Si je l'ouvrais, je dirais tout : « Ah oui. La Bande à Baader. Ces salauds qui ont fossoyé la gauche radicale européenne pour des décennies. Ces ordures qui ont taché un drapeau de sang, qui ont salopé la cause pour masquer ce qu'ils étaient vraiment ? Des voyous, des ratés, des terroristes. C'est ça votre modèle ? J'espère qu'on vous foutra en prison avant ! »

Je ne dis rien. Pas devant Oksana, l'œil de Kiev. Si je veux éviter le pire, il ne faut surtout pas que le groupe se méfie de moi au point d'interdire à Inna de me fréquenter. Je ne l'exclus pas. Or, s'il y a une chance que Femen ne tombe pas dans ce piège, elle peut venir d'Inna, qui vit en France et recommence, tout doucement, à être un individu… Oksana et Sasha savent vivre et aimer, bien plus que Inna, mais elles n'ont pas ce tempérament de leader qui peut tenir tête à Viktor s'il décide de jouer au Lénine malfaisant. Tandis que Inna résiste depuis toujours, de plus en plus.

Viktor se sent isolé. Il m'inquiète à force de tourner en rond à Kiev, comme un lion en cage. Depuis sa dispute avec les filles après l'Euro 2012, il n'est plus grand-chose. Depuis que Inna est à Paris, il n'est plus rien. Pourtant, le mouvement n'a jamais été si influent. À force d'envier cette réussite, il pourrait pousser le groupe à commettre l'erreur fatale. Détruire ce que l'on a aidé à bâtir plutôt que de le voir vous échapper. Un classique.

247

Est-ce pour amadouer Inna ou la pousser à la faute qu'il envoie une tronçonneuse ? L'engin a voyagé en bus jusqu'à Paris. Inna doit passer le chercher juste avant de venir chez moi, pour parler du livre. Elle m'appelle.

— Viktor m'a offert une tronçonneuse. Trop belle. Tu préfères que je passe la déposer ou je peux venir chez toi avec ?

— Mais non, bien sûr, viens avec...

Comment résister à l'envie de la voir, cette tronçonneuse, dont je pressens qu'elle est porteuse d'un message subliminal à haut risque. Autant la jauger de près. La sonnette claironne. La porte s'ouvre sur une Inna tout excitée à l'idée de me montrer son cadeau empoisonné. Une arme « personnalisée », repeinte à la bombe dorée, bariolée d'un « sextremism » noir et d'une croix en guise de manette à actionner.

— Tu comptes faire quoi avec ça ?

— Je ne sais pas encore, me dit Inna d'un air enfantin assez angoissant. Couper un croissant en haut d'une mosquée ?

Mon visage se décompose. J'improvise.

— Ils sont en acier. Toutes les décorations des lieux de culte sont en acier ici, oublie...

— Vraiment, dit-elle d'un air déçu. Il n'y a rien en bois ?

— Vraiment non !

— Caroline ! Détends-toi... C'est juste un cadeau.

— Bien sûr. Je te préviens, si tu tronçonnes quoi que ce soit ici, alors que l'Église et l'État sont séparés, personne ne pourra plus vous soutenir.

— Allez quoi, elle est pas belle ma tronçonneuse ? dit-elle avec une moue d'enfant.

— Mais si elle est belle, ta tronçonneuse !

248

Comme Inna doit filer à un autre rendez-vous, je garde l'engin quelques jours en otage dans ma salle à manger. Aux amis qui passent, je lance en plaisantant : « C'est l'enfant, qui a laissé son jouet ! » Je n'en mène pas large à l'idée que mon appartement puisse un jour être considéré comme une cache d'armes pour terroristes. Parfois, je fixe l'objet en me demandant si je ne devrais pas la saboter, couper un circuit, retirer une pièce, quelque chose qui puisse l'enrayer. Je préfère de loin tenter de changer Inna, faire pousser une résistance, fabriquer un court-jus qui pourra, le cas échéant, l'empêcher de détruire son mouvement, et le féminisme tant qu'on y est.

Soudain, je comprends mieux le sens de notre rencontre. Il n'y a jamais de hasard, juste des destins croisés. Et si les nôtres servaient à barrer la route du premier groupe féministe basculant dans le terrorisme ? Je m'inquiète sûrement pour rien. Mais cette lutte m'apparaît soudain plus noble qu'une romance, plus sensuelle qu'une liaison ordinaire. Touche après touche, par moments doux volés, je ne cherche pas tant à conquérir Inna qu'à voir renaître en elle cet individu qu'elle a tué. Il repousse. Mais peut-il dire non à la mort si la cause semble l'exiger ? L'évoquer, c'est la provoquer.

— Arrête avec ça, peste Inna. Femen est un mouvement pacifiste et le restera. Si je dois aller un jour plus loin, je serai tuée, mais je ne tuerai jamais.

— C'est pareil. La recherche du martyre, préférer la mort à la vie, il faut le laisser à nos ennemis. C'est bon pour Al Qaïda !

— Bien sûr... C'est pour ça que je dis que nous sommes une Al Qaïda pacifique.

— Mais tu aimes RAF !

— C'est donc ça, ta peur bleue !

— Il y a de quoi, non ? Je trouve pathétique que vous puissiez admirer ces ordures... Ce sont des terroristes, pas des activistes.

Cette fois, ça y est, je l'ai dit, blême d'angoisse. Inna s'adoucit.

— Caroline... La seule chose que j'aime chez eux, c'est le côté romanesque, cette façon de vivre en bande, de tout sacrifier à leurs idées, mais pas leur dérive. Pas le fait de tuer.

— Tu es d'accord que c'est un échec ? Qu'ils ont tué parce qu'ils étaient perdus, à bout de souffle, et qu'ils ne savaient plus où aller ?

— Oui, sans doute.

— Mais ton groupe aussi est paumé...

— C'est vrai, mais nous sommes un mouvement pacifique. C'est nous qui prenons les coups, non ?

Les faits sont avec elle et les années 1970 derrière nous. La nouvelle génération n'est pas comme celles de ses aînés, engagée mais revenue du terrorisme. Femen se revendique d'auteurs comme Gene Sharp, qui a théorisé la résistance pacifique ayant inspiré de jeunes révolutionnaires, allant des opposants à Milosevic en Serbie aux démocrates de la place Tahrir, en passant par la révolution Orange. Peut-être devrais-je me détendre un peu au lieu de devenir paranoïaque à force de croire que mes sentiments peuvent m'aveugler. Mais j'ai quand même besoin de preuves.

*

La fin de l'hiver approche. En Égypte, la place Tahrir s'agite à nouveau. Les islamistes veulent instaurer la théocratie par les urnes, celle dont les Frères musulmans ont toujours rêvé. Contrairement à ce qu'écrivent tant de journalistes français, je ne crois pas à cette fatalité. L'exercice du pouvoir les érode. Leur double visage se dévoile et les rend odieux, même aux yeux de ceux qui ont voté pour eux. Mes amis laïques, que l'on dit si minoritaires, gagnent du terrain et résistent. Ça sent la poudre. Les prémices d'une révolution qui ne demande qu'à reprendre. Femen aimerait en être. Inna bout à chaque nouvelle avancée de l'obscur, à chaque drame, avec une sincérité qui n'est pas surjouée. Je n'ai jamais vu quelqu'un aussi bouleversé en apprenant qu'une femme vient d'être violée, mariée de force ou lapidée. Un soir où nous marchons, elle n'en finit plus de ruminer.

— Tu te rends compte, ils ont vitriolé une femme au Pakistan ! Ces ordures. Et nous restons là à rien faire. Et toi tu écris des articles ! Comment tu peux accepter ça ?

— Que veux-tu faire ? Les bombarder ? On ne va quand même pas se transformer en assassins pour combattre des criminels.

Inna me trouve d'une modération désespérante. Elle entend mes arguments. Mais son corps brûle.

— Que se passerait-il si on faisait une action place Tahrir ? me demande-t-elle un jour.

— Celle qui ira seins nus n'a aucune chance d'y survivre. Ou plutôt si, elle peut, mais son corps sera déchiqueté par au moins cent violeurs...

— Tu es sûre ?

— Mais enfin, Inna, ils violent même les hommes place Tahrir ! Quand il y a eu une manifestation de centaines d'Égyptiennes contre le harcèlement, la manif a été harcelée ! Des centaines de fous accourent de toute la ville... Les flics, les islamistes, les voyous, on ne sait pas qui viole. En plus si vous envoyez une blonde, quel effet ! Si ce n'est pas une Égyptienne, tout le monde se dira que c'était du colonialisme. Des Égyptiennes menacent elles-mêmes de se révolter, d'imiter Aliaa. Si Femen tombe du ciel pour faire la leçon, ça brisera tout. Les islamistes crieront au complot sioniste, occidentalisé, et vous risquez de briser l'élan qui peut déboucher sur une nouvelle révolution.

Ébranlée, Inna garde le silence. Je commence à croire que je l'ai mal jugée. Au fond, elle n'est peut-être pas si fanatique, juste radicale et romanesque, sur la corde. Il demeure en elle quelque chose de cette étudiante en journalisme, brillante et cultivée, qui n'est pas assez folle pour envoyer ses activistes à l'abattoir. Elle aime les endurcir, c'est vrai. Rien ne la rend plus fière que de transformer des gamines fragiles et maladroites en soldates. Fanny, la coiffeuse, ne parle plus que de politique. Elvire, avec son air d'enfant gâtée, s'intéresse enfin au reste du monde. Marguerite s'est mise à lire Beauvoir. Pauline ne pense plus seulement qu'à aimer les femmes, mais à se battre pour elles. Toutes ont changé grâce à Inna, parfois pour Inna, mais finalement pour elles-mêmes. Leur cheffe peut les malmener, leur parler comme à de vrais soldats, mais elle adore quand elles se rebellent : « Hé, ça va le tyran ! »

— Je suis si fière des filles en ce moment. Tu as vu comme elles ont changé ? Avoue que tu n'y croyais pas au début.

— C'est vrai... Et maintenant, où vas-tu les emmener ?

— Elles veulent toutes faire des actions radicales. C'est moi qui dois les freiner.

— Je sais. Mais elles veulent y aller parce que tu les a transformées.

Parfois, j'exagère mes craintes. Par jalousie ou par déformation professionnelle, je ne sais plus. Mon instinct est de toujours protéger et construire, quand celui d'Inna est de pousser les gens à se prendre des risques et à se dépasser. Son conditionnement froisse ma vision du consentement éclairé mais donne des résultats incontestables. Et si un jour le groupe ukrainien voulait aller plus loin, Inna saurait-elle y résister ?

*

Elle est passée prendre sa tronçonneuse et semble très angoissée.

— Qu'est-ce qu'il y a ?

— Ils veulent une action place Tahrir.

— Tu plaisantes... Ça va finir en boucherie !

— Je sais !

— Qui ira ?

— Pas moi...

Cette seule réponse me calme. À croire que son individu a bien fini par renaître... Mais il y a d'autres kamikazes potentiels à Femen.

— Qui alors ? Des filles d'ici ?

— Non, jamais de la vie, je ne le permettrai pas.

— Alors qui ? Sasha ne le fera pas... Oksana ?

— Non, Oksana est sur la même ligne que moi. Elle ne le ferait pas.

— Il ne reste que Yana...

— Elle n'a rien à perdre. Elle pense que cela peut être un tournant, comme pour moi avec la croix.

— Sauf que c'est une tombe.

— Caroline, je sais !

— Et alors, que vas-tu faire ?

— Me battre pour isoler Viktor… Convaincre Anna et Sasha que ce n'est pas Femen.

Nous nous regardons un moment, sans parler. Comme si nous pouvions fondre nos forces. Mais tout repose sur ses seules épaules. Inna m'embrasse et s'en va batailler. De longues heures passées à argumenter sur skype, à tout envisager, à jouer la vie du mouvement… Et finalement à l'emporter. Viktor, qui a même envisagé qu'une militante puisse se rendre sur la place avec un pistolet, pour se défendre en cas d'attaque, doit battre en retraite. Les filles ont tranché : ce n'est pas Femen. Femen est un mouvement pacifiste, pas la Bande à Baader.

*

Quelques semaines après avoir renoncé à se transformer en kamikazes, le groupe réalise une prouesse. Foncer sur Poutine lors de sa visite du Salon automobile de Berlin. Alors qu'il stationne devant une Formule 1, l'écurie Femen s'élance. Sasha, qui s'est teint les cheveux en roux, tient la pôle position, suivie d'Oksana et d'une militante allemande. La sécurité arrête Sasha juste à temps, mais les photos sont grandioses. Entre l'air mi-choqué mi-réjoui de la Chancelière et le chef du Kremlin toisant sa prédatrice d'un sourire pervers, tout est dit. À la sortie, Poutine soigne son orgueil blessé par une petite phrase méprisante : « Je n'ai pas vu la couleur de leurs cheveux. » Sous-entendu, je n'ai regardé que leurs seins. L'honneur est sauf. L'homme sait rester un goujat, en toutes circonstances. La Russie exige quand même une sanction exemplaire, qu'aucun juge allemand ne lui fera le plaisir d'accorder. C'est l'Europe ici, pas la Sibérie. Les Pussy Riot en rêvaient. Femen l'a fait. Sans blesser personne. Avec panache et lucidité. Bon sang ce que je les aime quand elles sont elles-mêmes.

*

— Alors comme ça, tu as un petit ami ?

— Quoi ? demande Inna, surprise.

— C'est écrit à la fin du livre de Calmann-Lévy sur Femen...

— Ah ça, rit Inna. Ils voulaient absolument parler de « nos » hommes. Je ne savais pas quoi répondre.

Je ne sais pas ce qui m'agace le plus. Le fait d'être transformée en garçon ou niée, comme une femme invisible. Que cette marque de sexisme vienne d'une leader Femen ou que son mensonge m'arrange. Sans doute de ne pas savoir qui je suis à ses yeux. Le sait-elle elle-même ? J'en doute, malgré ces mots doux, que j'imagine très rares entre ses lèvres, et ce moment, encore plus rare, où nos corps se sont enfin trouvés. Le seul rayon de chaleur. Pour le reste, l'hiver n'en finit plus. Crise après crise, le monde semble se liguer pour empêcher nos retrouvailles. Son corps me manque. Terriblement. J'en souffre, et j'en veux à Inna de ne pas souffrir autant. Je ne comprends pas pourquoi elle ne lutte pas comme moi pour retrouver cet espace-temps rien qu'à nous.

Comme si elle refusait de m'appartenir sans obtenir d'abord ce qu'elle attend de moi : n'être qu'à elle. On a beau être marxiste, à 22 ans, on n'aime guère partager. Un monopole non négociable, qu'elle tente d'arracher à force de séduction, suivi d'immenses périodes de frustration. De vraies montagnes russes. Chaud/Froid. Puis Chaud. Puis froid. Chaque fois que je m'éloigne pour me protéger, elle m'attire contre elle. Dès que je m'ouvre, elle me fait saigner. Après deux mois de ce régime, je suis au bord d'exploser. Nos dîners finissent immanquablement par une dispute. Elle promet un week-end, qu'elle feint d'oublier, puis se montre terriblement douce pour se faire pardonner.

— Carolinochka... Tu sais bien. Je ne peux pas laisser le mouvement en ce moment.

— Inna, je te demande deux jours. Tu peux trouver deux jours...

— On va trouver.

— Quand ?

— Je ne sais pas.

Le camarade Shevchenko ne s'appartient plus. Voler un week-end pour une histoire de cœur relève de la trahison. Son temps est kolkhoze, pour la cause. Le « nous deux » ne fait pas le poids face au « nous » révolutionnaire, sublimé, imaginaire, et finalement égoïste.

Parfois, une idée plus sombre me traverse. Et si ma jeune révolutionnaire m'avait tout simplement utilisée ? Et si elle avait jeté son charme sur moi pour remplir une mission fixée par le groupe : séduire la journaliste Fourest, utiliser mes réseaux, obtenir des papiers... Toujours à cause de cette fichue méfiance professionnelle, l'idée m'obsède. À aucun moment, même les plus complices, je ne perds de vue combien ma colonelle est douée pour la manipulation, la dissimulation et le mensonge. Et si je n'étais qu'un objectif ? Certains indices perturbent ce scénario. Facilement blessée, Inna prend trop souvent le risque de nous fâcher, de me perdre, quand la raison politique dicterait de me ménager. Elle n'a pas l'air de mesurer ce que je peux lui apporter comme alliée et même elle s'en fiche. J'appartiens à sa vie privée, où j'endure mille preuves douloureuses d'un sentiment confus, maladroit, mais authentique. Et puis, il y a cette phrase, récurrente, toujours dite avec le même ton dès qu'elle sent monter l'envie de s'abandonner.

— Comment va Fiammetta ?

— Bien. Pourquoi ?

— Comme ça...

Le doute n'est plus permis. Ma bolchevique déteste partager. J'essaie de la comprendre, mais lui en veux. Moi qui ne suis plus habituée à ce désir de posséder. J'en viens à n'y voir qu'un esprit de compétition absurde. Le premier prix à l'école, le poste de présidente du parlement, le leadership des Femen... Et maintenant moi, son nouveau trophée. Ce n'est pas de l'amour, mais Inna le sait-elle ? Les jours où je lui pardonne, je ne peux m'empêcher d'être attendrie par son envie de me conquérir.

Il reste une autre hypothèse, plus tragique. Et si Inna disait vrai quand elle m'avoua, dans un clair-obscur, ne plus pouvoir s'abandonner ? Tellement son corps s'est endurci sous les coups, action après action, surtout depuis la Biélorussie.

*

257

Elle savait, en partant là-bas, ce qu'elle risquait. La prison, la torture, sans doute pire. Combien d'opposants biélorusses ont disparu, enterrés à la va-vite dans une fosse commune, au fond de l'une de ces forêts de bouleaux couverts de neige qui défilent à travers la vitre ? La capitale biélorusse, Minsk, n'est qu'à 400 kilomètres au nord de Kiev, mais passé le poste frontière, c'est un autre monde. Depuis l'indépendance, le nouveau maître des lieux ne se contente pas d'être un pantin de Moscou, il se prend carrément pour Staline. Loukachenko vient d'être réélu, pour la quatrième fois, avec un score soviétique : 79 % des voix. Les rares observateurs qui ont pu se rendre sur place ne croient pas une seconde à la sincérité du scrutin. Les autres candidats, sept sur neuf, ont été arrêtés et jetés en prison. La Biélorussie figure en tête des pires régimes de la planète, juste après la Corée du Nord. Les filles ont pourtant choisi de le défier, après une rencontre bouleversante avec des opposants quelques mois plus tôt.

Au Cupidon, le groupe les entend raconter leur vie de parias sous une dictature communiste soutenue par Poutine. Les escadrons de la mort, la façon dont les *spetsnaz,* des unités spéciales, s'entraînent sur les détenus comme sur des punching-balls... À la fin, c'est décidé.

— On ira, s'emporte Inna, comme enragée.

Femen décide de frapper le 19 décembre, un an jour pour jour après un rassemblement d'opposants réprimé dans le sang. Inna part avec Oksana et une novice : l'autre Alexandra (qu'on appelle aussi parfois Sasha). Elle l'appelle et lui donne généreusement vingt minutes de réflexion pour accepter ou non la mission. Le lendemain matin, Alexandra est là. On visionne une vidéo montrant comment le KGB biélorusse fracasse le crâne des opposants, pour savoir comment réagir, et on y va.

*

Dans le train, l'autre Sasha, restée à Kiev, leur envoie un texto qu'elles ne trouvent pas drôle : « Ne vous en faites pas ! Si on vous casse les dents, on se cotisera sur Facebook pour vous refaire une dentition ! »

— On arrive dans combien de temps ? demande Alexandra, la gorge serrée.

« *Pourvu qu'elle tienne le coup* », se dit Inna. Elle adore cette fille, si différente, avec ses cent vingt kilos et ses cheveux bruns presque rasés. Elle n'a pas le gabarit mannequin qu'on reproche aux Femen. Plutôt l'air d'un homme et elle tient sa femme par la main dans la rue. Ce qui demande un certain cran dans un pays aussi homophobe que l'Ukraine. De là à attaquer le siège du KGB en Biélorussie… Qu'est-ce qui la pousse à prendre un tel risque ? Seraient-ce les yeux d'Inna, qu'elle n'ose jamais regarder en présence de sa petite amie ? Inna s'en voudrait. Elle a beau se répéter qu'Alexandra est prête pour ce genre d'action, elle culpabilise. « *Pourvu que je ne me sois pas trompée…* »

Et Inna ? A-t-elle bien mesuré qu'il s'agissait peut-être d'un aller simple ? Les rares proches de Femen dans la confidence, essentiellement des journalistes, ont tenté de la dissuader : « Tu es folle, ils vont vous tuer ! » Dans ces moments-là, personne ne peut la raisonner, surtout pas Sergueï, qu'elle s'est bien gardée de prévenir. Il aurait été capable de se mettre en travers des voies. Personne ne peut lui interdire de partir au front. Chez

Femen, les femmes font la guerre. Les hommes n'ont qu'à pleurer en gardant le foyer.

*

Katia, leur contact en Biélorussie, les attend au théâtre. En fumant la seule cigarette qui lui reste et qu'elle a mise de côté. Pourvu que le KGB n'ait pas repéré les filles. Emmitouflées dans leurs anoraks d'étudiantes, elles peuvent passer inaperçues. Sauf si leurs messages cryptés ont été interceptés. Normalement, la conversation sur skype était sécurisée. Un ami hacker l'a juré, mais on ne sait jamais. Leur taxi arrive. Aucun mouvement suspect. Les filles descendent sans être interpellées.

— Katia !

On se serre dans les bras, sans traîner.

— Venez. J'habite à côté.

Leurs bonnets enfoncés jusqu'aux oreilles, les filles zigzaguent sur le bitume abîmé par la neige, entre des bâtiments austères qu'on dirait abandonnés. À l'étage d'un appartement squatté par des anarchistes, elles préparent leur mise en scène. Oksana sort de son sac une immense photo de Loukachenko. Elle lui servira à peindre son visage sur le dos large de Sasha, qui s'offre en tableau. Pendant que les pinceaux courent sur sa peau, Inna lui colle une barbiche et des rouflaquettes noires qui lui donnent vraiment l'air du dictateur.

Sans écouter la peur qui gagne leurs jambes, les Femen enfilent leurs anoraks et foncent vers le siège du KGB. Un bâtiment soviétique avec des colonnes doriques, qui ressemble un peu au théâtre de Kherson. Il est temps de monter sur scène. Les journalistes ont été prévenus par texto. Ils sont moins nombreux qu'en

Ukraine : Kitty, la réalisatrice australienne qui les suit depuis des mois, et quelques habitués venus en train comme l'AFP et Reuters.

Arrivées sur les marches, les filles se déshabillent. Moustaches et casquettes de l'Armée Rouge sur la tête, elles se mettent à crier : « Liberté pour les prisonniers politiques ! », « Liberté pour le peuple ! »

Au milieu, Alexandra lève les bras en l'air pour parodier Loukachenko. Elle est parfaite. L'action si osée qu'elle stupéfie le KGB, qui tarde à réagir. À moins que ça ne soit une tactique. De temps en temps, Inna tourne un regard noir et vigilant vers la porte du bâtiment. Un homme en costume noir sort en courant, talkie-walkie à la main. Il donne des ordres à des gardes en tenue de camouflage bleu.

— Allez, Allez !

Les gardes arrêtent les journalistes et confisquent leurs images. Personne, bizarrement, ne touche aux militantes. Visiblement, le KGB a réfléchi. Pas question de les arrêter devant des étrangers. Il faut d'abord fermer les yeux. Inna enrage... *« Il n'y aura pas d'images, on a fait ça pour rien ! »* Elle ne sait pas encore que Kitty va réussir à restaurer ses rushes, mais perçoit, du coin de l'œil, deux journalistes qui pressent le pas et un bouton sous le manteau, en feignant de ne pas regarder. *« Bien joué ! »* Elle crie fort, une dernière fois, puis ordonne de décrocher.

*

C'est à la gare que les choses se gâtent. Presque tous les guichets sont fermés. Les passants ralentissent. Une file d'hommes, peut-être vingt, tous habillés de la même manière, pressent le pas. *« Ils sont là pour nous »*, se dit Inna. Elle entend Oksana crier. Les hommes viennent de l'agripper. D'autres mains la serrent et la tordent. Elle se débat. Mais aucun passant ne se retourne. Ce qui l'effraie : *« Mon Dieu qu'ils ont peur ! »* On les traîne dans un bus argenté, d'un gris flamboyant étonnant, où elles vont passer toute la nuit aux mains des miliciens.

— On sait tout sur vous. Qui vous a payées. On sait que vous travaillez pour des étrangers.

Inna est consternée. De la propagande russe à l'ancienne, si primitive qu'elle en sourirait presque. Sa morgue agace terriblement le milicien.

— Bande de chiennes. Vous jouez le jeu de l'Europe qui veut dénigrer le peuple slave. Oui, nous avons une vie difficile mais nous ne céderons jamais à l'Amérique qui veut dominer le monde !

Inna lève les yeux au ciel.

— Qu'est-ce que tu as à sourire ? Tu parles anglais ! On sait que tu travailles pour l'étranger ! Pour qui tu travailles ?

— Mahatma Gandhi, finit-elle par lâcher.

« Un étranger, on les tient ! », se dit le milicien, qui part transmettre et revient, furieux.

— Tu crois qu'on ne sait pas qui est Makata Gandy !

Bien que terrorisées, les filles ne peuvent s'empêcher de rire.

*

Parfois, le bus s'arrête. Les miliciens sortent pisser. Oksana et Alexandra peuvent fumer une cigarette. Leur chef s'approche et tente de les monter contre Inna.

— On sait bien que vous êtes manipulées par votre copine, dit-il d'une voix complice. C'est injuste. Elle se fait payer et vous, vous risquez votre peau à cause d'elle.

Inna observe, flattée d'être la cible. Oksana sait quoi penser de cette propagande, mais Alexandra ? Après une nuit pareille, la frontière entre le vrai et le faux se brouille, les corps sont las. Les filles sont roulées en boule au fond du bus, quand le milicien les secoue.

— Ça y est, c'est décidé. Ils ont décidé.

*

Arrivé dans une clairière, nouvel arrêt. Un autre bus noir vient se garer à côté. Les menottes font atrocement mal aux poignets. Forcée de se courber, Inna peut juste voir les bottes des nouveaux miliciens venus prendre le relais, puis s'aperçoit qu'ils portent des cagoules. C'est du sérieux. Combien sont-ils ? Au moins quinze. Leur chef arrive. C'est lui qui dirige les opérations désormais : le « bavard », le seul dont elles entendront la voix pendant les prochaines heures.

— Maintenant, chiennes, vous allez voir ce que c'est de venir dans notre pays pour foutre le bordel. Nous allons vous trucider.

Les filles sont séparées et n'ont plus le droit de bouger, sinon elles sont frappées. Alexandra est à l'avant. Oksana à l'arrière. Inna au milieu. Toutes les trois sont penchées et ligotées. Une position atroce. Au début, le corps envoie des décharges, puis l'échine durcit. La douleur devient telle que le corps s'engourdit et ne répond plus. Un enfer qui va durer six heures de plus. Les plus longues, les plus noires, passées à se demander si ce sont les dernières. Dans un silence glaçant, seulement brisé par la voix du milicien soufflant le chaud et le froid, l'humain et l'inhumain.

— Pense à ta mère, dit-il en se penchant vers Inna d'une voix sadique. Imagine son visage quand elle vous verra mortes et défigurées.

Régulièrement, il leur parle de la mort qui les attend. « *Il bluffe, se dit-elle, sinon ils ne se donneraient pas tant de mal pour masquer leurs visages.* » À moins qu'ils n'en tuent qu'une ou se « contente » de les violer.

Au petit matin, quelque part entre 9 heures et 11 heures, Inna a cessé de parler, le regard fixe sur ce bout de siège, peut-être la dernière chose qu'elle verra, avant d'y passer. L'introspection qu'on lui impose est la plus violente des tortures. *À quoi pensais-tu Inna ? Pourquoi es-tu allée au suicide ? Comment as-tu pu y traîner cette pauvre Alexandra ? Es-tu un monstre, inconsciente et sans cœur comme ils le disent ?* Plus elle y pense, moins elle regrette. Elle avait raison de venir, d'être là, de défier ces ordures. Leur sadisme devient sa raison d'être : « *Regarde comme ils ont eu peur de nous, trois femmes torse nu. C'est donc que nous sommes puissantes, que nous avons raison. Notre cause est juste. Tant pis si je dois mourir.* » Retranchée à l'intérieur d'elle-même, elle toise ses bourreaux comme des êtres minuscules et primaires. Son geôlier l'amuserait presque avec ses questions impuissantes. Quand tout sera fini, elle se voit le féliciter, d'un air calme et supérieur : « Bien essayé. Bon discours. Vraiment, très pro. » Ivre d'orgueil, elle s'accroche à ce besoin impérieux de dominer, pour ne pas souffrir d'être humiliée.

Le bus s'arrête encore. D'autres miliciens descendent d'une voiture et balancent un sac lourd à leurs pieds. De quoi les tuer et faire disparaître leurs corps ?

— Allez, debout !

Les filles se lèvent douloureusement, lasses, engourdies. On doit les pousser pour qu'elles s'enfoncent dans cette forêt noire, étrangement silencieuse. Sauf Inna, qui marche à la mort sans se faire prier, totalement anesthésiée, morte de l'intérieur, contemplant de très haut sa future tombe. *« 21 ans, c'est un bel âge pour mourir ».* Ses héros n'ont guère vécu plus vieux. Elle pense aux tranchées de la guerre de 1914, à la boucherie de 1945, au front qu'elle aurait pu connaître si elle avait été un homme, et elle s'enfonce. *« Une forêt, en Bioélorussie, c'est un bel endroit pour mourir. »* Leurs derniers souffles s'élèvent dans un ciel vide. L'humus est congelé, leurs vêtements trempés, mais leur épiderme sec comme après la mort.

— Allez, déshabillez-vous ! crie le milicien.

Autour d'elles, vingt hommes masqués sont prêts à bondir. Le « bavard » filme et leur tend des posters avec des croix gammées, qu'il ordonne de brandir.

— Regardez ces poulettes qui voyagent dans le monde entier. Regardez leurs pancartes !

Et s'ils diffusaient cette vidéo sur Internet ? À travers le viseur de la caméra, Inna peut sentir le souffle sadique du commanditaire : le tyran en chef, leur maître à tous, qui va sûrement se branler en regardant ces images.

— Déshabillez-vous bande de salopes ! Complètement !

Cette fois, ça y est. On les force à se mettre en levrette. Le spectacle va commencer. Les hommes masqués se rapprochent de leurs orifices, ouverts à l'air de la forêt et à la meute : vingt queues dures prêtes à les fendre en deux. *« C'était peut-être pour ça les masques... »* pense Inna. Ce n'est plus une guerre de tranchée, mais un combat inégal, entre leurs corps nus et vingt queues prêtes à jaillir. Les loups approchent, la caméra tourne, mais aucun zip ne vient sonner le début des hostilités. Seul un cran d'arrêt est de sortie, braqué sur Inna.

D'un geste violent, le bavard lui saisit les cheveux, qu'il cisaille lentement. Ça tire horriblement. La lame ripe et taillade sa fierté. Elle qui aime tant les cheveux longs se sent laide et croit mourir lorsqu'on lui verse un produit vert poisseux sur le crâne. Le « bavard » sort un Zippo. Le bûcher enfin ?

Oksana et Sasha aimeraient hurler mais leurs voix ne sortent pas, secouées d'horreur. Inna s'étonne de son calme. Une flamme va bientôt la délivrer de cette enveloppe salie, qui s'éteint. Mais le feu ne prend pas. Ce n'était qu'une mise en scène, une de plus. Le produit est un antiseptique, du *zelionka*. Il dégouline dans chacun de ses interstices. Le bavard en verse aussi une goutte sur le crâne d'Alexandra, puis éventre un oreiller et jette les plumes sur leurs corps mouillés.

— Allez, rhabillez-vous !

Surprise de bouger, Inna ramasse sa culotte et l'enfile. Son pantalon trempé glisse mal sur son corps poisseux. Le « bavard » s'approche à nouveau d'Inna avec sa caméra.

— Comment te sens-tu ?

— Ça va.

— Allez-vous revenir en Biolérussie ?

— Retournons d'abord en Ukraine et on avisera.

Elle a dit ça sans réfléchir, s'attend à recevoir un coup, mais le « bavard » coupe la caméra et la pousse dans le bus. À l'intérieur, les filles se croient sorties d'affaire. Mais une autre partie commence.

*

À Kiev, la nouvelle tourne en boucle, comme sur tous les médias russophones et même anglophones : « Trois Femen ont disparu après une action en Biélorussie. » Au Cupidon, on suit les actualités sur un ordinateur. Viktor a les traits tirés, mais fiers. Anna fume cigarette sur cigarette. S'il leur arrive quelque chose, les parents des filles ne le lui pardonneront jamais. Le téléphone sonne toutes les deux minutes.

— *Da. Niet.* On n'a toujours pas de nouvelles. Oui une action contre Loukachenko. Pour demander la libération des prisonniers politiques. Les journalistes ont été arrêtés sur place, pas elles. Elles devaient prendre le train et depuis, leur téléphone ne répond plus…

Mortifiée, Sasha commande les cafés, d'un air sage et doux qui masque ses pensées. Sa culpabilité est ailleurs : avoir laissé sa place. C'est la règle : deux expérimentées et une novice. Mais elle aurait pu insister.

— Vous n'auriez pas dû les laisser partir ! crie Sergueï, au bord de l'attaque, les yeux rouges, hors de lui.

Personne ne comprend l'état nerveux de cet avocat.

— Ne dis pas ça…, dit Sasha calmement.

— Je dis ce que je veux…. Et maintenant, vous faites quoi ! Je peux prendre une voiture et aller les chercher. Je peux le faire ! Je vais le faire !

— Aller où ? Chercher où ? rétorque Viktor d'une voix agacée. Il déteste qu'un autre homme se mêle de Femen.

Sergueï doit se contenir s'il ne veut pas briser le pacte qui le lie à Inna. Ne jamais parler de leur relation au groupe. Ça n'a jamais été si dur, quand tout le monde rentre chez soi et qu'il reste seul avec sa brûlure. Lui qui n'est rien. Ni un militant, ni un petit ami officiel, juste l'homme qui va passer une nuit blanche, avec l'envie folle de franchir la frontière pour aller mourir à ses côtés.

*

Après quelques heures à rouler parmi les bouleaux et la neige, dans un silence de mort, le bus stationne au milieu de nulle part.

— Descendez ! Vous voyez cette forêt. Au fond, quelque part, il y a votre Ukraine. Allez, courez !

À cette phrase, Oksana éclate en sanglots, secouée par le trop-plein de peur. Le spectacle enrage Inna.

— Pourquoi tu leur donnes ce plaisir ! Arrête !

Sous leurs pieds, une forêt hostile s'offre à perte de vue. Serait-ce un nouveau jeu pour les faire mourir d'épuisement ? Envoyer leurs cadavres à leur famille en niant tout assassinat… ? Inna pense à ses parents. Cette forêt n'a rien de celle de son enfance, où elle allait jouer avec son père. C'est la plus laide et la plus effrayante des tombes. Les arbres bouchent le ciel, qui noircit. Deux mètres de neige se tassent sous les chaussures, jusqu'à mouiller le haut des cuisses. Chaque pas est un arrachement. Parfois, le verglas se fissure sous leur poids et elles tombent dans une eau glacée. Il faut tirer Alexandra à bout de bras, tomber et se relever.

— Allez, allez ! Il faut avancer. Il va faire nuit. Il y a sûrement des loups...

Deux heures plus tard, plus rien ne se détache sur l'étendue blanche, sauf une silhouette métallique.

— Une voiture ! Une voiture ! crie Oksana.

Elles hésitent. Peut-être des miliciens. Tant pis. Mieux vaut retomber entre leurs mains que mourir dans cette neige. Puisant dans leurs dernières forces, elles courent vers la voiture, qui s'éloigne. Cette fois, l'espoir les quitte pour de bon. Elles étaient si près.

— Allez, on avance ! crie Inna.

Mieux vaut mourir en marchant. Elles suivent les traces laissées par les pneus de la voiture. Jusqu'à ce bruit, ce bruit de vie qui va tant marquer la sienne... Une tronçonneuse !

— Vous entendez ! Des bûcherons !

Des hommes carrés, avec des mains larges comme des pattes d'ours, voient venir vers eux trois furies, dont l'une a les cheveux verts et un regard de folle. Elles crient dans un russe qu'ils ne comprennent pas. Des étrangères. Des ennuis. Ils se scrutent, interloqués, et s'éloignent. Les filles les suivent jusqu'au village. Un trou sans âme, un alignement de petits bâtiments informes en ciment, défoncés par la neige et l'abandon. Tout juste indiqué par un panneau.

*

Quand elles arrivent, elles ne voient qu'une première maison, avec une petite fenêtre, donnant sur une très vieille femme allongée sur son lit.

— On dirait qu'elle est morte…, dit Inna, tout en frappant au carreau.

La momie vient à elles, mais ouvre des yeux d'effroi. Elle ne comprend rien. Ça ne sert à rien.

— Essayons plus loin.

Les filles aperçoivent un espace entre les bâtiments. Les bûcherons sont là, goguenards. Soixante âmes vivent ici, loin de tout. La vue d'un autre humain, surtout de jeunes femmes si étrangement vêtues, les fait rire bêtement.

— Mais qu'est-ce que c'est ? Qui êtes-vous ?

— Des étudiantes. Nous sommes venues de Kiev mais nous avons été agressées. Quelqu'un a pris nos papiers et nous a jetées ici après. Nous sommes perdues. Nous voulons rentrer chez nous. Vous avez une voiture ? Vous pouvez nous amener à la frontière ?

Les bûcherons haussent les épaules.

— Pas de voiture ici. On a un tracteur, mais il n'y a que deux places. Et l'Ukraine, c'est loin !

— Et un téléphone, vous auriez un téléphone, s'il vous plaît ?

Un homme âgé sort un engin qu'il est l'un des rares à posséder.

— Merci !

Inna lui arrache des mains, pour appeler sa mère.

— Allô, mamochka, c'est moi.

— Inna… Tu es en vie… dit-elle, d'une voix blanche.

— Tout va bien, on va bien. Ne t'inquiète pas. J'avais juste perdu mon téléphone. On rentre bientôt. Je te rappelle.

À peine a-t-elle raccroché qu'elle s'effondre, prise d'un torrent de larmes, une vraie crise d'hystérie qu'elle tente de dominer pour passer son second coup de fil, le visage trempé, cette fois à Anna et d'un ton furieux.

— Allô !

— Inna ? Où êtes-vous ?

— Dans un village. Ils nous ont torturées ! Préviens l'ambassade. Qu'ils viennent nous chercher !

Elle n'a pas crié, elle a hurlé. Comme si elle en voulait à Anna de n'avoir jamais songé, à aucun moment, à ce qu'il faudrait faire si ça tournait mal. Le mouvement n'y a tout simplement pas pensé.

— L'ambassadeur va venir mais pas tout de suite, bredouille Anna...

— Quand ?!

— Dans trois heures, il vient de Minsk.

— Qu'il se grouille, il fait nuit, on ne sait même pas où on va dormir !

Plus de forfait. Inna vient de vider la carte du Biélorusse. Un autre rit en dévoilant des dents précocement gâtées. Le cercle des hommes se resserre autour d'elles, d'un air avide, inquiétant... Le vieil homme s'interpose.

— Venez avec moi à l'intérieur. Je vous ferai du thé.

Un piège ? Les filles n'ont qu'une seconde pour décider. Inna tranche d'instinct.

— On peut lui faire confiance. Il a l'air gentil.

Le cercle s'éloigne à regret. Le vieil homme, qui vit seul depuis des siècles, leur ouvre la porte de sa masure. Une chambre et un salon, où l'on se chauffe avec un vieux poêle en fonte.

— Je vais vous chercher des vêtements chauds.

Quand il revient de la chambre, il se met à cuisiner des pâtes aux oignons que les filles dévorent en poussant des cris de joie. Le vieil homme rit.

271

— Tenez, buvez un peu de vodka avec, ça vous réchauffera.

Alexandra approche son verre. Oksana hésite. Inna les coupe dans leur élan.

— Non merci, on ne boit pas.

— Mais Inna, j'en ai besoin, dit Alexandra d'un air suppliant.

— J'ai dit non. Personne ne boit.

— Je te jure que je garderai mes esprits. Tu ne verras pas la différence.

Inna lance un regard noir, pour une fois sans effet.

— Et toi ? dit-elle à Oksana. Pourquoi as-tu pleuré en face des miliciens ?

— Je croyais que c'était terminé, s'excuse presque Oksana.

— Mais enfin, rien n'est terminé.

Oksana fixe Inna en silence, comme souvent lorsqu'elle se prend pour la cheffe. C'est terriblement énervant, parfois effrayant, mais ce soir, elle lui envie presque sa dureté.

*

Les filles sont serrées dans le grand lit de la chambre lorsque Oksana sent une main lui attraper le corps. Un jeune bûcheron, ivre, a surgi dans la pièce.

— Je vais vous baiser !

Ses mains se baladent sur le lit. Inna hurle, terrorisée. Oksana tente de s'interposer quand le vieil homme intervient. Les filles peuvent les entendre s'expliquer à l'extérieur. Elles comprennent qu'ils sont aussi soûls l'un que l'autre. Le jeune alcoolique a plus de ressources. À bout de forces, le vieil homme le laisse de nouveau entrer. Les filles sentent son pénis dur se frotter sur les draps, quand un coup résonne sur le carreau de la fenêtre.

— Sors !

C'est la mère du jeune obsédé. Elle se tourne vers le vieil homme en criant.

— Tu dois les mettre dehors, dit-elle en montrant les filles du doigt. Le KGB va arriver et ils vont t'arrêter pour les avoir hébergées. Nous ne sommes pas des gens protégés ! Ils vont tous nous faire disparaître !

Oksana marche déjà vers la forêt. Inna lui court après.

— Où tu vas, tu es folle ?

— On doit partir.

— Pour aller où ?

— Ailleurs. Je m'en fiche. Loin. Reste si tu veux. Moi je vais aller me cacher dans la forêt.

— Mais il fait nuit, il y a sûrement des loups et on a dit à Anna qu'on attendait ici. Ils vont venir nous chercher ! Alors on ne bouge pas. On attend ici, même s'ils doivent nous tuer !

Sur la place, l'obsédé se met à hurler : « Police ! Police ! »

Un camion officiel arrive. Des hommes en descendent, figeant la neige et les villageois. Le plus gradé se dirige vers Inna :

— Venez avec nous.

Les filles hésitent, mais Inna lui donne le feu vert.

— Cette fois, c'est bon, c'est la police officielle.

*

Le camion s'arrête dans une petite ville en béton, très laide, où la vie s'organise autour d'un Centre médical, le plus important de cette région abandonnée, quelque part entre Kiev et Minsk.

— Sortez.

À la descente, des flashes crépitent. Les photographes de l'AFP et Reuters ont réussi à rejoindre le centre avant l'ambassadeur. Inna n'a jamais été aussi heureuse de les voir. La notoriété de Femen les a sauvées. Les policiers les escortent comme des prisonnières et montent les marches du dispensaire. La visite médicale est obligatoire, une convention entre l'Ukraine et la Biélorussie, avant d'échanger des prisonniers.

— Vous n'auriez pas des cachets contre le stress, des anxiolytiques ? demande Inna.

Le médecin sourit.

— On n'a pas ça ici.

Les filles demandent à porter plainte. Les policiers s'en amusent et font semblant de prendre leur déposition, lorsque l'ambassadeur ukrainien apparaît.

— Inna. Que veux-tu que je fasse ?

— Mais faites votre travail. Ramenez-nous. Nous sommes des citoyennes ukrainiennes.

— Alors on y va. Je vous emmène.

— Mais on n'a pas fini de remplir nos déclarations…

L'ambassadeur se penche vers elle pour la regarder au fond des yeux.

— Tu veux quoi ? Que je vous laisse avec eux ? Qu'on vous rende aux autorités biélorusses ?

Cette fois, Inna comprend qu'il faut y aller. Au bas des marches, les journalistes attendent une déclaration. Inna se passe la main dans les cheveux pour montrer ses mèches vertes cisaillées. L'ambassadeur s'impatiente. Quand sa voiture démarre, elles se prennent les mains d'un air de victoire : « Cette fois ça y est. On va rentrer. »

— Du calme, les glace l'ambassadeur. Il faut encore passer la frontière. À tout moment, ils peuvent changer d'avis.

Chacun fixe la route tournoyant parmi les bouleaux et les flocons qui s'abattent dans un silence glacé. Deux heures plus tard, le poste frontière est enfin passé. Anna doit insister pour que la voiture les dépose d'abord chez Viktor, où le groupe les attend. Inna voulait rentrer directement chez elle.

*

Elle dort à poings fermés dans son appartement quand on cogne à la porte. Ce ne sont pas les miliciens, mais Olga, l'amie traductrice, qui apparaît.

— Inna, réveille-toi, ils ont avancé la conférence de presse à 14 heures !

Encore groggy, Inna file rejoindre les filles pour répondre aux questions, devant une forêt de caméras. Sa mère appelle, affolée.

— Ma chérie, c'est terrible !

Inna a tellement peur qu'elle rechute, qu'elle reparte à l'hôpital comme c'est déjà arrivé, qu'elle se met à mentir pour la rassurer.

— Mais non, maman, ne t'en fais pas… On en rajoute pour les journalistes ! Ils nous ont juste expulsées.

Aujourd'hui encore, c'est la version que croient ses parents. Le téléphone sonne. C'est Sergueï.

— Pourquoi ne m'as-tu pas appelé plus tôt ! Tu imagines dans quel état j'étais ?

— Hey, c'est moi qui ai été kidnappée... Et puis avec la presse, je n'ai pas eu le temps... Tu fais quoi pour Noël ?

— Je ne sais pas, j'étais censé être avec ma famille, pourquoi ?

— Tu ne veux pas rencontrer mes parents ?

En raccrochant, Sergueï ne sait plus quoi penser. Est-ce une façon de lui dire qu'elle souhaite l'épouser, qu'elle a finalement compris qu'elle l'aimait, là-bas face à la mort ? Il aimerait tellement y croire, mais pourquoi, pourquoi ne l'a-t-elle pas appelé sitôt libre ? Que signifie ce ton, si froid, si détaché ?

Tout simplement que Inna n'a rien trouvé de mieux pour occuper l'esprit de ses parents le soir de Noël, qui tombe quelques jours après l'enlèvement. Elle a décidé de leur amener un jouet et de leur servir un conte de fées : « Oui Inna est normale. Elle a un petit ami et va peut-être se marier... » Tant pis si rien n'est vrai.

*

Les fêtes se déroulent comme ses parents en rêvaient. Inna a mis des extensions à ses cheveux et joue à la jeune fille enjouée, aimable et superficielle, bonne à marier, toute la soirée. Quand Sergueï l'accompagne à sa chambre pour passer la nuit avec elle, il trouve un corps froid, qui le repousse sans appel.

— Je ne peux pas. Laisse-moi.

*

Comment pourrait-on deviner son secret en la voyant défier les patriarches du monde entier, d'un air félin et sensuel, prête à tous les corps à corps ? De toutes les Femen, Inna est la plus spectaculaire en action. À cause de cet air bravache terriblement sensuel.

Il faut la voir soulever son T-shirt pour tendre ses seins à la barbe d'un policier italien, planter ses yeux dans ceux d'un CRS, narguer les garçons tenant les murs de la Goutte d'Or, cheveux au vent, indomptable. C'est l'une des plus belles photos que je connaisse d'elle. Une séance urbaine, improvisée, pour célébrer la journée où la ministre des Droits des femmes, Najat Vallaud Belkacem, a aboli un vieux décret, désuet, interdisant aux femmes de porter le pantalon. Inna et les filles marchent dans les rues de Paris, devant le Moulin-Rouge ou près du Lavoir, les mains dans un jean ample, seins à l'air, comme si le règne du torse nu venait fatalement après celui du pantalon. Inna y est d'une beauté sauvage stupéfiante.

Qui pourrait savoir en la voyant si libre ? Certainement pas ce garçon, bonnet vissé sur la tête, qui la regarde passer d'un air sidéré. Comment pourrait-il deviner que la plus provocante des Femen est aussi la plus timide, la plus pudique ? Celle qui s'est battue jusqu'au bout pour que Femen, jamais, ne passe aux opérations seins nus.

Oksana et Viktor étaient pour. Anna aussi. Sasha hésitait pour elle, mais défendait farouchement la force de ce mode d'action. Inna était furieusement contre.

— Non, jamais. Il n'en est pas question !

— Pourquoi ?

— Parce que ! C'est sexiste !

Tous les soirs, en rentrant chez elle, le camarade Shevchenko se creuse la tête pour trouver des arguments contre le topless, ceux qu'elle passe maintenant sa vie à réfuter : « On ne combat pas le sexisme avec les armes du sexisme. On sera critiquées. On aura l'air de filles superficielles, qui n'attirent les regards que par leurs corps. On nous regardera mais on ne nous écoutera plus. Ce n'est pas bien, c'est tout ! »

Le débat a duré près de six mois. Âpre, féroce, hystérique, surtout entre Inna et Viktor. Au point qu'on envisage de scinder le mouvement en deux. Une branche fera des actions seins nus, et l'autre, dirigée par Inna, continuera les performances habillées. Mais ses camarades trouvent chaque jour plus d'arguments en faveur du « topless » :

— On aura plus de presse, on pourra enfin faire passer notre message, nos slogans...

— Mais vous vous entendez parler, des fois, c'est tellement stupide... C'est pornographique, c'est utiliser le corps des femmes, c'est tout ce qu'on dénonce ! crie Inna.

— Inna, enfin, qu'est-ce que tu as à la fin ! C'est quoi ton problème ?

Quand elle perd la main, Inna peut quitter la table du bar dans un mouvement violent, au bord des larmes. Ses camarades commencent à comprendre. Sa résistance n'a rien de politique. C'est une terreur intime.

*

Inna Shevchenko sort de la douche couverte et ne va jamais seins nus à la plage. Depuis l'enfance, son corps sexué lui fait l'effet d'une injustice. La clinique avait diagnostiqué un garçon. Jusqu'à ses dix ans, elle grimpe aux arbres et court dans les ruines des chantiers, le corps imberbe, libre comme eux. Jusqu'au rappel à l'ordre. Deux arrondis pointus qui se mettent à pousser. Son père commence à parler d'elle comme de sa « fille » et non plus son meilleur ami, « l'enfant de Dieu », l'ange sans sexe. Celui qui peut tout se permettre et que ses oncles emmènent à la chasse. Plus ses seins poussent, plus Inna veut les cacher. Avant d'aller dormir, elle met toujours deux T-shirts, l'un sur l'autre, comme un kamikaze. Elle en pleure quand sa mère et sa sœur s'en moquent.

— Inna, pourquoi mets-tu deux T-shirts avant d'aller te coucher. C'est ridicule.

En grandissant, l'extrême pudeur tourne à la défiance envers certaines parties de son corps, qu'elle arbore aujourd'hui comme des armes. Une peur intérieure qu'elle surmonte un 24 août 2010, jour de l'indépendance de l'Ukraine. Ce jour-là, elle s'élance pour la première fois seins nus, à l'arrière d'une moto, défiant les barrages de police. Une libération. Son indépendance à elle.

Ses émotions, ses sensations, ses véritables orgasmes, Inna les vit désormais en action. Après tout, les Amazones non plus n'avaient pas d'autres amants que la guerre.

CHAPITRE 8

Le djihad seins nus

Inna et moi nous sommes disputées. Comme deux âmes trop fières pour baisser la garde. Les coups de griffes ont éprouvé nos sentiments mais pas notre désir. J'aimerais fuir, mais Inna a trouvé un moyen de m'obliger à rester dans sa vie. Ce livre, qu'elle a voulu avec moi, m'engage pour des mois. De longs après-midi passés à l'interviewer sur son ressenti, son passé, son rapport au corps, truffé d'allusions à notre échec amoureux, régulièrement interrompue par l'envie de croire que cette histoire est trop forte pour être terminée. Parfois, Inna me bondit dessus : « Carolina ! » D'autres, j'en profite pour interroger ses sentiments, et gagne la confession que j'espérais : « Bien sûr que je t'aime. » Un serment gravé sur magnétophone. Au fond, ce prétexte nous arrange. On en joue. Feindre d'être obligées de se voir, quand ne plus se voir nous paraît impossible. Ne serait-ce que politiquement, il nous reste tant de batailles à mener.

*

— Depuis que je suis à Paris, je ne pense qu'à une action en Tunisie, me dit Inna dès nos premiers dîners.

281

— Moi aussi, je ne pense qu'à la Tunisie depuis des mois. La plupart des journalistes écrivent que les Frères musulmans sont un mal nécessaire, que l'hiver est là pour longtemps, mais je suis sûre du contraire. La révolution peut redémarrer… La Tunisie est un petit pays, avec une vraie classe moyenne, éduquée, ils ne laisseront pas faire. On peut renverser la vapeur. Si seulement les Américains arrêtaient d'aider les islamistes et si le Qatar arrêtait de les financer…

— Femen n'a besoin ni de pétrole ni d'argent pour frapper…

— C'est exactement ce à quoi je pensais, dis-je en souriant.

Je vois les mines outrées que nous allons susciter : « Un pays musulman, mais vous êtes folles ! Ils ne comprendront jamais ! » Ce n'est pas mon analyse. Une provocation peut servir à médiatiser la répression en cours. Ces artistes, ces blogueurs et ces journalistes persécutés par le nouveau pouvoir dont on ne parle presque jamais. J'aimerais l'écrire, mais je n'ai plus l'espace. Au *Monde*, j'ai perdu ma chronique. Des confrères plus sensibles à la propagande d'Ennahda exigeaient ma tête depuis des mois. On a fini par la leur donner. La Tunisie n'en reste pas moins dans mes pensées.

Je sais bien qu'une action seins nus choquera. Elle aura néanmoins l'immense avantage de transformer les démocrates laïques en T-shirts modérés… comparés aux Femen ! C'est mon plan. Décaler le jeu politique tunisien vers la gauche. Que les démocrates laïques occupent enfin le « juste milieu » à la place des Frères musulmans. Pour l'instant, comme toujours, les Frères gagnent sur tous les tableaux. D'un côté, ils encouragent les salafistes (avec qui ils militent) à terroriser les laïques.

De l'autre, ils se présentent comme un rempart à l'extrémisme, le point d'équilibre idéal entre les salafistes et les laïques. Effet d'optique. En dix ans passés à travailler sur ce mouvement, ma conviction ne cesse de se renforcer : les Frères représentent la plus redoutable des internationales, bien plus dangereuse qu'une poignée d'excités salafistes. En bonne étudiante des œuvres complètes de Tariq Ramadan, que j'ai lu pour le décrypter, je connais par cœur leurs tours de passe-passe. Reste à les déjouer. Avec les seuls moyens dont nous disposons. Ni mosquées, ni argent, ni Al Jazira, mais une arme qu'ils ont rendue puissante à force d'en être obsédés : le corps des femmes.

Encore faut-il trouver des Tunisiennes assez courageuses pour y croire et se lever, car cela ne peut venir que d'elles... Il y a bien un groupe Femen Tunisie. Une page Facebook tenue par des étudiantes, vaguement anarchistes. Elles ont porté des T-shirts Femen et des couronnes de fleurs ukrainiennes pendant la grande manifestation du 13 août 2012, celle où les Tunisiennes et les Tunisiens sont descendus en masse pour défendre la notion d'égalité hommes-femmes face au concept de « complémentarité » que voulaient introduire les islamistes dans la Constitution. Terrorisées à l'idée d'actions « seins nus » ou même de critiquer la religion, elles vont s'évanouir dans la nature lorsque la ministre des Droits des femmes tunisiennes, Sihem Badi, se met à menacer d'interdire l'organisation Femen sur le sol tunisien, en la déclarant « contraire à la religion et aux traditions ». Elle n'est même pas islamiste mais membre du Congrès pour la République, le parti du président Marzouki, un ancien défenseur des Droits de l'homme et de la liberté d'association... Quand il était dans l'opposition. C'était bien la peine de faire la révolution.

Mais qui fera taire cette jeunesse qui a goûté à la liberté ? Une jeune Tunisienne de 18 ans s'apprête à se lever. Amina. Elle aime les films de Nadia, admire des femmes comme Aliaa el Mahdy et se dit prête à devenir Femen. C'est elle qui contacte le mouvement sur Facebook, en anglais, qu'elle parle mieux que le français. Après quelques échanges avec une militante allemande, puis Sasha, Inna prend le relais sur skype. Elle cherche à la sonder. Ses premières impressions ne sont pas bonnes. Amina ne s'exprime pas toujours bien. Son débit est irrégulier, son environnement instable, son humeur changeante. À 18 ans, elle erre de squat en squat, fâchée avec sa famille, très conservatrice, sauf avec son père qu'elle dit « féministe ». Ses amis ont l'air de gros buveurs en perdition. Avant de lancer une opération aussi osée, Inna veut s'assurer que Amina n'est ni une taupe, ni une flic, ni folle, et surtout qu'elle sait où elle met les pieds.

— Tu te rends compte de ce que ça veut dire dans un pays musulman... Tu as vu ce qui est arrivé à Aliaa ?

— Je sais, je sais, mais je suis prête. C'est la merde ici. Rien ne bouge. Il faut agir.

— Tu peux faire une photo et nous l'envoyer ?

— Vous allez la publier ?

— Pas sans ton accord. C'est juste pour voir ce que ça donne. Après on discutera.

Quelques jours plus tard, la photo arrive. Deux en réalité. Une première, prise dans la douche s'inspire de celle d'Aliaa el Mahdy, avec écrit « Fuck your morals » sur le torse. Sur une autre, plus stylisée, réalisée avec un ami photographe, Amina fume une cigarette (très mal vu pour une femme dans le monde arabe), porte un rouge à lèvres vif rappelant la couleur des ballerines d'Aliaa. Son buste arbore un slogan en arabe : « Mon corps m'appartient. Il n'est l'honneur de personne. » Les filles sont impressionnées. Retour sur skype.

— Très fort, dit Inna, excitée. Tu es d'accord pour qu'on la publie ?

— C'est déjà fait, dit Amina d'un air détaché. Je l'ai mise sur mon profil Facebook en même temps que je te l'ai envoyée...

— Ah... OK.... Et alors ? Des réactions ?

— Pour l'instant, ça va.

Inna est prise de court. C'est la première fois qu'une fille prend les devants avec elle. Et maintenant ? Il ne va peut-être rien se passer... Mais au deuxième jour, la foudre tombe. Un imam salafiste se met dans tous ses états. Il exige qu'on lapide Amina. D'autres fanatiques hackent la page de Femen Tunisie et couvrent la toile de menaces : « Grâce à Dieu nous avons piraté cette page immorale et si Dieu le veut, ces saletés vont disparaître de Tunisie. » Certains hommes sont décidément prévisibles...

Grâce à eux, Amina devient un prénom qui circule sur les réseaux sociaux, et même un visage qui parle à la télévision tunisienne, où elle ne s'en sort pas si mal. Jeune, visiblement sans formation idéologique mais tenace et gonflée. Surtout quand l'animateur, très agressif, se moque de sa photo en lui disant qu'elle a l'air d'un garçon avec ses cheveux relevés.

— Et alors. J'aime comme ça.

Les menaces redoublent. Amina perd des amis. Sa famille panique et menace de l'enfermer. Elle appelle Inna au secours.

— Envoie-moi de l'argent. Pour louer une maison où me cacher.

Inna est totalement décontenancée par cette demande. Contrairement aux fantasmes qui circulent sur Internet et que Amina semble croire, Femen ne roule pas sur l'or. Le peu d'argent qu'elles reçoivent sert à payer des billets pour les actions, de la nourriture, mais pas les activistes ! Que cherche Amina ? Et si c'était un piège ? Au fond, que sait-on d'elle ?

*

— Tu penses quoi d'Amina ? me demande Inna, alors que nous travaillons chez moi sur ce livre.

— C'est fort. C'est ce dont on rêvait... Non ?

— Je sais, mais elle demande sans arrêt de l'argent. Elle me dit que son père la soutient puis que ses parents vont l'enlever...

— Quand lui as-tu parlé la dernière fois ?

— Hier. Depuis, elle ne répond plus au téléphone.

Je me lève d'un bond pour appeler un ami journaliste à Tunis.

— Tu as entendu parler d'Amina ?

— Oui, celle qu'on voit sur la vidéo se faire enlever...

— Quelle vidéo ?

— Tu n'as pas vu ?

— Non.

— Ça vient d'être posté sur Internet ce matin. Je t'envoie le lien.

Dix minutes plus tard, Inna et moi attendons nerveusement que les images se chargent sur mon ordinateur. On y voit Amina sortant d'un café, poussée dans le dos par un homme, qui lui tord le bras pour la forcer à entrer dans une voiture, garée à contresens sur l'avenue Bourguiba. À deux pas du ministère de l'Intérieur. À en croire l'attroupement, Amina a dû crier et se débattre. Mais personne ne se porte à son secours. Tout le monde semble trouver normal qu'une jeune femme majeure se fasse enlever en plein jour... Pas nous.

Pendant que Inna part monter une opération à la Femen, pour lancer l'alerte, je commence une enquête à distance. Il faut secouer la toile, crier au kidnapping, obtenir des témoignages. De bonnes âmes nous inondent d'injures et d'informations contradictoires.

— Bandes de néo-colonialistes. Kidnapping ! N'importe quoi ! Pas du tout. Cette gamine est folle. Sa famille a des problèmes avec elle depuis des années. Ils l'ont emmenée à la Manouba pour la soigner, c'est tout. Je le sais, je suis sa voisine.

C'est fou le nombre de Tunisiens qui se présentent soudain comme le voisin ou la voisine d'Amina pour nous dissuader de la retrouver. Jusqu'à Paris, où le fait de parler d'Amina au téléphone déclenche la fureur du chauffeur de taxi qui me conduit.

— Vous la connaissez, vous, Amina ? me dit-il, agacé.

— Pourquoi vous la connaissez ?

— C'est ma voisine. Elle n'a pas du tout été enlevée. Sa famille, ce sont des gens très bien, qui la protègent. Occupez-vous de vos affaires. Laissez tomber, je vous dis. C'est à cause de gens comme vous que la Tunisie va couler.

L'homme, très agressif, n'est évidemment pas son voisin. Il débite des arguments lus sur des sites islamistes tunisiens. Une tante d'Amina s'est mis en tête de sauver l'honneur de la famille en publiant des vidéos délirantes, où elle implore de ne pas en vouloir à sa pauvre nièce, folle, et nous accuse de la manipuler. On ne sait plus quoi penser. Sur la photo à la cigarette, Amina porte un bandage au poignet. Et si elle était suicidaire ?

Nadia remue tout Tunis pour savoir où elle est et si elle a effectivement été enfermée. Une psychiatre nous rassure : Amina n'est pas folle, simplement abîmée par une agression subie à l'adolescence. Autodestructrice peut-être, mais pas folle. Contrairement à ce qu'on nous dit sur Internet, elle n'est pas non plus enfermée dans un asile. Nédra Ben Smaïl, une amie psychanalyste, épluche les entrées et sorties des hôpitaux. Aucune trace. Mais alors, où est Amina ?

Fiammetta, la plus douée des détectives, nous permet de remonter sa piste grâce à une autre amie tunisienne, qui connaît le photographe ayant pris la photo d'Amina : Zyed. Il nous confirme que Amina savait exactement ce qu'elle faisait en publiant cette photo. Sa famille l'a enlevée et l'a transportée à Kairouan, à 160 kilomètres de Tunis, chez une tante très traditionnelle, qui vit au cœur d'un fief salafiste.

La famille d'Amina est à l'image de la Tunisie. Déchirée entre une branche plutôt moderne et une branche conservatrice. Quelques cousins militent à la Ligue de la protection de la Révolution : la milice des intégristes. Il faut absolument retrouver Amina, avant que l'un d'eux décide de la tuer.

*

Ne pas l'abandonner à ses geôliers passe par maintenir la pression médiatique. Femen s'y connaît et a lancé un appel : « Envoyez vos photos pour soutenir Amina. »

L'élan est bluffant. Il en tombe de partout, surtout d'Amérique latine, mais aussi d'Iran et de pays arabes. Des femmes posent torse nu après avoir écrit « Free Amina » sur leur torse, parfois en soulevant leur burqa. C'est tellement fort. Même des hommes s'y mettent. L'infographie de Femen est absolument géniale. Mais ne suffit pas. À nous d'assurer les arrières.

Je préviens François Zimeray, l'ambassadeur des Droits de l'homme. Son équipe passe le message à l'ambassade de France de Tunis, qui tente d'en savoir plus. Nous connaissons désormais le vrai nom d'Amina, Sboui et non « Tyler » (son pseudo). Nous faisons tout pour éviter qu'il ne filtre dans les médias tant qu'elle est retenue à Kairouan. Par peur qu'un groupe de salafistes s'en prenne à sa famille. Il faut la localiser avant eux.

Un journaliste de Canal +, qui travaille pour l'Effet Papillon, part pour Tunis enquêter. Nous le mettrons en contact avec l'ami photographe d'Amina. La mobilisation prend de l'ampleur lorsqu'une avocate, qui dit représenter Amina, relaie la version de sa famille. À l'en croire, sa cliente va bien, elle est entourée de ses proches et retourne bientôt à l'école. Un vrai coup de poignard, qui manque arrêter la campagne de soutien. D'autant que cette avocate est féministe, insoupçonnable d'être du côté des islamistes... Pour la connaître, nous savons qu'elle nourrit surtout de vraies ambitions politiques. La plupart des partis d'opposition sont terrorisés par l'affaire Amina et refusent de la soutenir. L'avocate voudrait que cette affaire ne fasse pas trop de bruit et souhaite la régler à sa manière. Nadia propose de l'interpeller publiquement.

— Nous arrêterons la campagne lorsque nous aurons vu Amina et pu lui parler.

Je signe un article qui met les pendules à l'heure dans le *Huffington Post*. La campagne repart. L'enquête de terrain avance. Sous pression, l'avocate accepte d'appeler la mère d'Amina devant le journaliste de Canal +, qui peut lui parler rapidement.

— Allô Amina ?

— Oui.

— Je suis journaliste à Canal +… Tu es seule ?

— Non, ma mère est à côté.

Amina continue la conversation en anglais, que sa mère ne parle pas.

— Tu es libre de tes mouvements ?

— Pas du tout.

— Tu regrettes ta photo ?

— Pas du tout.

La mère a raccroché. Mais nous voilà rassurées. Amina est en vie, tient bon et ne regrette rien. Reste à la sortir de là au plus vite.

Le journaliste de Canal + a trouvé sa voix pâteuse, comme sous médicaments. Une impression confirmée par une consœur en qui nous avons confiance, Martine Gozlan de *Marianne*. Nadia et Fiammetta lui ont permis de dégotter le numéro de la mère d'Amina. Déterminée comme toujours, Martine a sauté dans un taxi en direction de Kairouan et l'a appelée au culot : « Madame, je suis sur place. Je comprends votre réticence, je suis une mère moi aussi… Je veux simplement rencontrer Amina pour dire au monde qu'elle va bien et que la campagne peut s'arrêter. » Bien joué. La mère d'Amina accepte de la guider par téléphone jusqu'à une petite maison, au cœur de la Tunisie salafiste, où l'attendent les regards noirs d'une armée de cousins. Sitôt ressortie, elle nous appelle.

— J'ai pu la voir…

— Comment va-t-elle ?

— Elle est extraordinaire cette fille ! Elle va bien mais elle est sous cachets, en pyjama. Ils la gardent dans une pièce et la laissent à peine sortir. L'un de ses cousins l'a frappée et a cassé la puce de son téléphone. Mais elle est d'une détermination incroyable… Je vais écrire un papier pour tout raconter !

*

La campagne continue mais Femen perd patience. Je crains que Inna, plus sombre et déprimée que jamais, ne se lance dans une opération kamikaze. Entre la fatigue, le stress et cette idée fixe qu'elle va mourir, rien ne plaide pour une action réfléchie. Par chance, les Ukrainiennes ont besoin d'un visa spécial pour se rendre en Tunisie (toujours à cause du soupçon de prostitution), sauf si elles passent par un tour-opérateur et un voyage organisé, dont Inna n'a pas les moyens… Mais je reste sur mes gardes. Jamais je n'ai eu à mener une campagne avec une alliée aussi difficile. Je passe mon temps à me démener pour trouver des informations capitales sur Amina, que je partage aussitôt avec elle, mais elle me cache ses plans et même met du temps à relayer… Je m'agace.

— Bon sang ! essaye de suivre le rythme ! Et réponds-moi quand j'essaie de te joindre !

— Caroline, arrête d'être hystérique, je suis occupée…

Mais à quoi peut-elle passer ses journées si ce n'est à se coordonner avec nous pour mener une opération de sauvetage ? Elle ne pense qu'à la contre-attaque. À skyper du matin jusqu'à tard dans la nuit, selon les fuseaux horaires, avec des filles du monde entier, qui veulent devenir Femen et mener des actions. Sur Facebook, la guerre est déclarée. Femen annonce un « Topless Jihad » pour bientôt. Je repense à la tronçonneuse dorée, à nos discussions sur ce que l'on peut se couper ou non sur Paris et j'en perds le sommeil… Inna se gardera de me prévenir si elle décide de passer à une action type « castrons la Croix » version Croissant au cœur de Paris ! Pays laïque et ancien colonisateur de la Tunisie, ce qui change tout ! Il me faut en avoir le cœur net. Je l'appelle.

— Pourquoi « Topless Jihad » ? Quel est le rapport entre ce qui arrive à Amina et l'Islam ? Elle a été enfermée parce que sa famillle psychiatrise sa révolte.

— Non, parce qu'ils ont peur des islamistes, qui menacent de la lapider. D'où la réponse. C'est quoi ce qui te fait peur ? Critiquer l'Islam ?

— Arrête ! Je me fais traiter d'islamophobe à longueur de journée depuis dix ans. Je n'ai jamais eu peur de ça ! Je cherche à comprendre ce que vous voulez dire. Le message, pour moi, dans cette affaire, doit s'adresser aux autorités tunisiennes, qui laissent une fille majeure être séquestrée, pas à l'Islam… Une autre fois peut-être, mais pas là.

— Caroline, à quoi ça sert de continuer à discuter, on n'est pas d'accord. Tu confonds notre message avec l'un de tes articles. On n'est pas là pour se poser tant de questions. On doit frapper fort pour attirer l'attention sur Amina, sinon le monde l'oubliera et ils feront ce qu'ils veulent d'elle. Si on touche à l'Islam, ils ne l'oublieront pas. Et c'est bien à cause de la religion qu'elle est enfermée.

— Non, à cause du patriarcat...

— Allez, ça suffit.

Inna n'a pas entièrement tort. Une provocation doit frapper les esprits, et la religion n'est pas étrangère à la tempête qui se lève contre Amina. Mais je ne lui fais aucune confiance pour viser juste. Son ton de grande prêtresse me tape sur le système, autant que mes circonvolutions l'insupportent. Elle se ferme, mais je n'ai pas l'intention d'en rester là...

Au cœur de la tempête, nous devons nous retrouver pour une nouvelle projection de *Nos seins nos armes* au festival international des films de femmes de Créteil, en présence d'une dizaine de militantes Femen. J'essaie de la faire parler. Inna esquive. La soirée se passe entre piques et jeux de séduction habituels. Au moment de rentrer, je lui propose de venir avec nous dans la voiture de Nadia, mais elle préfère partir avec ses soldates en minibus. Ce qui libère une place pour Oksana. La voiture file sur le périphérique, franchit les portes de Paris, et passe devant la Mosquée de Paris. En voyant le regard gourmand d'Oksana, j'ai comme un début d'infarctus. C'est le moment de jouer les guides touristiques.

— C'est la Mosquée de Paris... Elle a été construite en signe de réconciliation, pour remercier les musulmans qui se sont battus pour la France pendant la Première Guerre mondiale. Elle est régulièrement attaquée par des salafistes qui lui reprochent d'être trop modérée...

— Ah... acquiesce Oksana en secouant la tête.

Je crois avoir marqué des points. Si le Topless Jihad vise certaines mosquées, celle-là devrait être épargnée.

C'est oublier que Oksana ne parle pas vraiment anglais et qu'elle se fiche complètement, elle et son groupe, de mes explications patrimoniales sur la différence entre une mosquée laïque et une mosquée intégriste. Le symbole, on vous dit, c'est la seule chose qui compte. Pas les détails !

À ce stade, je n'ose pas encore croire sérieusement qu'elles vont vraiment attaquer des mosquées en plein Paris. C'est Nadia qui pose la question, une fois au Lavoir. Inna est déjà dans son studio, en train de surfer sur Internet. Fanny, la longue brune qui a mené l'action en Suède avec Aliaa, est avec elle. Ainsi que Pauline (sa « mariée ») et Marguerite (celle qui a perdu une dent à Notre-Dame), qui dorment désormais au studio.

— Dites, les filles, vous n'allez pas attaquer une mosquée ?

La réponse est dans leurs yeux, obstinément fuyants, à cette manie qu'a Inna de répondre à une question par une autre question quand elle veut éviter un sujet.

— Elles vont le faire, me dit Nadia dans la voiture.

— C'est clair.

En me glissant dans mon lit, une image me hante. Inna entrant dans une mosquée, ses cheveux blonds en furie, une tronçonneuse dorée à la main, se dirigeant vers un Coran pour le découper.

Ce qui m'empêche vraiment de dormir, c'est l'idée qu'une telle action puisse allumer un fou, quelque part à Kairouan, et qu'on reçoive la tête d'Amina dans un panier.

*

Les jours suivants, Inna me fuit carrément. Comme si j'étais devenue l'ennemie, celle qui veut l'empêcher d'accomplir sa mission divine. Bon Dieu ce qu'elle peut être sectaire ! Même ses activistes en font les frais. Toutes celles qui hésitent sont écartées, surtout si elles sont proches de moi. Les initiées, en revanche, dorment les unes sur les autres au Lavoir, et passent leurs nuits à débattre du scénario, à régler la mise en scène. Je dois savoir !

Une carte se présente à moi. Inès. Une jeune Égypto-Marocaine, croisée il y a des années et qui sort avec une Femen du premier cercle. Le Topless Jihad l'intéresse. Elle s'est fait tatouer « *Sextremism* » dans le dos et pense nuit et jour à Amina. Cette sœur tunisienne dont la séquestration lui rappelle la sienne. Elle a vécu la même histoire au Caire il y a quelques années. De longs mois forcée à lire le Coran, pour lui apprendre la voie droite : soumise et hétérosexuelle. Un calvaire dont elle ne parle qu'à très peu de personnes, dont je suis. Quand nous apprenons que Inès veut rejoindre la campagne par son ex, Fiammetta lui demande de passer à la maison pour en discuter avant. L'idée que Femen puisse attaquer une mosquée et mettre Amina en danger la terrorise.

— Tu n'as qu'à proposer un marché à Inna, dit Fiammetta. Tu participes au Topless Jihad, avec toute la force que cela peut représenter vu ton histoire, mais à une condition : ne rien faire qui puisse porter préjudice à Amina. Pas dans une mosquée, ou ce sera sans toi.

Inès prend son souffle et se lance. Elle téléphone à Elvire, l'assistante réalisatrice plutôt joyeuse, qu'elle connaît, et demande à passer au Lavoir. La mission s'avère plus dure qu'elle l'imaginait. Totalement perdue entre ses deux objectifs, aider les Femen et les freiner, Inès s'embrouille, panique, inonde son ex-petite amie de textos pour savoir quoi répondre quand les filles l'interrogent. Au Lavoir, on la bombarde d'informations contradictoires. Soit pour nous cacher leurs véritables intentions, soit parce que Inna change de plan toutes les heures. Elle a néanmoins surpris une conversation qui nous inquiète. En partance pour la Belgique, Marguerite semble étonnée que le groupe italien, dirigé par Elvine, n'ait pas le même objectif...

— Pourquoi vous ne faites pas aussi une mosquée en Italie ?

Alerte rouge. Des armées de kamikazes féministes, dégoupillées depuis le Lavoir, se dirigent vers des mosquées partout en Europe... Je ne peux pas rester sans réagir. Le site des Femen annonce des manifestations devant les ambassades tunisiennes, je n'y crois pas. Elles n'annoncent jamais leurs véritables objectifs. C'est donc une diversion, et donc bien une action contre des mosquées !

*

L'avant-veille des grandes manœuvres, je propose à Inna de dîner. Elle accepte puis oublie de confirmer, comme si elle avait compris qu'il s'agissait moins d'un rendez-vous privé que de la cuisiner. Je ne pense plus qu'à ça. Sauver Amina d'Inna, et Inna d'elle-même. Sans crier gare, je débarque au Lavoir, monte les escaliers du studio, frappe et entre. Inna est assise en tailleur sur son lit. Marguerite, Fanny et Pauline sont avec elle, le nez sur leurs ordinateurs. J'ai envie de crier : « Bande de connes, ça ne vous dirait pas d'expliquer à votre générale ukrainienne qu'on n'attaque pas une mosquée en France avec une otage en Tunisie ! » Je me contente d'un « salut » froid.

— Inna, on peut se parler seule à seule ?

— Pourquoi tu n'as pas prévenu que tu passais ? demande Inna, qui lève vers moi des yeux furieux.

— Mais nous avions rendez-vous...

— Pas confirmé. J'ai attendu toute la journée que tu confirmes.

— Je savais que tu annulerais. Maintenant je suis là. Viens.

Rarement, nos yeux se sont croisés avec tant de rage, la mâchoire serrée, devant des témoins incrédules. Je descends l'escalier en fer vers la galerie. Une arène vide, à peine éclairée.

— Qu'as-tu à me dire ? lance Inna, comme ensauvagée.

— Tu ne veux pas qu'on aille en parler calmement au restaurant comme prévu

— Je n'irai nulle part. Dis ce que tu as à dire ici !

Le ton est odieux. Inna marche comme un taureau dans l'arène. Je l'entends penser en rond : « Tu ne pourras pas m'arrêter. Personne ne peut m'arrêter ! » Elle y croit. C'est en partie vrai, mais dans son intérêt et celui d'Amina. Pour y arriver, je dois refuser le combat. Ne surtout pas la défier, ni la regarder dans les yeux. Masquer ma fureur chaque fois qu'elle me blesse, simuler la passivité pour qu'elle m'écoute jusqu'au bout. Jamais je n'ai eu à mener un duel aussi ingrat. Ici, ce soir, dans la lumière crue du Lavoir, avec pour seul témoin une femme que j'aime et qui veut me mettre à terre.

— Alors, je t'écoute !

— Inna. Je ne peux pas te laisser faire sans être sûre que tu sais où tu vas. Tu es à un carrefour de ta vie, où tu peux mettre en l'air ton mouvement, et peut-être la vie d'Amina. Oui ou non, as-tu l'intention d'attaquer des mosquées ?

Elle penche sa tête en arrière et rit de façon sadique.

— C'est donc ça. Tu as peur... Que c'est triste, Caroline ! Tu n'es qu'une vieille femme... Une esclave.

Je savais qu'elle allait tout essayer pour me blesser. Elle est au-delà de la stratégie, dans un état second.

— Esclave de qui, Inna ? dis-je doucement. Je n'ai aucun chef, tu le sais, je ne dépends de personne, j'écris et je pense ce que je veux...

— Je sais.

— Esclave de quoi alors ?

— De la couleur de tes murs. De ton confort.

— Ce confort est bâti sur ma liberté. Il ne dépend de rien, ni de personne. Je n'ai qu'une faiblesse, Inna. Ce sont mes sentiments pour toi. Tu es ma faiblesse.

Les larmes me montent aux yeux. Elle continue d'avancer, avec un regard fou.

— Tu étais la seule chose romantique dans cette ville. Tu étais... Tu m'as tant déçue !

— Pourquoi ? Parce que j'essaie de te protéger ?

— Tu ne veux pas me protéger. Tu veux me stopper !

— Et si c'était la même chose ? Tu as raison de vouloir faire une action spectaculaire pour Amina. Bien sûr, fais-le... Je te demande juste de tenir compte du pays où tu es, la France, du contexte, et de bien viser... C'est tout Inna. Si je suis là ce soir, c'est pour sauver Amina. Et pour te sauver toi.

— Pour me sauver ou pour sauver Amina ?

— Mais les deux ! Tu comprends bien que c'est les deux ! Si tu rentres dans une mosquée, au lieu de faire une manifestation contre un symbole du pouvoir tunisien, si ça tourne mal et que des salafistes la tuent en représailles, c'est toi qui seras accusée, toute ta vie !

— Ils ne la tueront pas.

— Tu n'en sais rien ! Mais il y a un autre risque. Qu'ils forcent Amina à faire une vidéo pour dénoncer votre action. Tu imagines l'effet. Être critiquée par Amina !

— On ne rentrera pas dans une mosquée...

— Même si tu restes à l'extérieur, ce qui est déjà mieux, le message ne sera pas compris. Je me fiche que tu critiques l'Islam dans tes slogans, mais au moins faites une action devant l'ambassade de Tunisie, qui ait un rapport clair avec Amina, et non l'air d'une attaque gratuite contre une mosquée.

— Autre chose ?

— Oui. Pas en France. Et pas toi.

— C'est donc ça... Ta vraie peur.

— Oui, j'ai peur pour toi. Tu n'as pas encore tes papiers de réfugiée.

— Je ne peux pas vivre suspendue à un papier. Je ne peux pas être esclave d'un papier !

— Je ne te demande pas d'être esclave mais stratège. Ne serait-ce que du point de vue du message. Si quelqu'un attaque un symbole de l'Islam, ça doit être une musulmane, sinon l'acte aura l'air raciste !

— C'est fini ?

— Oui, puisque tu ne veux plus m'écouter.

Mais ce n'est pas fini. Inna a une corne à me lancer. Quelque chose qui l'obsède depuis le début de notre corrida.

— Maintenant, écoute-moi. Ne refais plus jamais ça.

— Quoi ?

— M'envoyer tes espionnes minables. Cette pauvre Inès, venue en infiltration, incapable de dire deux mots sans t'envoyer un sms pour faire son rapport !

— Elle ne m'écrivait pas, elle n'a même pas mon téléphone.

— Alors c'était Fiammetta !

Elle a dit ça d'un air terrible, rugissant. Que me reproche-t-elle au juste ? D'avoir tenté de l'espionner ou d'avoir comploté avec Fiammetta ?

— Salue ton Inès et ta Fiammetta de ma part... et ne refais plus jamais ça ! crie-t-elle en remontant au studio.

Je descends vers le rez-de-chaussée en criant.

— Mais va te faire foutre Inna !

*

Dans quelques heures, je saurai si cette opération, suicidaire du point de vue de notre relation, a pu au moins éviter de mettre le feu à l'Europe. En attendant, je panse mes blessures. Mais la mise à mort n'est pas pour moi. Elle est pour Inès.

J'aurais dû le voir venir, mais contrairement à ce qu'imagine Inna, on se parle peu. Je sais seulement que Inès n'a pas l'intention de participer à l'action, puisque l'objectif d'une mosquée n'est pas écarté. Sauf qu'Elvire n'est pas au courant et la convoque au petit matin. Le point de rendez-vous se transforme en séance d'humiliation. Avec ses trente-huit kilos, un passé douloureux et un tatouage Femen dans le dos, Inès est tout sauf préparée à se voir écartée devant le reste des militantes, dont l'une se trouve être sa petite amie, au garde à vous comme les autres :

— Nous avons besoin d'être à 100 % sûres de nos activistes avant une action. Ce n'est pas le cas. Inès, je sais que tu as envoyé des sms à Caroline et Fiammetta pour leur raconter ce qui se passe ici. Nous ne tolérons pas ce genre de comportement. Tu ne feras pas cette action.

Inès ne s'en relèvera pas. Sa vieille blessure anorexique s'est réveillée. Trois semaines après avoir perdu sa petite amie, son amour-propre, et près de dix kilos, il faudra songer à l'hospitaliser. Quand cette crise sera enfin terminée, j'exigerai d'Inna qu'elle lui envoie un message pour apaiser la brûlure. Ce qu'elle fera volontiers, sans savoir à quel point Inès va mal. C'est en action que ma générale oublie toute humanité.

Au cœur du Topless Jihad, elle ne pense qu'à frapper, fort et à la source : l'Islam. Tant mieux, si cela met en fuite certaines activistes, ces êtres faibles, incapables d'être Femen. Ce radicalisme, que je déteste tant quand il mène au fanatisme, fait aussi la force du mouvement. Je ne le leur reproche pas. Je leur en veux de ne pas bien évaluer les risques pour Amina, et de ne pas régler minutieusement leur roquette. Depuis notre altercation, Inna a tellement peur des fuites qu'elle avance l'action prévue devant une mosquée un vendredi... Jour de prière et de foule. Ce sera finalement un jeudi, jour de calme. Ce qui change tout.

Pour parer à toute éventualité, je termine une tribune pour le *Huffington Post*, où j'écris qu'il faudra protéger Amina d'actions menées par Femen en son nom. J'en suis à la dernière ligne lorsque j'apprends qu'elles ont attaqué. Je cours sur leur site voir les photos sur mon ordinateur. Fiammetta m'entend hurler.

— Putain, la Mosquée de Paris !

*

Il n'y a pas grand-monde ce matin-là, rue Georges-Desplas, à deux pas du Jardin des Plantes. Avec son minaret crénelé de jade et son immense porte en bois de style hispano-mauresque, la plus belle des mosquées de Paris voit un petit commando s'approcher, suivi de quelques photographes. Une jeune femme simule une prière sur un tapis. C'est Meriem, une jeune maman tunisienne, qui s'est convertie à Femen après avoir vu *Nos seins nos armes*. Qu'est-elle venue détruire ? Un drapeau noir salafiste, qu'elle se met à brûler, flanquée de Pauline et de Oksana qui portent des cagoules de terroristes… À croire qu'elle m'a au moins écoutée sur un point, Inna ne participe pas à l'action. Elle règle juste la mise en scène.

— Allez-y. Le feu ! Le feu !

L'image est forte. L'idée de brûler le drapeau des salafistes vient de Meriem. Celle de le faire devant la Mosquée de Paris, bien sûr, vient des Ukrainiennes. Il y a eu débat mais il a vite été tranché.

— Femen est un groupe antireligieux. Peu importe que ce soit une mosquée ceci ou cela. C'est une mosquée. Le temple de l'oppression religieuse. C'est tout ce qui compte.

La Mosquée de Paris a aussi été trahie par sa beauté. L'esthétique, c'est important pour les photos. Détail que n'oublient jamais ces « performeuses ». De fait, l'image est plus forte que devant les hangars sans âme où se réunissent souvent les intégristes. La cible reste le « drapeau salafiste », évoqué dans leur communiqué. Oksana, qui l'a peint, aurait pu mieux l'imiter. On dira qu'elles ont brûlé un simple drapeau noir portant la « profession de foi » et donc l'emblème de l'Islam, pas seulement des salafistes, mais la faute à qui si les fanatiques s'en emparent ? Et puis, ce ne sont pas des blondes qui l'ont brûlé, mais une « musulmane ». Enfin, l'action ne déclenche aucune violence. Juste les coups de pied méprisants d'un vieux bedeau, qui me fait penser à la dame ayant frappé Inna à coups de parapluie devant le Vatican. Finalement, elles ont peut-être eu raison de choisir la Mosquée de Paris. Devant une mosquée salafiste, la provocation aurait tourné au drame, justifié une flambée de racisme en France et mis le feu à la Tunisie. On a évité le pire, mais pas le moindre mal que je redoutais.

Choqués par les images, inquiets des conséquences pour leur fille, les parents d'Amina ont appelé l'équipe de Canal + et accepté un entretien sous surveillance, dans lequel Amina maintient son soutien indéfectible aux Femen, jusqu'à 80 ans s'il le faut, tout en critiquant cette action, dont elle a entendu parler mais qu'elle n'a pas vue.

— Je suis contre. Tout le monde va penser que je les ai encouragées à faire ça. Ce n'est pas acceptable de réagir de façon aussi radicale. Elles n'ont pas seulement insulté un certain type de musulmans, les intégristes, elles ont insulté tous les musulmans. C'est pas acceptable.

Plus tard, quand elle sera libre et qu'elle verra les images, Amina sera moins sévère. En captivité, c'est une autre affaire, qui aurait pu mal tourner. Viktor a appelé Inna pour lui suggérer d'étendre l'incendie.

— Tu ne crois pas que ce serait bien si vous brûliez un drapeau salafiste devant chaque mosquée visée ?

— Non, tranche Inna. Le drapeau, c'est comme la Croix. Une fois suffit.

*

Dès le lendemain, le Topless Jihad reprend. Cette fois, Inna coordonne une série d'actions devant plusieurs ambassades et mosquées, plus ou moins bien choisies. En Allemagne, Sasha a décidé de protester devant une mosquée très belle, qui ressemble à une pâtisserie comme les églises russes, mais qui se trouve être le lieu des Ahmadi. Une secte pakistanaise persécutée par les intégristes et qui reconnaît le principe de laïcité ! En Belgique, les troupes menées par Marguerite ont visé juste : un centre des Frères musulmans, particulièrement réactionnaire et sexiste. En Italie, le commandant Elvire, convaincue par Inès, a refusé d'attaquer une mosquée et mène donc une action sous les grilles du consulat tunisien.

En France, comme l'action a été avancée au jeudi, les filles n'ont rien à faire... Elles décident de débarquer seins nus devant l'ambassade de Tunisie. Très protégée, comme toutes les ambassades, mais plus encore lorsqu'une attaque Femen est claironnée. D'autant que plusieurs islamistes ont lu leur page Facebook et tournent dans les parages d'un air patibulaire. À peine sortie du métro, Nadia, qui a choisi de se rendre sur place contrairement à moi, appelle les filles pour les prévenir.

— Vous ne pourrez pas faire trois mètres avant qu'ils vous stoppent. Votre seule chance, c'est d'arriver déjà en tenue...

Les filles sortent du métro seins nus, les corps bariolés de *Fuck your moral* ou *No Islamism*. Inna, qui n'a pas dormi depuis quatre nuits, mène l'escouade dans un état second, et se débat comme une furie lorsque les policiers tentent de l'embarquer. Une photo l'immortalise au-dessus d'une mêlée des gardes mobiles, des cheveux de lion ébouriffés, le visage hurlant. Il faudra un long moment pour parvenir à la maîtriser et à la jeter dans le fourgon, avec huit autres Femen, elles aussi très déterminées et hurlant : « Free Amina ! » En cellule, les filles ont droit à une combinaison en papier. Elles se prennent en photo avec leurs portables lorsqu'un policier ouvre la porte d'un air bourru.

— Shevchenko, suivez-moi !

Inna se lève comme une condamnée, convaincue qu'on va lui annoncer son expulsion prochaine. Mais le policier lui tend une photo d'elle en action.

— Vous pouvez me signer un autographe. C'est pour ma femme. Elle vous adore.

Inna éclate de rire. « Ça c'est Paris… »

*

La démocratie présente aussi quelques inconvénients. Le Topless Jihad n'a pas le retentissement médiatique espéré. Un communiqué du groupe se demande si de puissantes forces de résistance dans les médias français ne seraient pas à l'origine de cette autocensure. Une formule qui semble me viser. Voilà qui me change… D'ordinaire, des associations musulmanes m'accusent d'agiter un complot médiatique visant à stigmatiser l'Islam ! La vérité, c'est que les journalistes reprennent les actions des Femen lorsqu'elles sont réellement pertinentes. Sur

Internet, en revanche, les commentaires se déchaînent :
« Bandes de salopes islamophobes. Vous ne feriez jamais
ça dans une église ! »

*

Hasard du calendrier, je dois partir pour Marseille,
assister à trois jours de colloque sur le dialogue euro-
méditerranéen. Un événement organisé par la Fonda-
tion Anna Lindh, où je siège au Conseil consultatif.

Il fait beau et j'admire la mer qui m'a vue naître. Mais
surtout je ne chôme pas. Au buffet, entre les ateliers, le
soir à dîner, pendant trois jours, je défends Amina et
son geste. Auprès de journalistes, d'avocats, de militants
tunisiens, marocains ou algériens, qui comprennent
enfin l'intérêt de cette provocation. Grâce à elle, ils
viennent de passer de la case « extrémistes laïques occi-
dentalisés » à « extrêmement modérés ». Certains me
confient même avoir frôlé l'orgasme en voyant le drapeau des salafistes partir en flammes. Eux qui risquent
à tout moment de finir sur le bûcher des intégristes.

Un après-midi, je m'enferme dans ma chambre
d'hôtel pour prendre des nouvelles, appeler l'ambassade,
savoir si la famille d'Amina accepte enfin de la relâcher.
Sur le site des Femen, la campagne continue. Des torses
nus, célèbres ou anonymes, affluent pour demander la
libération d'Amina. Nadia a été l'une des premières à
sauter le pas. Une photo très belle, très sobre, où elle
ne montre qu'un sein, tout en levant un poing tatoué
au nom d'Amina. Avant que l'on se fâche, Inna m'a
harcelée pendant des jours pour que je pose moi aussi.

— Tu devrais le faire. Je peindrai sur toi, je dirigerai
la photo.

— Non !

— Pourquoi ? Ce serait si fort, Caroline...

— Je n'ai pas besoin de poser seins nus pour soutenir Amina. Ce n'est pas mon rôle. Mon rôle est ailleurs.

— Mais Nadia l'a fait !

— Nadia est cinéaste et tunisienne, ce n'est pas pareil.

Inna s'est mise à trépigner comme une gosse. Au fond, je pourrais tout à fait participer à cette campagne. Ce n'est pas la timidité ou la pudeur qui me retient. Contrairement à mon amazone, je ne porte jamais de soutien-gorge et j'adore être torse nu sur la plage. Non, ce n'est pas ça. Je n'aime pas la façon dont Inna veut m'estampiller Femen... Le duel au Lavoir, l'action contre la Mosquée de Paris, je ne digère pas. J'imagine une vengeance qui ne fera du mal à personne, bien au contraire, mais la mettra hors d'elle. Faire une photo pour Amina, mais sans qu'elle me peigne comme Inna en rêvait. Mieux, une photo qui existe déjà, prise cet été en Grèce. Celle qu'elle aime... Et qui, bien sûr, a été prise par Fiammetta.

Je publie la photo sur ma page Facebook et je retourne au colloque, quand Fiammetta m'appelle.

— Euh... Tu as vu l'effet de ta photo ?

— Non. À part qu'Inna doit être furieuse... quoi ?

— Ça c'est sûr. Mais ça buzze de partout. Tu ne peux pas imaginer.

— Ah mince. Tu crois que c'était une erreur ?

— Pas du tout, moi j'adore cette photo...

— Je sais bien, dis-je tendrement. Je veux dire du point de vue politique.

— Non, c'est très bien. Et ça fait reparler d'Amina.

— C'est l'essentiel.

Trois minutes plus tard, mon téléphone est en émoi. *Huffington Post*, *Nouvel Observateur*, journaux féminins, tous m'envoient des textos pour s'assurer que c'est bien moi sur la photo. Je suis bien obligée d'assumer. Une pluie d'articles se répandent comme une traînée de poudre sur le thème « Fourest en mode Femen ». Ça me sidère. Quinze ans d'articles, de livres, et jamais je n'ai vu un buzz pareil... Pour une photo de vacances publiée sur Facebook ! 200 000 partagées sur le *Nouvel Observateur* en quelques heures ! Des sociologues publient des articles pour commenter. C'est fou ce qu'un buste de femme peut leur faire comme effet.

*

Amina est libre. Ses parents ont fini par rentrer à Tunis. Elle en a profité pour s'échapper, à la première occasion, en pyjama et en chaussons, encore abrutie par les médicaments. Dès qu'elle a pu, elle a appelé Inna pour lui raconter : l'enlèvement, son cousin violent contre lequel elle a dû utiliser un spray d'autodéfense, la séquestration à Kairouan, la camisole chimique et ces heures passées à lire le Coran de force. Elle doit changer presque tous les soirs d'adresse, par peur d'être retrouvée par un cousin ou tuée par un fou. Et bien sûr, elle recommence à demander de l'argent... Nadia est totalement fauchée, mais lui en envoie. Fiammetta l'aide dans ses démarches. Il faut récupérer son passeport auprès de sa famille, demander un visa et sauter au plus vite dans l'avion pour se mettre à l'abri en France. Tout le monde a conscience de courir contre la montre. D'autant que Amina part dans tous les sens.

Un jour, elle me met un message : « Merci pour tout. » On se donne rendez-vous sur skype. Amina apparaît les cheveux coupés, très courts et teints en blond.

— Salut Amina. Tu as changé de coupe ?

— Oui.

— Ça te va très bien.

— Merci.

— Tu préfères parler en anglais ou en français ?

— Anglais c'est mieux.

— Are you OK ?

— Yes. Mais j'ai besoin d'argent.

— Je sais. Mais Femen n'a pas d'argent tu sais... On va voir ce qu'on peut faire. En tout cas, il faut que tu viennes à Paris le plus vite possible.

Je ne sais pas quoi lui dire de plus. Des semaines passées à la chercher et me voilà sans mots face à une gamine de 18 ans que je connais à peine, et qui m'inquiète à raconter sa vie sur Facebook, les bières qu'elle boit par dizaines ou quand elle va se faire tatouer, alors qu'une demi-douzaine de salafistes voudraient bien l'égorger. Même Inna et les Femen sont parfois atterrées par les risques qu'elle prend ! Comme ce jour où elle décide de se jeter dans la foule, avenue Bourguiba, pour conspuer des représentants du Congrès pour la République, le parti du président allié aux islamistes. Ses partisans crient au complot étranger et bien sûr néo-colonialiste. Pourtant, Inna n'est même pas au courant. C'est moi qui l'appelle pour l'informer. Il nous faut bien deux heures pour comprendre ce qui s'est passé...

Pourtant, chaque fois qu'une femme ou qu'un homme arabes se dresse contre l'injustice, il faudrait qu'un Occidental lui ait soufflé l'idée. Qu'ils soient islamistes ou nationalistes arabes, les conservateurs ont tellement envie de croire au spectre du grand complot, impérialiste et décadent, si possible américano-sioniste.

En l'occurrence, la rage d'Amina vient de ses tripes et non de consignes. Elle porte un tatouage à l'effigie de Yasser Arafat. Et elle agit en réseau avec des filles de l'Est. Des marxistes pas vraiment décadentes, qui ont pensé ce mode d'action pour dénoncer la prostitution… C'est ce que répondra un jour Inna sur Al Jazira, lors d'un débat sur le Topless Jihad face à une femme voilée. Cette révolutionnaire ukrainienne n'en revient toujours pas d'être accusée d'impérialisme par une bourgeoise américaine.

*

Et d'ailleurs, en quoi est-il si occidental ce mode d'action ? Il suffit d'observer l'émotion que peut soulever la vue d'un sein à la télévision aux États-Unis pour comprendre qu'il est tout sauf américain. Inspiré des critères de censure de cette culture anglo-saxonne, Facebook s'évanouit également dès qu'on montre le bout d'un téton de femme. Ma page est bloquée, pendant des semaines, pour avoir diffusé une photo de Femen sans avoir flouté ou mis des caches noirs sur les poitrines des militantes. La nouvelle génération va finir par croire que les femmes ont des seins carrés…. Pudibonds, les critères de censure anglo-saxons sont en revanche très tolérants envers l'incitation à la haine. Les Femen doivent cacher leurs tétons, mais ceux qui rêvent de les envoyer au bûcher, elles et toute personne qui ose critiquer la religion, sont protégés par le Premier amendement. Drôle de monde que celui que nous préparent Apple, Facebook et Twitter... Bien que taillée pour ce marketing viral, Femen y bouscule quelques tabous.

Sont-elles si différentes de leurs aînées féministes ? Au moment du film, nous avons posé la question à plusieurs militantes du Mouvement de libération des femmes des années 1970, qui se reconnaissent dans le culot des Femen. Fiammetta s'est même aperçue qu'un petit groupe de féministes avait mené une action seins nus dans les années 1970, pour faire honte à des camarades marxistes du Secours Rouge, l'organisation marxisante de Sartre, guère sensibles à la lutte des genres.

Un jour que je déjeune avec Françoise Héritier, j'en profite pour mettre le sujet sur la table.

— Ces Femen qui protestent seins nus, Françoise, vous en pensez quoi ?

Avec son air enfantin, la plus célèbre des anthropologues féministes me sourit.

— C'est très ancien, ce mode d'action, qu'elles auraient retrouvé spontanément. En Afrique occidentale, on observait autrefois un usage semblable. Une femme ou des femmes se mettaient à nu devant leurs fils, leurs frères ou leurs maris pour leur faire honte de leur conduite et les maudire quand elles désapprouvaient leurs actes. Cette malédiction suscitait chez eux une grande frayeur et il se peut que les maîtres du Kremlin l'aient ressentie eux aussi !

On en trouve aussi des traces en Asie. Tout récemment à Manipur, des villageoises se sont mises seins nus pour protester contre les exactions de l'armée occupant la zone frontière entre la Birmanie et l'Inde. Décidément, les patriarches ne pourront pas mettre des frontières si facilement. La colère des femmes est universelle, même si le chemin qu'il reste à parcourir n'est pas le même. Aux États-Unis, on progresse. Au nom de l'égalité, la ville de New York vient d'autoriser les femmes à se balader torse nu l'été, comme les hommes, qui ont ce droit depuis des siècles.

CHAPITRE 9

Le mariage de Jeanne d'Arc

Amina occupe tellement nos esprits que j'en oublie les opposants au mariage pour tous. Depuis quelques semaines, ils se sont mis à harceler chaque membre du gouvernement et m'ont également dans leur viseur. Surtout depuis mon face-à-face avec Frigide Bardot dans *On n'est pas couché*, l'une des émissions les plus regardées, où j'ai démonté patiemment ses fantasmes.

Les « anti » veulent perturber ma venue aux journées du *Nouvel Observateur* de Nantes, où je dois participer à un débat sur l'Islam. Des consignes circulent sur Internet. Le responsable des réseaux sociaux de Marine Le Pen, Gauthier Bouchet, est à la manœuvre. Son père dirige l'un des courants nationalistes-révolutionnaires les plus radicaux, pro-Poutine et pro-Bachar El Assad. Nous les démasquons, lui et son père, dans le livre sur Marine Le Pen, que le FN ne digère toujours pas... Or il habite Nantes, d'où il tweete : « Accueil chaleureux de Caroline Fourest en gare de Nantes d'ici une heure. Venez nombreux. Vidéo − normalement − dans la foulée. » Entre ses amis du Front national, les troupes de la Manif pour tous et ceux de Civitas, le comité d'accueil promet d'être « chaleureux » en effet.

Le mari de Sophia Aram insiste pour me prêter les gardes du corps qu'elle a engagés pour sa tournée, après les menaces reçues de la part de sympathisants frontistes. En partant, je me sens protégée. Par l'amitié et par Fiammetta qui monte la garde sur les réseaux numériques. Inna m'appelle juste au moment de monter dans le train.

— Tu vas où ?

— À Nantes pour un colloque. Avec des gardes du corps.

— Pourquoi ?

— Les anti-mariage pour tous ont décidé de me faire la fête.

Elle rit et passe à autre chose. Ce qui l'inquiète est plus sérieux : Amina.

— Je ne sais plus quoi faire avec elle.

— Je comprends. Elle est jeune et presque aussi folle que toi.

— Sérieusement. C'est la première fois que je dois freiner quelqu'un !

— Bienvenue au club !

— Arrête. Je suis sérieuse. À tout moment, elle peut se lancer dans une action sans m'en parler. Tout le monde se retournera vers moi et Femen pour nous demander des comptes. C'est vraiment angoissant.

— À qui le dis-tu... Attends une seconde, j'ai un texto.... Mince, mes gardes du corps. Je les ai semés pour te parler.

— N'importe quoi. Tu es trop drôle, Fourest.

Elle raccroche avec un petit rire moqueur. Ma révolutionnaire n'arrive pas à croire qu'un être aussi modéré que moi puisse avoir tant d'ennemis.

314

— Ah ! vous êtes là ! me dit mon garde du corps en chef, un peu dérouté de devoir me courir après.

— Oui, je suis désolée, j'avais besoin de m'isoler. Ça vous dérange si je reste seule dans ce wagon ?

— Non, pendant le trajet de toute façon ça devrait aller.

Dans le train tout est calme. Je lis la presse, savoure mon thé et le paysage. On a sans doute exagéré la menace. Les cris qui fusent à l'arrivée relativisent mon optimisme. Deux cents militants catholiques et nationalistes agitant des pancartes sont massés devant mon compartiment pour huer et siffler, absolument déchaînés. Ils se mettent à nous poursuivre dans les couloirs de la gare, puis courent en direction du Palais des Congrès, où la sécurité a été renforcée.

À l'intérieur de la salle, un immense amphithéâtre bondé, tout semble calme. Tahar Ben Jelloun et Jean Glavany prennent la parole pour faire le bilan du printemps arabe. Le modérateur me tend le micro, quand la houle commence. Des grappes d'opposants se lèvent pour siffler et hurler sans discontinuer. L'un d'eux s'approche même de la scène pour balancer un jet de lacrymo très irritant... La salle n'en revient pas. Deux heures plus tôt, un débat sur la famille et le mariage pour tous s'est très bien passé. C'est moi qui suis visée. Je savoure l'ironie de la situation. Des catholiques intégristes veulent m'empêcher de parler sur l'Islam ! Surréaliste. J'en plaisante au micro.

— Merci à ces intermittents du spectacle pour l'animation. Ils nous rappellent qu'il existe des intégristes dans toutes les religions...

La salle rit et applaudit. Les perturbateurs sont neutralisés et le débat peut reprendre. Une fois terminé, il faut m'évacuer. Les deux cents furieux sont massés devant le Palais des Congrès et m'attendent de pied ferme. On me colle deux gardes du corps supplémentaires et on sort par l'arrière, en voiture, pour trouver refuge à la réception d'un hôtel, tout près de la gare.

À travers le rideau, je peux voir les assaillants courir vers les quais. Mes quatre gardes du corps restent debout, concentrés.

— Les garçons, c'est ma tournée, qu'est-ce que vous prenez ?

— Un Coca.

— Moi aussi.

— Pareil.

Deux types de la BAC nous rejoignent, passablement stressés, l'oreille collée au talkie-walkie.

— C'est vous la personnalité ?

— Je le crains.

J'ai peur de le décevoir, lui qui devait s'attendre à un ministre ou à un chanteur de variétés... Son talkie crache des nouvelles inquiétantes : « Ils sont très nombreux, énervés, ça bloque de partout. »

— Pardon, madame, demande mon garde du corps à l'hôtesse, vous auriez une sortie arrière ?

— Oui, je vais vous montrer.

Le train est censé partir dans deux minutes. Je ne comprends pas pourquoi tout le monde pense encore pouvoir m'y faire monter. Visiblement, le gars de la BAC en fait une affaire personnelle. Le talkie s'excite à nouveau : « On est débordés là. Il en vient de partout et ils vont au contact. »

— Il n'y a plus qu'une solution... Suivez-moi.

Le policier ouvre la route d'un air martial. Nous partons dans les tunnels de la gare. À chaque tournant,

316

je m'attends à voir surgir un furieux. Les cris se rapprochent. On débouche sur une petite place où s'équipent une trentaine de gardes mobiles, qui déploient leurs boucliers en mode tortue autour de moi, comme dans *Astérix*.

— Je suppose que je me mets au milieu.

— Oui, venez, vous pouvez me tenir par l'épaule si vous voulez, me dit l'un des policiers.

J'ai vraiment l'impression d'être César conduisant des légionnaires au combat. Ubuesque. Les troupes ennemies sont nombreuses, vociférantes. Les légionnaires ne se laissent pas impressionner et frappent sur leurs boucliers avec leurs matraques. Cette fois, j'ai l'impression de jouer avec les All Black entamant un haka pour intimider l'équipe adverse. La mêlée commence. Les gars résistent malgré la pression et les jets de projectiles, qui ne sont pas prévus par la règle du jeu. Visiblement, l'équipe d'en face a une forte envie de transformer ma tête en ballon ovale. Mètre après mètre, la mêlée ennemie recule, jusqu'aux derniers cinquante mètres, la ligne blanche et oui, ça y est... Me voilà dans le train ! Vite, on ferme les portes. Mes deux gardes du corps sont avec moi, tout va bien.

Un jeune intégriste, monté pour tirer la sonnette d'alarme, se prend une amende. À l'extérieur, ses amis ne veulent pas lâcher l'affaire. Ils se jettent sur les voies pour empêcher le train de partir et donnent des coups violents contre les vitres. Trente minutes que ça dure. Je crains d'être finalement lynchée par les passagers.

— Mais c'est qui le ministre qu'ils pourchassent ? se demande une vieille dame... Qui soudain me reconnaît.

— Ah c'est vous madame Fourest ?

— Oui, désolée.

— On est avec vous !

Debout dans le couloir pour ne pas être vue des assaillants, je décris la scène par sms à Fiammetta, qui publie mes messages sur mon compte twitter. Une journaliste du *Nouvel Observateur* en profite pour m'interviewer. Après quelques arrestations, les voies sont enfin libres, le train se met à rouler et je peux traverser les wagons pour regagner mon siège, félicitée par des voyageurs.

— Bravo, continuez !

Une fois à ma place, on discute avec Laurent Joffrin et deux journalistes du *Nouvel Observateur*, troublés par cette violence. Un casque de musique sur la tête, je somnole en attendant l'arrivée, quand Fiammetta m'appelle.

— Ce n'est pas fini. Ils te préparent aussi un comité à l'arrivée.

Cette fois, je trouve la plaisanterie un peu longue. Mon téléphone vibre.

— Madame Fourest ?

— Oui.

— C'est le cabinet du ministre de l'Intérieur. Écoutez, on a une situation à l'arrivée. Environ trois cents nationalistes, très radicaux. Ils étaient en manifestation pour soutenir l'un de leurs camarades et ils ont décidé de partir à la gare Montparnasse pour vous accueillir. Surtout attendez bien dans votre wagon qu'on vienne vous prendre en charge.

La nouvelle se répand sur les réseaux sociaux. En plus de surveiller le camp d'en face, Fiammetta doit décourager mes fans de venir à la gare pour me soutenir. Deux anciennes des Femen sont venues quand même. On doit les évacuer. La foule hostile, qui les a reconnues,

318

commençait à se montrer menaçante. Impact dans trente minutes. Le contrôleur vient me voir en me tendant son portable.

— Madame Fourest. Le contrôleur général de la SNCF veut vous parler.

— Ah...

Je prends son combiné.

— Bonsoir madame Fourest. Il y a une décision que vous seule pouvez prendre.

— Je vous écoute.

— Si vous le souhaitez, nous pouvons arrêter le TGV en gare de Massy pour vous laisser descendre avant Montparnasse...

— C'est très gentil, merci beaucoup, dis-je embarrassée, mais j'imagine qu'un train pareil met du temps à s'arrêter et à repartir. Les gens ont déjà perdu beaucoup de temps au départ... Ça va aller, la police a tout prévu à l'arrivée. Ne changez rien.

Fiammetta me rappelle.

— Il y a trente cars de CRS à l'arrivée.

— Pour moi ?

— Oui, pour toi...

Je raccroche, de plus en plus culpabilisée à l'idée de creuser la dette publique.

La sortie est moins drôle que l'entrée. Ce ne sont plus les troupes du FN et du pape qui m'assaillent, mais d'authentiques légions fascistes. Trois cents nostalgiques de Mussolini, des membres des Jeunesses nationalistes et quelques Identitaires, agitent un immense drapeau français, au milieu de quelques croix celtiques et d'emblèmes vendéens. Un jeune prêtre excité est monté sur un distributeur de boissons pour mener la croisade. À ses pieds, les légions se jettent sur les lignes républicaines en criant :

« Cours, cours Fourest » ! C'est si violent que le cordon des gardes mobiles est enfoncé.

— Courez madame Fourest, m'ordonne un policier. Ça commence à me lasser tous ces gens qui veulent me voir faire du jogging. Une voiture de police m'attend pour démarrer en trombe lorsqu'un infiltré, un vieux catholique en barbour, se glisse pour me fermer la portière au nez. Comme si j'étais le diable ou pire, Simone Veil. Stupéfiant. Les policiers l'écartent et mettent le gyrophare. *Pim Pom. Pim Pom.* Il faut reconnaître que ça a une certaine allure. Arrivés dans le Marais, à deux pas d'un bar gay, le policier et mon garde du corps se détendent.

— Bon ben là, ça devrait aller, mademoiselle Fourest.

— Oui, messieurs, dis-je en souriant. Merci pour tout, vraiment. Bonne soirée.

La préfecture a posté des policiers en civil au pied de mon immeuble, aisément reconnaissables au fait qu'ils sont assis par terre comme des clochards, mais se relaient en laissant leur café au suivant. Plus officiellement, la préfecture me demande de signaler à l'avenir tout événement public. Ma meilleure des protections, Fiammetta, m'attend derrière la porte.

— Ça va mon cœur ?

— Très bien mon amour. Ne t'inquiète pas.

*

Le lendemain, Inna doit venir à la maison pour le livre. Nous gérons de mieux en mieux les hauts et les bas de notre relation. Pour une fois, c'est moi qui raconte mes exploits de la veille. Mon récit l'amuse beaucoup et la séduit. Je le vois à ses yeux pétillants, à la façon dont elle cherche à m'attraper par la taille pour me serrer contre elle. Bien que la préfecture m'ait déconseillé de trop sortir, elle tient à dîner dehors. Une jolie terrasse à l'intérieur d'une cour d'immeuble, où Inna me regarde tendrement, visiblement heureuse de me retrouver en un seul morceau. La soirée se passe sans dispute pour une fois. Je trinque à nos drôles de vies.

— Tu vois, finalement, c'est peut-être moi qui vais mourir avant toi.

— Peut-être…, sourit-elle.

— Ce serait dommage. J'aime tellement ma vie. Et toi, que regretterais-tu si tu mourais demain ?

— … De ne pas avoir fait un enfant avec toi.

Je ne m'attendais pas à cette réplique… Les joues encore roses de sa confession, Inna plaide le second degré, qui n'existe pas chez elle. Se peut-il qu'une part de mon Ukrainienne, dressée pour se marier, ne soit pas tout à fait morte et en train de me parler ? Mais surtout, je réalise… Dans quelques semaines, les lesbiennes auront le droit au mariage et donc la même pression que les hommes hétéros. Oh mon Dieu ! Qu'avons-nous fait ? Pourvu que les anti-« mariage pour tous » y arrivent !

Je souris mais n'en mène pas large, réellement émue et troublée par l'aveu d'Inna, paniquée aussi. Une femme des années cinquante sommeille au creux de cette amazone, et elle vient de réveiller le garçon qui dort en moi. Il n'est pas le seul à être troublé. Ma part féministe ne souhaite pour rien au monde transformer cette guerrière en maman. Le temps de mettre tout le monde d'accord à l'intérieur de moi, je n'ai toujours pas prononcé un mot. Inna, qui commence à se vexer, décide de surjouer la dérision.

— Ne t'imagine pas une seconde que je porterai l'enfant. Ce sera toi.

Voilà autre chose... Maintenant, c'est moi qu'elle veut transformer en mère au foyer !

— Innochka, je te propose quelque chose. Essayons de faire un enfant par la voie naturelle et voyons si ça marche...

Inna ne rit plus. Elle m'en veut de reprendre le rôle de garçon dominant qu'elle se voyait jouer en me mettant enceinte. Puis réagit comme une femme qu'on aurait traitée en objet, en faisant la gueule.

— Au fond, lui dis-je, tu as la même conception du mariage que les chrétiens traditionnels... Ce n'était pas la peine de couper une croix. C'est à l'intérieur de toi qu'il faut l'abattre.

Une fois de plus, cette douce soirée se termine dans un froid polaire, glacis de nos morales respectives. Et dire que dans quelques jours, c'est le vote de la loi.... Qu'avons-nous fait !

*

En remontant les escaliers, je pense à l'émission de télévision que j'ai enregistrée le matin même sur ce qui s'est passé à Nantes. La journaliste de LCI m'a déstabilisée par une question plus personnelle.

— Et vous-même, Caroline Fourest, vous allez vous marier ?

Prise au dépourvu, je me suis mise à bafouiller, quelque chose comme « je ne me bats pas pour moi, mais pour des principes ». Pas une fois, depuis le début de ce débat, je n'y ai pensé. Fiammetta et moi vivons ensemble depuis dix-sept ans, à quoi bon se marier ? Ne parlons même pas de la clause de fidélité. Encore moins d'Inna, qui la prendrait au pied de la lettre ! Hors de question d'épouser les deux, je suis sincèrement contre la polygamie... La République n'a ni à imposer le devoir de fidélité à un couple, ni à reconnaître plusieurs liens conjugaux. Pourquoi ai-je le sentiment qu'il est bien trop tôt pour avoir ce débat avec Christine Boutin et Frigide Barjot ?

*

Le jour du vote de la loi sur le mariage pour tous est enfin arrivé. Jamais je n'aurais pensé mon pays capable de telles démonstrations de haine. Pire qu'au moment du PACS. Quinze ans plus tard, je n'arrive pas à pardonner cette obsession rance, qui m'a donné le sentiment de n'être plus en sécurité dans mon propre pays. Je suis les débats parlementaires à la télévision. La ministre des Droits des femmes est émue. La garde des Sceaux impériale, comme depuis le début. Dans moins d'une heure, l'hystérie sera terminée. Des manifestants pour l'égalité attendent la délivrance au pied de l'Assemblée, tenus à bonne distance des « anti » qui manifestent aussi et pourraient les rosser. Les Femen sont sur place pour savourer leur victoire. Quelques secondes après le vote, Inna m'envoie un texto.

— La loi est votée. Félicitations. Veux-tu m'épouser ?

Je choisis de croire au second degré.

— Tu ne veux pas partir en lune de miel d'abord ?

— Généralement, c'est après...

— Tu es si conservatrice…

— Une loi pour le mariage gay, c'est conservateur de toute façon.

— C'est vrai. Tâchons plutôt d'être des individus imaginatifs. Veux-tu partager un bout de vie avec moi ? Juste pour le plaisir d'aimer. Sans enfants, ni chiens. Simplement parce que nous sommes incapables de nous résister ?

Pas de réponse. Quand je retrouve Inna au milieu d'une foule compacte venue fêter la loi devant la mairie du 4e, elle feint la distance, comme chaque fois que nous sommes en présence de ses soldates. Pauline, Marguerite et Elvire, le noyau dur des Femen. Les autres manifestants sont plus chaleureux. Sur BFM TV, je viens de malmener Henri Guaino, l'ancienne plume de Sarkozy. Pointer du doigt les contradictions d'un gaulliste devenu l'idole d'opposants pétainistes n'a pas été si difficile… Des « merci » fusent de partout. Des garçons, des filles, heureux et fiers, viennent m'embrasser. Surtout des filles, qui se prennent des regards en coin de mon amazone. Mais un autre spectacle la trouble. Le défilé des politiques ayant soutenu la loi à la tribune. Une estrade improvisée, où ils ne cachent pas leur émotion.

— Dans mon pays, me glisse-t-elle à l'oreille, les politiciens ne montent que sur d'immenses estrades, d'où on les voit à peine…

— Bienvenue en démocratie.

« Champagne ! », crie Marguerite. Elle débouche une bouteille et nous la buvons au goulot à tour de rôle.

— On va fêter ça dans un bar homo ? dis-je.

— Enfin ! dit Inna, qui n'en a jamais vu de sa vie.

324

Son enthousiasme me réjouit, mais je crains qu'elle ne soit déçue. En route, j'en profite pour parler un peu avec Elvire.

— Toi aussi, tu comptes emménager un jour au Lavoir, comme Pauline et Marguerite ?

— Ah non. J'ai besoin de rentrer chez moi de temps en temps.

— C'est rassurant. Ce sera donc toi la seule qui garderas la tête sur les épaules...

Pauline et Marguerite m'inquiètent nettement plus. Elles dorment sur un matelas dans la galerie, la main posée sur un extincteur, à cause des menaces qui fusent de toutes parts depuis le Topless Jihad. Leur détermination alliée à une fascination sans bornes pour Inna me font dire qu'elles sont au stade ultime de la transformation, mûres pour une action kamikaze. Arrivées au bar, rue des Ecouffes, où nous sommes quasiment seules, elles ne quittent pas leur iPad des yeux. Devant mon air atterré, Pauline s'excuse.

— On est en pleine opération en Belgique...

— Contre qui ?

— Monseigneur Léonard.

— Bonne cible.

— Ce sont les Belges qui l'ont choisie.

Monseigneur Léonard est l'un des prélats les plus homophobes de Belgique, anti-avortement. Autant dire que j'approuve... Mais soudain, j'ai comme un doute.

— Vous l'attaquez où ? Pas à l'Université libre de Bruxelles j'espère ?

— Si, pourquoi ?

Ce détail change tout. L'ULB n'est pas une université catholique mais son antithèse. Une université libre et laïque, où monseigneur Léonard vient sûrement pour un débat contradictoire, devant un public plutôt hostile. L'attaquer dans ce lieu revient à refuser le débat. D'autant que la dernière personne attaquée par des radicaux, au point d'être empêchée de parler, ce fut moi... par des islamistes et leurs compagnons de route. Leur action de sabotage a défrayé la chronique, pendant des semaines. Qu'un groupe ayant mon soutien se comporte ainsi va se retourner contre moi et mes alliés.

Je vois venir le déluge sur Twitter. D'autant que les filles l'ont attaqué physiquement, à coups de jet d'eau, pour mimer une éjaculation d'eau bénite. En vertu d'un goût prononcé des Belges pour l'attaque physique, que je trouve décidément détestable. Et encore, je n'ai pas vu les photos du pauvre Léonard, en position de martyr, les mains jointes pour prier. Demain, il faudra déminer. Pour le moment, j'ai juste envie de trinquer à la santé du mariage pour tous et de profiter un peu d'Inna.

— J'ai envie de pisser, dit-elle en se levant comme un soudard.

— Je te montre où c'est, dis-je en la suivant malgré des regards soupçonneux.

Les toilettes sont au sous-sol d'une cave en pierres, accessible par un colimaçon très étroit. Sitôt dans le clair-obscur, j'attire Inna contre moi et je l'embrasse.

— Tu es folle. Si quelqu'un nous voit !

— Je m'en fiche.

Elle sourit, se laisse faire, puis me repousse pour s'enfermer aux toilettes. Bon sang ce que j'en ai marre du puritanisme !

*

326

Si Jeanne d'Arc pouvait se réincarner, je suis sûre qu'elle choisirait cette amazone couronnée de fleurs. Un soir que nous longeons le jardin des Tuileries jusqu'à la place des Pyramides, Inna tombe en arrêt, fascinée, devant la statue de cette cavalière en armure d'or, pointant fièrement son drapeau vers le ciel.

— Elle est belle, non ?

— Tu sais qu'elle n'était probablement pas vierge, dis-je, en essayant de glisser ma propagande en faveur de la libération sexuelle.

— Vraiment ? fait Inna, d'un air déçu qui me navre.

— En fait, on ne sait pas. Certains y croient. Elle aurait subi des tests de virginité qui l'ont prouvé. D'autres pensent que c'était une bâtarde du roi Charles VI, qu'on a raconté tout ça pour créer une légende. Ce serait mieux, non ? Je veux dire, c'est plus inspirant de l'imaginer en « sorcière » qu'en sainte-nitouche illuminée ?

Inna ne m'écoute plus, comme chaque fois que je fais allusion à son corps en armure, et se met à tourner autour de la statue comme un gosse au pied d'un sapin de Noël.

— On peut facilement grimper sur son cheval par là, me dit-elle en montrant une encoche dans le piédestal.

— On en reparlera le 1ᵉʳ mai, lorsque les troupes du FN défilent. Allons plutôt manger.

Le sourire ne l'a pas quittée durant toute notre balade le long des quais. Un moment nous regardons la lumière des bateaux-mouches caresser la Seine depuis le Pont-Neuf. Un balcon idéal pour évoquer notre relation. Ce « nous » si fragile qu'il a fini par me rendre jalouse. Inna me rassure : « Il n'y a que toi ici. » Nos pas reprennent.

Jeanne d'Arc et son armure sont loin désormais. Il ne reste que nous, deux enfants en liberté dans les bras de Paris. Ma guerrière se détend tellement qu'elle en souffre. Son thorax la brûle affreusement, au point de gémir et de se tenir les côtes.

— C'est ta faute, me gronde-t-elle. Je me sens trop bien et regarde, ça s'ouvre de partout à l'intérieur. Je me sens faible !

La soirée échoue dans un restaurant à deux pas des Halles, par une longue et douce conversation qui achève de nous dénouer.

*

Le lendemain, Inna m'appelle en toussant :

— C'est à cause de toi ! Regarde ce qui arrive quand je me détends. Je ne peux pas. Mon corps ne supporte pas !

— OK, désormais, plus de restaurant, plus de vin, plus de marche. C'est eau froide et sermon tous les jours !

*

Trois mois plus tard, la trêve est terminée. Inna a remis son armure et moi la mienne. Nous avons croisé le fer pour sauver Amina. Nos différends stratégiques nous épuisent et nous montent l'une contre l'autre. Les luttes ont parfois les mêmes codes que les guerres.

Chaque séance d'entretiens pour le livre tourne à la confrontation de nos visions, que nous étalons sur la table comme des cartes de navigation n'indiquant pas

la même boussole. Parfois, je lui parle vraiment durement.

— Paris est trop petit pour que nous nous fassions la
guerre, fais attention. Si tu ne veux pas m'avoir face à
toi, n'hésite pas à me demander mon avis sur une action
avant. Si tu ne le fais pas, et que l'effet me paraît désas-
treux, je dirai franchement ce que j'en pense.

— Ça me va. C'est même romantique.

Romantique, à notre façon, mais si dur, quand nos
idéaux ont déjà tant de fois piétiné nos sentiments.

Inna déprime de plus en plus. Le monde pèse une
tonne. Le matin, elle se réveille en lisant des menaces
sur son téléphone : « Inna, sale garce, on va te brûler. »
L'après-midi, elle enchaîne les interviews, harcelée de
mails, sommée de s'expliquer dans toutes les langues.
La nuit, elle dirige ses troupes sur skype depuis sa
chambre envahie de militantes. Quand le manque
d'intimité la saisit à la gorge, elle tourne en boucle le
moulinet d'une petite boîte à musique en carton achetée
en Italie. Les filles comprennent qu'il faut la laisser seule.
Elle n'a plus personne à qui se confier. Pas même moi,
à qui elle ne veut plus montrer la moindre faiblesse.

— Comment vas-tu ?

— Ça va.

— Tu te moques de moi ? Arrête de mentir. Tu as
besoin de repos, de prendre du recul. Tu ne peux pas
rester dans cet état.

— Tout va bien. Je t'assure. Je n'ai pas envie de
parler ni de partir. Je ne peux pas...

Quand j'insiste, elle me raccroche au nez, incapable
de prononcer un mot de plus, étranglée par les larmes,
trop fière pour crier au secours. Son déni fanatique
m'insupporte. Moi-même, j'ai tant besoin de respirer.

L'historien préféré des fascistes, Dominique Venner, vient de se tirer une balle dans le crâne en plein Notre-Dame. Bien plus blasphématoire que Femen ! Mais surtout, il a laissé un testament invitant ses émules à mener des opérations Samouraï pour défendre la « race et la civilisation ». Un geste salué par Marine Le Pen… qui promet des vocations.

Je tire la sonnette dans les médias, redoute une fusillade contre une mosquée ou un bar gay. Mes proches s'inquiètent surtout pour moi. Je fais comme Inna, la fille qui n'a rien, ne sent rien, tout va bien. Et je le crois… Sauf parfois. Lorsque Inna achève d'apporter de la houle dans cet « espace de paix » que je voudrais pacifier encore. J'en suis à toucher du doigt la rupture, le moment où je pourrais perdre mon sang-froid sur un plateau. Il faut fuir quelques jours, loin de Paris et du champ de bataille, mais je n'arrive pas à boucler une valise. À cause d'elle. Je m'en voudrais tellement si quelque chose arrivait.

*

Le 1ᵉʳ Mai approche. J'imagine que Femen songe à une action pour le défilé annuel du FN. Je n'ai pas à la dissuader d'agir. Elle-même juge le coup d'éclat impossible. Trop de monde. Femen préfère diffuser une photo réalisée quelques jours plus tôt au pied de Jeanne d'Arc. Inna, Oksana et Pauline posent fièrement devant la statue dorée en lui tendant une pancarte que j'approuve à 100 % : « Femen, pas FN. » Belle façon de rappeler que Jeanne d'Arc est une héroïne féministe avant d'être une icône nationaliste.

Les sympathisants du Front ont moins d'inspiration. Le jour du défilé, on me signale de drôles d'autocollants sur les voitures de la place de l'Opéra, où Marine Le Pen doit parler. « Adresse personnelle de Caroline Fourest », suivi du numéro et de la rue où je vis. Un autre autocollant cible l'appartement d'Abel Mestre, un journaliste du *Monde* qui dérange l'extrême droite. Une menace de plus quand on travaille sur ce parti, décidément pas comme les autres. L'essentiel, c'est que les Femen n'aient pas commis l'irréparable et soient en un seul morceau... Mais rien n'est terminé.

*

Inna n'a renoncé à provoquer le défilé garni du 1er Mai que pour mieux s'attaquer à un rassemblement bien plus dangereux : celui du 12 mai, où défile l'extrême droite nazillonne et rasée qui nous a passées à tabac lors de l'action contre Civitas. L'idée ne manque pas de panache, sauf si Femen donne le sentiment de se jeter tête baissée dans la gueule du loup. Je bataille plusieurs jours pour convaincre Inna de venir voir mon film sur ces réseaux, pour qu'elles prennent certaines précautions. Elle accepte.

— Intéressant, Carolinka. Ça me permet de voir comment agir.

— Je comprends parfaitement que tu veuilles marquer le coup. L'enjeu en vaut la peine. Mais je te préviens. Si vous vous jetez dans la fosse, vous serez battues à mort et personne, contrairement à Civitas, ne pourra dire que vous n'étiez pas prévenues. Donc vous ne serez pas soutenues. Si vous survivez.

— Tu ne viendras même pas me tenir la main à l'hôpital ? me répond-elle en minaudant.

J'ai perdu l'envie de sourire. À cause de son état ou du mien, je ne sais plus. La nuit est blanche, froissée par l'angoisse. Je tourne et me retourne dans mon lit, et crois voir la scène.

Inna mène la charge, seins nus, comme la Liberté guidant le peuple dans le tableau de Delacroix, en brandissant un immense drapeau français. Elle est suivie d'Oksana. Aucune Française n'a voulu en être. Mon amazone fend la foule des crânes rasés, stupéfaits d'une telle inconscience, presque admiratifs pour cette Jeanne d'Arc en chair et en os. Batskin, leur chef, éructe au micro.

— Elles sont venues nous provoquer comme des hommes qu'elles sont en réalité. Nous les corrigerons comme des hommes. C'est ça l'égalité !

Tant pis si les forces en présence ne sont pas vraiment égales : quatre cents contre deux… La foule exulte d'un « ouaiiiisss » ! Le taux de testostérone grimpe au point d'imprégner l'air d'une odeur épaisse. Les blousons noirs de Troisième Voie ont foncé en premier, flanqués des chemises brunes des Jeunesses nationalistes. Un immense molosse tatoué « MADE IN FRANCE » attrape Inna par la crinière et lui arrache le drapeau français. Un autre la plaque à terre. Oksana est tirée par l'épaule et vole en l'air. Quand elle retombe, le corps d'Inna gît comme sous une montagne d'hommes la rossant à coups de bottes. Jeanne d'Arc se meurt, terrassée par des nationalistes. Elle jouit de l'ironie, avant de s'évanouir. C'est la dernière image que capte Oksana avant de recevoir un coup à la tête.

Les CRS doivent se jeter à leur tour dans la bataille, à coups de gaz lacrymogènes, pour approcher. Des images terribles circulent sur Facebook. Le communiqué de Femen est laconique : « Ce jour, à 11 h 55, nos deux camarades, Inna Shevchenko et Oksana Chachko, qui avaient courageusement défié l'ennemi fasciste, ont été sauvagement rouées de coups par des hommes que nous considérons comme des animaux. Nous vous donnerons de leurs nouvelles dès que nous en saurons plus. »

Je hurle devant mon écran. Pourquoi n'ai-je rien fait ? Inna !!! Le téléphone crie avec moi. C'est le préfet.

— Madame Fourest, vos amies ont été transportées à l'Hôtel-Dieu. Dans un état critique.

Je ne sais pas pourquoi il a cette attention, ni comment le remercier. Je fonce rue de Rivoli pour appeler un taxi, manque d'être renversée. Tout est flou. Le bruit des voitures cogne dans ma tête. Chaque vitre me renvoie le reflet du corps d'Inna supplicié. L'Hôtel-Dieu n'est pas si loin. Je cours à perdre haleine. Comment ai-je pu l'abandonner ! Les gens me reconnaissent et me regardent d'un air hébété. Quand j'arrive aux urgences, je tombe sur l'infirmière qui nous a examinées après l'agression de Civitas. Elle baisse les yeux d'un air grave.

— Venez avec moi, on l'a transportée là-bas. Son amie est morte. Et elle... c'est bientôt la fin.

En poussant la porte de la chambre, j'aperçois le corps d'Oksana. Avec son visage pâle parcouru d'un filet de sang, on dirait une icône ayant rejoint l'éternité. Elle aurait aimé ce portrait. Le son de la machine à maintenir le cœur d'Inna en vie m'appelle depuis l'autre lit. Elle avait donc un cœur... Son corps repose sous un linceul blanc taché de sang, remonté jusqu'au-dessus des seins. Une sonde sort de son bras. Le goutte-à-goutte égrène son dernier litre de vie. Je lui saisis l'autre main, quand ses yeux s'ouvrent et me sourient. J'ai la voix coupée par l'émotion.

— Inna, ne meurs pas. Je t'en supplie. Je voulais te dire… On aura des enfants, une maison, une pelouse, un chien, tout ce que tu veux. J'irai parler à ton père, je lui demanderai ta main.

— Tu tiens déjà ma main, sourit-elle, avant de m'adresser son dernier battement de cils.

Son sourire s'est arrêté. Sa paupière s'éteint sur notre secret.

Je me réveille en sueur et en larmes. Veuve d'une femme à qui je n'appartiendrai jamais mais qui, par la grâce du monde, est encore en vie.

*

Le 12 mai, Inna et Oksana ne se sont pas jetées dans la fosse aux lions. Avec deux activistes françaises, Pauline et Sarah la scénariste de bandes-dessinées, elles ont loué une petite chambre sous les toits, à l'hôtel Régina pour 200 euros. Le lendemain, lorsque les troupes ultra-nationalistes se sont massées sur la place, elles sont sorties par la fenêtre pour enjamber les rambardes, jusqu'au balcon surplombant la statue de Jeanne d'Arc, où elles ont déployé une immense banderole. Une toile de dix mètres de haut peinte par Oksana dans un style très soviétique, où des Femen qui lèvent le poing appellent à la « Sextermination du nazisme »… Avec pour légende : « LE NÉO-FÉMINISME VOUS A À L'ŒIL. »

334

Les Femen ont tenu ainsi de longues minutes, le bras en l'air avec des fumigènes, vêtues d'un simple short en jean, chevelure au vent, toisant Paris et la foule de crânes rasés criant : « Femen au bûcher » ! Des militantes d'extrême droite se sont jointes aux injures : « Femmes à la cuisine ! » ou encore : « On vous attend, femmes à femmes ! » Des nervis en état second ont tenté de pénétrer dans l'hôtel pour monter les déloger, avant d'être repoussés par les CRS.

Au sommet, depuis un autre balcon, la police a prévenu les militantes : « Si vous ne descendez pas, on envoie une échelle de pompiers pour vous évacuer ! » Bien sûr, elles se sont accrochées, jusqu'à l'arrivée des soldats du feu, en savourant cette descente spectaculaire sous les injures et les crachats. Inna s'est même tournée vers la foule pour lui envoyer des baisers, avant d'être sauvée du lynchage par des CRS malmenés. Un furieux parvient tout de même à coller son nez contre la vitre du fourgon : « Inna, on te retrouvera ! »

Le jour d'après, les sites d'extrême droite ne parlent que de « laver l'affront ». L'un d'eux croit à un complot du ministère de la Culture parce qu'il possède le balcon où les filles ont échoué. Un autre jure de venger l'honneur de Jeanne d'Arc bafoué par « Fourest et ses SA ». Le Lavoir est mis sous haute surveillance. Les filles continuent de dormir la main sur l'extincteur, sans savoir qui, des islamistes ou des fascistes, les brûleront en premier.

CHAPITRE 10

Libérez Amina

— Tu as vu le statut Facebook d'Amina ? me demande Fiammetta.

— Non ?

— Va voir…

Ma veilleuse ne rate jamais rien. Son ton m'inquiète. Je me précipite sur la page d'Amina et je lis : « 40 000 salafistes à Kairouan, j'y vais ! » Cette fois, c'est la guerre. Nadia est déjà au téléphone pour tenter de la raisonner. Inna n'en revient pas. La kamikaze tunisienne serait-elle plus suicidaire que la kamikaze ukrainienne ?

Tout est prêt pour l'exfiltrer : le billet d'avion, un logement provisoire, un futur lycée… Fiammetta et Nadia ont même récolté 5 000 dollars sur Internet pour financer les premiers mois à Paris. Il ne manque qu'un tampon du ministère de l'Intérieur tunisien sur son passeport, qui tarde à arriver. Amina tourne en rond et veut agir. Crier au moins une fois à la barbe des fanatiques avant de lever le camp. Ansar al Charia, le parti des salafistes, menace de manifester en force à Kairouan. Leur fief, la ville où Amina a été séquestrée. Les fanatiques ont récemment massacré un policier à Tunis, Mohamed Sboui… son oncle. Elle a mille raisons d'agir. Mais quand même… 40 000 salafistes, c'est beaucoup.

— Amina, qu'est-ce que c'est que cette histoire ? lui demande Nadia par téléphone.

— T'inquiète, je ne vais pas me jeter dans la foule. J'ai prévu un truc.

— Quel truc ?

— Une banderole : « LA TUNISIE EST UN ÉTAT CIVIL ET LES FEMMES TUNISIENNES SONT LIBRES. » Je vais la mettre sur un mur sous leur nez.

— Tu seras lynchée !

— Non, Nadia, ne t'en fais pas, je serai en hauteur.

À croire que le gouvernement tunisien est encore plus terrorisé que nous, il décide d'interdire le meeting des salafistes. Une première, que la presse européenne s'empresse d'interpréter comme le tour de vis attendu envers les extrémistes. On croit l'orage passé. Si le meeting des salafistes est annulé, Amina restera sagement à Tunis… Grosse erreur.

*

Le soleil tape. Des barbus sillonnent les rues de Kairouan dans l'intention de braver l'interdiction. Amina est arrivée la veille, les cheveux très courts et teints en blond. Elle rappelle Nadia qui la supplie de ne pas se dénuder. À l'hôtel, elle a croisé une équipe de journalistes espagnols qui l'ont reconnue et interviewée. Elle reste avec eux pour ne pas être seule. Mais ils doivent tourner une scène et lui confient leur sac. Quand ils reviennent, Amina a tagué « Femen » sur le muret où ils s'étaient assis. Des habitants la reconnaissent et entrent en transe en voyant l'inscription : « Salope, mécréante ! » Ils vont la lyncher. La police l'embarque. La journaliste espagnole et son cameraman arrivent juste à temps pour récupérer leur sac et grimper avec elle dans le fourgon. Ils la filment, stressée mais pas si inquiète.

— Ils m'ont juste protégée. Ils vont me libérer.

À Paris, c'est aussi notre analyse. Au poste, le commissaire autorise Amina à prévenir Nadia et lui fait dire qu'elle sera bientôt relâchée. Ensuite, c'est le rituel habituel. Fiammetta m'informe, je préviens Inna, qui alerte Femen. On répand la nouvelle sur nos pages, sans être alarmistes. Tout le monde s'attend à voir Amina libre en fin de journée, et donc à Paris le surlendemain. Mais le soir, plus de nouvelles. Son téléphone ne répond plus. Son père, dont elle est redevenue proche, s'inquiète. Nous aussi. Le lendemain, le procureur donne une conférence de presse, où il annonce que Amina est poursuivie pour « acte immoral », une forme d'atteinte aux bonnes mœurs comportant plusieurs articles dans le code tunisien. Elle risque jusqu'à six ans de prison. Des consignes viennent de transformer une simple garde à vue en affaire d'État.

*

À Paris, la ministre des Droits des femmes, Najat Vallaud-Belkacem, est l'une des premières à réagir et à se dire « préoccupée ». Sur place, le consulat français suit le dossier. D'autant que les charges s'accumulent, toujours plus délirantes. Trois témoins disent avoir vu Amina se dénuder, un récit mensonger, visiblement téléguidé. Le procureur ajoute deux autres charges. On lui reproche d'avoir détenu une arme explosive. Un spray d'autodéfense qu'elle a toujours dans son sac pour se défendre... Puisque la police ne le fait pas ! Amina est également poursuivie pour « association de malfaiteurs »,

339

l'accusation qu'utilisait Ben Ali pour maintenir les islamistes en prison, sans date de procès. Elle risque maintenant jusqu'à douze ans de prison ! Sous l'ancien régime, la répression arbitraire frappait les intégristes. Depuis la révolution, elle vise les féministes et les athées... Quel progrès !

Le combat sera long.

Il faut maintenir l'opinion en alerte, sinon Amina finira embastillée en silence, comme tant d'autres prisonniers politiques tunisiens dont je suis souvent la seule à parler dans les médias français. Heureusement pour Amina, elle est Femen...

Au Lavoir, on pense déjà aux grandes manœuvres. La question d'envoyer ou non des activistes à Tunis ne se pose même pas. C'est une évidence. Les filles veulent toutes y aller. Inna doit convaincre celles qui ne sont pas prêtes de rester et de laisser la place à une militante allemande pour former une équipe plus européenne. Les plans sont prêts.

*

— Elles ont attaqué le palais de justice à Tunis ! me crie Fiammetta depuis l'ordinateur.

— C'est pas vrai ? Seins nus ? Très fort.

Je cours sur la page des Femen et je vois les deux visages auxquels je m'attendais : Pauline et Marguerite, accompagnées d'une jeune Allemande d'un blond roux vénitien angélique, Joséphine. Les images sont incroyables. Avec cran et panache, en simple short et en jean, les trois activistes montent à l'abordage des grilles du palais de justice. Elles tiennent des pancartes en tissu rouge « FUCK YOUR MORALS » et crient « Free Amina ! ».

La foule n'est pas si hostile. Certains Tunisiens applaudissent. D'autres accourent pour frapper ces mécréantes. Comme cette femme en niqab qui gifle Pauline avec son gant noir. Un choc entre deux mondes.

Marguerite et Joséphine sont soulevées par les aisselles, tirées par les pieds. Les policiers n'osent pas les toucher mais les maltraitent quand même. On les traîne dans un couloir angoissant où elles se prennent des coups de pied. Puis on les jette dans un fourgon sans fenêtre, étouffant. Il roule à si vive allure, sur les routes cabossées, qu'elles s'écrasent les unes contre les autres. Pauline croit mourir.

Leur terreur monte d'un cran en arrivant à la Géole, un centre de rétention mixte. Avec d'un côté les femmes, dont une victime d'un accident de la route, la tête dans une minerve, passée directement de l'hôpital à la prison. Et de l'autre les hommes, dont certains ont des plaies ouvertes qui se déversent sur le sol, recouvert de culs de bouteilles éclatées, sur lesquels il faut marcher. Quand elles n'obéissent pas assez vite aux consignes en arabe, on les moleste et on leur hurle dessus.

— Yallah !

*

À Paris, il faut gérer. La générale Shevchenko est en charge de mener les assauts. Nous respectons son « secret-défense ». À nous de mener l'opération sauvetage : la défense, le lobbying, la pression diplomatique et politique. Je me garde de tout lui dire sur certaines subtilités de couloir qui ne l'intéressent guère. Fiammetta continue le travail de réseau entamé avec le site Free Amina, qui rencontre enfin du soutien en Tunisie, y compris chez des gens jusque-là sceptiques. Le comité de soutien coordonné par Nadia et une jeune militante très courageuse en Tunisie, Amjède, grandit à vue d'œil. Lina Ben Mhenni, la blogueuse phare de la révolution, le rejoint. Hélé Beji, une romancière tunisienne, publie un texte magnifique dans *Le Monde* pour saluer la force historique du geste d'Amina : « Amina poursuit la droite ligne de l'acte fondateur, anticlérical, révolutionnaire de Bourguiba, quand il avait transgressé l'interdit que personne n'avait bravé, et avait fait tomber le voile des femmes devant l'univers subjugué. »[1]

Pendant ce temps, Nadia gère les avocats tunisiens, qui se sont présentés spontanément à l'audience pour défendre Amina et vont maintenant défendre aussi les Femen européennes. Ils sont une dizaine, mais nous sommes surtout en contact avec Soheib Bahri, le premier à avoir pris l'affaire, et Leila Ben Debba, une grande figure de la révolution, connue pour ses origines modestes, sa gouaille et son caractère ombrageux.

Il nous faut des avocats à Paris. Patrick Klugmann, qui me défend dans plusieurs affaires, propose son aide, en militant. C'est un très bon plaideur et un activiste antiraciste qui a du tempérament. Inna va l'adorer. Les Tunisiens, je ne suis pas sûre… Il a beau militer dans des associations juives de gauche et pour la Paix, « Klugmann » sonnera toujours un peu « sioniste » à leurs oreilles. Mais comme il le dit si bien, « on ne peut pas toujours tenir compte des critères nazis ». Il fera donc équipe avec l'avocat de Femen, Ivan Térel. Par chance, ils s'apprécient. On se voit chez moi pour tout coordonner. Inna est attentive, appliquée, fière de ses

---

1. « Amina, l'histoire en marche », Hélé Beji, *Le Monde*, 15 juin 2013.

lieutenantes, mais aussi inquiète et culpabilisée. On en parle peu. Il faut foncer. Inna ne pense qu'à ça : riposter. Elle en oublie qu'il faudrait écrire aux filles pour leur remonter le moral.

Le consulat les a cherchées un moment avant de les trouver à La Manouba, la prison de femmes. Vingt-huit dans une cellule de quarante mètres carrés, moins d'1,5 mètre carré par personne. Toutes les filles n'ont pas de lit. Certaines dorment tête-bêche, ou par terre. On leur dit que c'est pire ailleurs. Elles n'imaginent même pas. Déjà qu'il faut se battre avec les cafards, les souris et les mouches… Le plus dur, c'est peut-être la première fouille au corps, très intrusive, puis la première douche. Quand une matrone vient les frotter de partout, et les humilie. Une autre gardienne somme Pauline d'enlever sa serviette hygiénique et de la déposer au sol devant tout le monde. Elle regagne sa place en serrant les mâchoires. Ses camarades baissent les yeux. Une prisonnière tunisienne s'approche d'elles.

— C'est bien que vous soyez témoins de ça. Je suis désolée pour vous, mais quand vous sortirez, vous pourrez le raconter…

La solidarité entre prisonnières, c'est ce qui les aide à tenir. Quand les Femen sont arrivées, presque nues, les autres détenues leur ont tout de suite prêté des vêtements. Elles savent pourquoi elles sont là. Certains comprennent, d'autres moins. Personne ne juge. Sans la moindre nouvelle d'Inna ou très peu de l'extérieur, leur monde se réduit à écouter les histoires des unes et des autres, qui les enragent.

Il y a Zora, voilée mais arrêtée parce qu'elle avait du sperme dans le vagin. Zineb, surprise dans une chambre avec un Libyen. Rabia, l'ancienne, qui jure n'avoir pas tué sa voisine. C'est son bouc qui l'a encornée... Zaza, la folle, mange ses cendres de cigarette. Toutes fument comme des pompiers, parfois en allumant une cigarette avec l'autre pour économiser les allumettes. On peut se ravitailler au marché noir, mais c'est cher. Il faut payer pour tout, et manger par terre, dans la bassine. Un ragoût bizarre à base de féculents et de tomate, qu'on peut saisir avec une cuillère quand on en trouve.

Les filles sont malades. Joséphine vomit sans discontinuer et finit par s'évanouir. Les gardiennes n'envisagent même pas d'appeler un médecin. Les prisonnières tentent de la ranimer avec les moyens du bord, de l'eau sur le visage et quelques prières. De toute façon, ici, tout le monde est malade, vomit, chie, ou se déverse en public. Les bébés qui naissent en prison sont verts, pleins de pustules. C'est l'enfer. Et toujours aucune nouvelle de leurs camarades.

— Ces salopes nous ont oubliées ! s'écrie Pauline.

L'écrivaine ne rêve que d'un carnet pour noter ses pensées. Puis elle a une autre idée pour tuer le temps : faire semblant de savoir lire les lignes de la main. Tout le monde se met à raffoler de ses prédictions, les détenues et même les gardiennes. Un jour, l'une d'elles lui demande une consultation dans la chambre froide, par peur d'être surprise par la directrice :

— Je vois de l'amour, beaucoup d'amour...

La bibliothèque modèle, celle qu'on fait visiter aux journalistes, est fermée. Si elles insistent, les détenues ont droit à un exemplaire du Coran. La télé diffuse des émissions religieuses, parfois des feuilletons à l'eau de rose. Pauline fait semblant de trouver les acteurs garçons mignons. Si quelqu'un découvre qu'elle est lesbienne, la peine sera terrible.

La jeune conseillère du consulat vient les visiter deux fois par semaine. Un traitement de faveur qui se transforme en Noël quand elle leur apporte des chocolats ou des fruits. Les filles ont surtout envie de savoir ce qui se passe à l'extérieur, si Inna a envoyé un mot, si elle prend de leurs nouvelles, si elle a des consignes à leur donner...

— On s'est parlées une fois seulement. Par contre vos familles sont très inquiètes.

Pendant ce temps, à l'extérieur, nous remuons ciel et terre.

*

Le geste des Femen a bouleversé la famille d'Amina. Même sa tyrannique de mère n'en revient pas que trois Européennes puissent prendre de tels risques pour venir au secours de sa fille. Son oncle écrit un texte, très beau, pour saluer le courage des Femen, et les remercier. Le père d'Amina sort enfin de son silence. Il implore la Tunisie de se regarder en face au lieu de punir sa jeunesse. Dans un pays arabe, qu'un patriarche soutienne sa fille, ça pèse.

Plus les jours passent, plus il devient évident que Amina et les Femen subissent un traitement politique, qui rappelle les heures sombres de Ben Ali. Les Femen ont été arrêtées le jour où le tribunal de Tunis venait de relâcher des islamistes ayant attaqué l'ambassade américaine, au prix de millions de dégâts pour les contribuables tunisiens. Le « deux poids deux mesures » est flagrant. Grâce à Femen, il se voit enfin.

Inna organise une série d'opérations visant à harceler les dignitaires tunisiens lors de leurs déplacements à l'étranger. Le Premier ministre islamiste est cueilli à Montréal, où il existe un groupe Femen-Québec très actif. Leur leader, une Ukrainienne qui vit là-bas depuis des années, trouve le moyen de grimper sur l'estrade pendant son discours et se plante à ses côtés, seins nus, en criant « Free AMINA ! », avant d'être salement évacuée.

*

Le jour du procès de Pauline, Joséphine et Marguerite arrive enfin. Les filles sont conduites le long d'un couloir en pierres ultra oppressant. Le chef des gardes est violent et prend un plaisir sadique à inspecter leurs sous-vêtements, puis à les engoncer dans un sefsari, ce voile traditionnel qu'on donne aux prisonnières pour cacher leur visage, surtout si elles sont prostituées. Elles ne savent pas qu'elles peuvent l'enlever à l'arrivée du juge et vivent donc leur premier procès voilées. L'image nous consterne, presque autant que les avocats des associations islamistes, qui hurlent au sacrilège et disent qu'elles vont le « souiller ». Décidément, avec eux, les féministes ne sont jamais bien habillées...

Pour le reste, l'audience ne porte que sur un point technique. Savoir si la quinzaine d'associations islamistes, essentiellement des faux nez d'Ennhada, peuvent se porter parties civiles. Réponse à 14 heures. L'audience est suspendue.

Quand elle reprend, le tribunal est chamboulé par la nouvelle. Le matin, huit Femen sont arrivées avec des barbes et des tapis pour mener une action devant le consulat tunisien à Paris. Une prière de rue à leur façon, seins nus et implorant la justice pour les femmes. Inna voulait cibler la religion. David, un nouveau venu, et d'autres activistes, s'y sont opposés.

— Ce n'est pas le sujet. Ce qu'on veut, c'est réclamer un procès juste…

— Je suis d'accord. Une prière pour la justice, c'est mieux, dit Elvire.

Elle est promue « Imam », aux côtés d'Aliaa el Mahdy, que Inna a fait venir de Suède, comme elle se l'était promis.

— Amina Akbar ! Pauline Akbar ! Marguerite Akbar ! Joséphine Akbar !

Les huit Femen en tenue d'Ève répètent les noms de leurs camarades en boucle avant de s'agenouiller sur leur tapis de prière. La scène est à la fois drôle et clairement blasphématrice. Ce qui ne me choque pas, bien au contraire. Surtout sous les auspices d'Aliaa el Mahdy, quel symbole ! Malheureusement, sans ses souliers rouges, personne ou presque ne l'a reconnue. Tout le monde est occupé à hurler ou à stresser à cause du procès. Mon téléphone crache l'incompréhension du consulat. Les familles sont effondrées. Je dois appeler les mères de Pauline et de Marguerite pour tenter de les calmer, tellement elles sont remontées contre Femen.

— Elles veulent les sortir ou les enfoncer !

— Madame, je comprends parfaitement votre angoisse. Mais c'est Femen… Pour avoir vu votre fille à l'œuvre au moment de la première campagne pour Amina, je peux vous garantir qu'elle approuverait. J'ai même dû me battre contre elle en pareille situation. Quoi que nous en pensions, vous et moi, il faut respecter leur choix de militantes. Si vous critiquez leur

mouvement dans la presse, elles ne vous le pardonneront jamais.

Quand je rejoins les troupes au Lavoir, une douzaine
de militantes et de militants dévorent compulsivement
des chips en attendant le verdict. Avec le sentiment du
devoir accompli. Aliaa sourit, plus en vie que jamais.
Inna lui caresse les cheveux et la couve comme une
petite sœur. J'ai du mal à partager leur enthousiasme.
Ont-elles conscience que les filles risquent de prendre
un ou deux mois de plus ? Après le consulat et les
familles, il faut maintenant calmer les avocats... Leïla
Ben Debba, qui n'a jamais daigné me prendre au téléphone, cherche subitement à me joindre. On me prévient par texto qu'elle veut claquer la porte, en plein
procès ! Inna remarque mon inquiétude.

— Qu'est-ce qui se passe ?

— C'est Ben Debba. Elle veut quitter la défense.

— Laisse-la partir !

Décidément, il ne faut pas compter sur le camarade
Shevchenko pour le volet sauvetage. Je décroche en
déglutissant.

— Caro, me dit Leila, comme si on se connaissait
depuis toujours, je vais quitter le procès.

— Leïla, tu ne peux pas faire ça...

— Si, après ce qu'elles ont fait ce matin ! Qu'est-ce
qu'elles voulaient ! Choquer les croyants ? Pourquoi
faire ?

— Leïla, ce sont les Femen. Tu devais savoir à quoi
t'attendre en décidant de les défendre. Elles critiquent
toutes les institutions religieuses. Inna a coupé une croix
en Ukraine...

— Je sais, j'ai vu le film.

— Ce matin, à côté, c'était plutôt gentil. Une prière pour la justice, pour les filles. Avec Aliaa el Mahdy !

— Mais pourquoi aujourd'hui ! Elles ne peuvent pas faire profil bas, justement aujourd'hui ?

— Justement, non. Elles veulent montrer qu'elles n'ont pas peur, qu'elles ne renient pas leurs convictions à cause de la répression. Leila, elles ont vingt ans. Joséphine va fêter son anniversaire en prison. Pour une manifestation pacifique en solidarité avec Amina ! Le jour où la justice tunisienne n'a filé que du sursis aux salafistes ayant attaqué l'ambassade américaine. Ils ne les arrêtent jamais et ils mettent des gamines en prison, qui n'ont jamais menacé personne ! Ce procès est historique pour la Tunisie, tu le sais bien... Où va ton pays si des féministes croupissent en taule pendant qu'on relâche les terroristes ? Tu ne défends pas Femen, tu défends la Tunisie !

Pendant ma plaidoirie, alors que je marche de long en large dans la galerie sous les yeux des Femen, Inna vient vers moi et me fait signe de raccrocher. Depuis le début, elle ne sent pas cette avocate, trop instable, trop dubitative face à la cause... Sans m'en apercevoir, ma main lui caresse la joue devant tout le monde, pour lui dire tendrement de me laisser faire. J'aime cette fille, mais décidément elle ne se rend pas compte. On ne peut pas perdre Leïla Ben Debba en plein procès ! Le signal serait terrible.

— Leila, c'est toi qui as choisi de monter à bord de ce bateau. Pas pour les Femen seulement, pour la Tunisie, celle qu'on aime, dont on rêve tous. Imagine l'effet si tu pars maintenant... Que vont-ils dire ? Tu ne peux pas descendre maintenant. Tu les enfonceras, et les islamistes crieront victoire.

— Caro. Tu m'as convaincue. Tout à l'heure j'y retourne et je défends les filles. Mais j'ai un problème...

— Quoi ?

— Ma mère, ils l'ont menacée. C'est tout ce que j'ai. Il faut qu'elle puisse avoir un visa pour venir se mettre à l'abri en France. Ainsi que mon neveu.

— Je m'en occupe. Le consulat va s'en occuper, j'en suis sûre.

— Alors, j'y retourne. Si ma mère est à l'abri, je n'ai plus rien à perdre. Ils peuvent me tuer s'ils le veulent, je me battrai jusqu'au bout.

Quand je raccroche, je pèse deux kilos de moins et je demande à griller, exceptionnellement, une cigarette.

— Ça ne va pas ? demande Sarah.

J'essaie de leur expliquer que leur action n'a pas été des plus appréciées à Tunis. Inna n'aime pas beaucoup que je démoralise ses troupes, mais elle m'en veut moins que d'habitude. On s'isole un instant au fond de la galerie, derrière le drap aux couleurs de Femen, sur un matelas posé par terre.

— Ça va toi ?

— Ça va..., me dit-elle d'un ton las et tendre. En massant ses jambes et en gémissant de douleur, comme chaque fois qu'elle a le sentiment d'être impuissante.

Elle gémit de nouveau, cette fois pour m'allumer. Mais il y a longtemps que je ne crois plus à ses promesses.

— Ça suffit Shevchenko.

Le chat de Marguerite passe entre nous et nous rappelle que ce matelas est le sien, qu'elle est sans doute en ce moment même sur un lit défoncé, dans une cellule bondée, à crever de chaleur et d'angoisse. Il faut repartir aux nouvelles. En fin d'après-midi, le verdict tombe. Le procès est reporté d'une semaine. Les filles restent enfermées.

*

Ça y est, les fascistes ont tué. Ni Inna ni moi, mais un jeune antifasciste. Clément Méric, 18 ans à peine, tombé sous le coup de poing d'un molosse proche de Troisième Voie. La télévision diffuse l'image de son regard enfantin, prise lors d'une manifestation où il tient une banderole contre l'homophobie, le bas du visage masqué par un foulard rouge. Le ministère de l'Intérieur songe à dissoudre certains groupes en vertu de la loi contre les ligues datant de 1936. Je dois en débattre sur le plateau de La Chaîne Parlementaire lorsque maître Ben Debba m'appelle pour me donner le verdict du second procès des filles.

— Quatre mois…, Caro… Quatre mois ! crie-t-elle en pleurs.

La nouvelle m'assomme. Je ne m'attendais pas à une telle sévérité.

— Ils sont fous. « Le deux poids deux mesures » avec les salafistes est trop flagrant… Ils veulent la guerre ? Ils l'auront ! m'entends-je dire d'une voix blanche.

Dans ma colère, je n'ai pas vu que je marche tout droit sur Florian Philippot, le jeune lieutenant de Marine Le Pen, qui se prépare à m'attaquer personnellement, comme toujours. Il m'intéresse si peu aujourd'hui. Je le salue poliment.

— Bonjour, monsieur Philippot.

Juste avant d'entrer en studio, j'appelle Inna pour lui annoncer.

351

— Tu es au courant ?

— Quoi ?

— Quatre mois…

— …

— Ils vont le payer. Je dois te laisser. Je rentre sur un plateau.

*

À la sortie, toujours sous le choc, je fonce au Lavoir. Inna tourne en rond comme un fauve. Perdue et furieuse. Elle n'a pas envie de me parler dans ces moments-là. Moi si.

— Comme te sens-tu ?

— C'est pour me demander ça que tu es venue ! Ce n'est pas la peine ! J'ai autre chose à faire.

Elle se lève et remonte dans son studio, tapoter compulsivement sur Internet, entourée de sa meute, à l'affût d'une revanche. Le général Shevchenko est décidément mauvais camarade. Elle me parle comme si j'étais un troupier ou mieux, un teckel. Plus exactement, comme si j'étais son boy friend, alors que nous avons une guerre à mener !

— Mais quelle conne ! Quelle conne ! En roulant vers chez moi, j'incendie de jurons mon scooter, sans savoir ce qui me blesse le plus. Son ingratitude politique ou privée. J'en viens à me dire que Inna se fiche totalement de ce que je lui apporte comme alliée. Ça l'agace même. Elle préfère de loin rester à la tête d'un petit groupe de hooligans que d'avoir à négocier la stratégie avec moi. Le problème, c'est que nous sommes sur le même champ de bataille. Mon nom est impliqué dans cette campagne. Je ne peux pas la laisser faire n'importe

352

quoi ! Moi aussi je préférerais être seule que d'avoir à composer avec sa troupe d'adolescents enragés ! Avant, je pouvais mener ses combats, en millimétrant mes assauts, sans crier gare. Maintenant, chaque offensive est annoncée au clairon par une boîte à pétards nommée Femen ! Quand je pense que *Le Monde magazine* écrit que j'ai le don de « sauter » sur les sujets médiatiques… S'il savait combien j'enrage, en coulisses, d'avoir à composer avec un tel tintamarre.

Je ne peux quand même pas laisser ses soldates pourrir en prison… Ça ne me gêne pas de jouer à l'arrière, bien au contraire, mais je n'en peux plus d'assurer la défense sans être associée à la stratégie d'attaque, pour me faire engueuler en plus !

J'en suis toujours à insulter mon scooter, quand mon téléphone vibre. C'est Inna qui s'excuse d'avoir été si dure. Mais c'est toujours la petite amie qui parle. Pas un mot pour l'alliée. Mais quelle conne !

*

La campagne reprend. Après avoir harcelé les autorités tunisiennes à l'étranger, Femen cible maintenant les représentants des pays européens pour les pousser à agir. Elvire mène une action en Allemagne, devant la maison d'Angela Merkel. Opération réussie. Merkel demande la libération des Femen. Je m'occupe plus discrètement d'activer certains leviers côté français.

Depuis le premier jour, je n'ai qu'une crainte : que le président français annule ou reporte son voyage en Tunisie, qui approche. Sa venue est la seule pression dont nous disposons pour convaincre les autorités tunisiennes d'inciter la justice à libérer les Femen. Les juges sont indépendants, bien sûr, mais ils ont des oreilles et le doigt à la fenêtre, surtout dans une période aussi chaotique.

L'appel du procès des trois Femen européennes est incroyablement rapide et tombe, comme par hasard, quelques jours avant la visite du président français. Un signe qui ne trompe pas. La diplomatie de coulisses a marché. Je ne connais pas les détails. Je sais juste que le gouvernement s'est mobilisé, façon Quai d'Orsay. Ne pas trop claironner en public pour ne pas vexer les autorités tunisiennes, ne surtout pas donner le sentiment de porter atteinte à la souveraineté d'un autre pays, mais s'activer pour que la détention de trois Femen européennes n'oblige pas le président français à s'en mêler publiquement lors de sa visite. Allez faire comprendre les subtilités de la force diplomatique à Inna...

— Ce gouvernement est nul. Pourquoi ils ne font pas comme l'Union européenne. Tu as vu ? Ils exigent que la Tunisie change ses lois. « Exige », ça, ça a de l'allure...

— L'Union européenne n'a pas l'histoire coloniale de la France. C'est bien que l'Union exige et que la France agisse en coulisses !

*

Notre animosité a fini par passer, comme toujours. J'ai même décidé d'accompagner Inna à la préfecture pour ses papiers. L'idée d'une énième file d'attente, à subir des questions en français, l'angoisse vraiment. Je joue les gardes du corps, les interprètes et les clowns pour la distraire. Les gens nous reconnaissent et se demandent ce que je fabrique ici. On en sourit. Je parle avec plusieurs réfugiés pour trouver un stylo, cherche de la monnaie pour faire ses photos d'identité. Une femme qui a dû fuir un pays d'Afrique tient à m'offrir les cinq euros.

— Tenez, gardez l'argent, ce pays m'a tant donné...

Les larmes me montent aux yeux. Inna comprend que c'est à cause de la façon dont elle a parlé de la France et se moque.

— Stupide nationaliste !

— Quoi ! J'adore quand mon pays sait se faire aimer.

Je ne sais toujours pas ce qui adviendra de nous deux, mais je sais qu'elle en tombera amoureuse. À sa façon. Elle me l'annonce entre deux guichets, avec un sourire machiavélique.

— Je ne t'ai pas dit...

— Quoi ?

— Les filles ont fait une action. Deux nouvelles viennent de foncer sur Hollande, au Bourget.

— Pour quoi faire ?

— Pour Amina.

— Vous lui avez foncé dessus comme s'il s'agissait de Poutine ou de Berlusconi ? Malin, ça montre que vous avez le sens du discernement.

— Mais non, c'est une action gentille. Les services de sécurité les ont tout de suite arrêtées...

— Même. C'est une arme que vous devriez réserver aux vrais autocrates. Question de riposte graduée. Mais c'est le genre de finesse dont vous vous moquez éperdument.

Arrivée chez moi, je regarde la vidéo. François Hollande inaugure le Salon de l'aviation au Bourget, en serrant la main de badauds, quand deux Femen lui foncent dessus en criant. Imperturbable, comme en toutes circonstances, il sourit, presque amusé de voir enfin ces Femen dont on lui a rebattu les oreilles. Les services de sécurité ont moins le sens de l'humour. Les filles sont proprement menottées et l'une d'elles a un beau coquard. Sur la page Facebook des Femen, c'est le lot habituel des commentaires outrés. Mais une autre polémique inquiète Nadia, qui a repéré une erreur dans le communiqué de l'AFP. Sur leur torse, les filles ont écrit : « FLY FROM ISLAMISM » (Envolez-vous loin de l'islamisme). Or l'agence France-Presse a rapporté « Fly from islam » (envolez-vous loin de l'islam). Les journalistes proches de Frères musulmans s'en donnent à cœur joie pour cogner sur Femen, et bien sûr sur moi. Je dénonce la citation tronquée sur Twitter. Miracle d'Internet, l'AFP rectifie dans la demi-heure. Encore une tempête d'évitée.

*

Avec Inna, nous sommes d'accord sur un point. Il faut pousser le président français à être le plus ferme possible lors de sa visite en Tunisie. Dans ce domaine, je ne crois pas aux paroles des diplomates données en coulisses. Il faut le prendre à témoin publiquement.

Je rédige une lettre ouverte, à paraître sur le site du *Monde*. Elle « exige » du président qu'il « exige » (Inna va être contente) la libération d'Amina, de Pauline, de Joséphine et de Marguerite. Avec un objectif : chercher en priorité des signatures d'intellectuels tunisiens, pour lever le soupçon de néo-colonialisme et élargir le champ des alliés. Faouzia Charfi, Raja Ben Slama, Nédra Ben Smaïl, Sadok et Lina Ben Mhenni, Cherif Ferjani, Abdelwahab Meddeb... Tous répondent positivement et signent aux côtés de personnalités comme Taslima Nasreen, Françoise Héritier ou Elisabeth Badinter. La liste impressionne à Paris comme à Tunis, où l'on a enfin compris que la persécution médiatique des Femen permet de dénoncer le sort d'autres prisonniers politiques. Comme ces deux blogueurs athées condamnés à sept ans, Ghazi Béji et Jabeur Mejri. Ou le rappeur Weld el 15, qui vient d'écoper de deux ans pour une chanson où il invite à égorger un policier. Pas vraiment notre « came ». Pourtant, le jugement est excessif. Hind Meddeb, une réalisatrice franco-tunisienne, est même condamnée pour avoir critiqué la sévérité du jugement en plein tribunal. Comme Nadia, elle doit fuir Tunis pour rester libre à Paris. Nous nous réunissons chez son père, auteur de livres magnifiques sur l'Islam des Lumières, avec quelques artistes et rappeurs. Autour d'un verre de Bukha et d'une stratégie commune.

— Il faut arrêter les divisions, dis-je. Les féministes contre les rappeurs ou inversement. Nous devons nous entraider et citer tous ces cas à la fois si nous voulons insister ensemble sur le caractère politique de cette répression.

Inna, bien sûr, ne participe pas à nos conciliabules. Trop français, trop tunisiens, trop intellectuels. Mais je lui raconte notre stratégie, qu'elle traduit magnifiquement en action lors de la venue du Premier ministre tunisien à Bruxelles. Elle a cherché toute la journée un plan pour l'accrocher, mais l'équipe belge a raté son entrée. Le général est furieux. Les soldates belges sont sommées de le cueillir à la sortie. Quand la berline noire sort du parking, les trois Femen se jettent sur le convoi du Premier ministre islamiste… Seins nus, bras en croix, crinières au vent. Les noms de leurs camarades Femen européennes sont tatoués dans leur dos. Leurs torses défendent les Tunisiens incarcérés : Amina, le rappeur Weld el 15 et le blogueur athée Jabeur Mejri. L'image est forte, sublime de solidarité universelle. D'autant que les filles payent cher leur insolence. Un garde du corps aux cheveux blancs très courts, visiblement un professionnel, intervient pour paralyser une des filles par une pression sur la carotide, qui lui fait perdre connaissance. Les gens sont choqués, admiratifs, et moi si fière d'elles.

*

Mon amie Taslima Nasreen est de passage à Paris. Bien entendu, elle est sensible au sort d'Amina. Je la traîne à une manifestation organisée par des associations tunisiennes pour dénoncer le sort des prisonniers politiques, où nous rejoignons Fiammetta et Nadia. Puis nous allons manger à la maison avec Inna. Je rêve de présenter l'exilée ukrainienne à l'exilée bangladaise. Elles ont tant en commun. À commencer par ce caractère entêté qui bouscule le monde, mais leur a tant coûté.

L'exil de Taslima dure depuis vingt ans. Si seulement Inna pouvait apprendre à durer... L'écrivaine lui raconte son départ du Bangladesh, les excuses qu'on exigeait d'elle et qu'elle n'a jamais présentées. La perte de son passeport, comment elle a dû rentrer illégalement dans son pays pour voir sa mère mourir, le harcèlement, les accusations d'« islamophobie », les faux amis, les menaces... Inna boit ses paroles. On finit la soirée, pleine de rage et de force, par poser fièrement devant un tableau rouge qui moque un intégriste au mur de mon bureau.

Il est signé par un artiste tunisien et représente un islamiste enragé, avec de la fumée lui sortant des oreilles. Les salafistes ont tenté de lacérer la toile lors d'une exposition en Tunisie.

— C'est leur plus grand blasphème, dis-je en montrant la toile à Taslima. Qu'ils interdisent à des non-croyants de représenter Mahomet, c'est déjà délirant. Mais là, ils ont carrément voulu interdire de les représenter eux. C'est donc officiel, ils se prennent pour Dieu...

— J'adore, dit Taslima, qui rit. Comment vous avez récupéré la toile ?

— Fiammetta l'a achetée à son auteur par Internet, et une amie de Nadia a roulé la toile pour nous la ramener.

— Superbe !

La photo fera un malheur sur Facebook, surtout en Tunisie... Nadia El Fani, Taslima Nasreen, Inna Shevchenko et Caroline Fourest tenant le portrait d'Amina, sous le tableau maudit que les salafistes voulaient lacérer ! Leur cauchemar ! Il ne reste plus qu'à attendre le verdict.

*

S'il y a une chance pour que Joséphine, Pauline et Marguerite soient libérées, c'est aujourd'hui. François Hollande doit se rendre à Tunis dans deux jours. Nos avocats ont pris l'avion. Fait rare, voire exceptionnel, grâce à l'intervention de Leïla Ben Debba, ils vont pouvoir plaider en français. Très bon signe. Autre bonne nouvelle, comme à la dernière audience, les filles ont compris qu'elles pouvaient ôter leur sefseri une fois le juge entré et comparaissent tête nue. Nous sommes plutôt confiants, lorsqu'un texto de Patrick m'alarme.

— Aïe. Elles s'excusent…

Un vrai coup de massue. Femen ne peut pas s'excuser, même pour ruser et sortir de prison, sinon ce n'est plus Femen… Je suis effondrée à l'idée d'appeler Inna pour lui dire.

— Tu es au courant ?

— Quoi ?

— Elles se sont excusées…

Le coup est si rude qu'elle me demande de répéter.

— Qui ? se met-elle à crier.

— Les filles, Inna. Elles se sont excusées…

— Qui te l'a dit ?

— Patrick.

— Envoie-moi son texto.

Elle raccroche, assommée. Puis convoque Elvire en hurlant pour lui demander de vérifier, sur Twitter ou ailleurs. Un journaliste présent sur place l'appelle et lui confirme le drame. En raccrochant, son monde n'est plus le même. Ces excuses sont une défaite à la fois politique et personnelle. Comme un galon qui tombe à terre. Elle ne veut même pas imaginer la réaction à Kiev quand ils l'apprendront. Elle qui était si fière de ses troupes d'élite françaises, qu'elle rêvait de voir surpasser les recrues ukrainiennes. Elle a tenu bon quand tout le monde lui disait que des Françaises ne pourraient jamais devenir de vraies guerrières, qu'elles avaient trop à perdre. Pourtant, Pauline et Marguerite ne possédaient plus rien, ni logement ni confort. Elles ne vivaient que pour Femen. Qu'a-t-elle raté dans leur formation ? Que n'ont-elles pas compris aux consignes qu'elle leur a envoyées par l'entremise des avocats ! Quelle trahison.

Je la rappelle.

— Inna...

— Quoi ?

— Ce n'est pas très clair si elles se sont excusées ou pas. Elles ont simplement dit qu'elles regrettaient si leur geste avait choqué des Tunisiens. Pas qu'elles regrettaient leur geste... C'est une nuance importante, il faut absolument que Femen communique et dise aux journalistes de rectifier.

— Quelle importance, c'est pareil, elles se sont excusées.

Dans sa déception, Inna ne voit pas l'intérêt de se battre sur les mots, qu'elle méprise, et qui pourtant changent tout. Ce qui l'obsède est ailleurs. Elle veut savoir qui blâmer.

— Qui leur a demandé de prononcer cette phrase, si ce n'est le consulat ? dit-elle avec un ton fanatique qui m'agace.

— Je ne sais pas. Effectivement, cela ressemble à une phrase dictée. Mais je ne vois pas le consulat la dicter... Je peux me tromper. Ils peuvent avoir voulu tout essayer pour les sortir de là au plus vite. Je vais voir.

— Fais-le et dis-moi.

Inna se sent cheffe quand elle me donne des ordres, mais bon sang ce que je déteste ça. J'appelle quelqu'un chez les diplomates qui suit le dossier.

— Bonjour. Ça se passe bien ?

— Plutôt, je pense qu'on peut espérer une bonne nouvelle.

— Pour l'instant, on a surtout une mauvaise nouvelle sur les bras. Cette histoire d'excuses, c'est une demande du consulat ?

361

— D'après ce qu'on me dit, ça ne s'est pas passé comme ça. Les Femen étaient nerveuses, inquiètes. Elles vont mal depuis plusieurs jours. Nous ne voulions pas qu'elles soient déçues si le jugement n'est pas celui que l'on espère. Le consulat leur a simplement dit de réfléchir à ce que le juge souhaitait entendre, pour mettre toutes les chances de leur côté. Quand il leur a demandé si elles regrettaient leur geste, elles ont simplement dit qu'elles regrettaient si leur geste n'avait pas été compris des Tunisiens, s'il avait choqué certains... Qu'elles ne voulaient pas choquer mais venir en solidarité avec Amina.

— Le problème, c'est que tous les journalistes communiquent sur le mode des excuses et qu'elles seront effondrées en sortant.

— Mais au moins elles sortiront !

Inutile de poursuivre cette conversation. Vu du corps diplomatique ou des familles, nos considérations stratégiques paraissent inhumaines et déplacées. C'était aux filles de décider. Elles l'ont fait. Trop de fois, elles ont cru qu'elles allaient pouvoir sortir la tête haute. Au dernier procès, Marguerite a même levé le poing pendant son transfert, comme les Pussy Riot. Mais après la fierté, il y a le retour au cachot, les unes sur les autres, à dormir parmi les cafards.

*

Je dois rappeler Inna.

— Apparemment, le consulat n'a pas dicté la phrase aux filles, il leur a simplement dit de mettre toutes les chances de leur côté en disant au juge ce qu'il voulait entendre...

— Donc c'est eux. Fucking consulat.

— Arrête. Chacun est dans son rôle. Même si, crois-moi, je suis aussi déçue que toi, furieuse même…

— Sauf que toi tu observes. Moi, je dois corriger !

Elle raccroche.

*

C'est l'heure des plaidoiries et ça se bouscule sur le banc des avocats. Ivan Térel commence par présenter le mouvement Femen et par lever enfin certains malentendus. Non, il ne s'agit pas d'un mouvement de débauche, mais tout au contraire d'un mouvement politique, né en Ukraine, pour lutter contre la prostitution… Même les islamistes semblent apprendre quelque chose. Patrick Klugmann enchaîne par un plaidoyer vibrant sur l'universalité des droits et des libertés. Il compare les Femen à la Liberté du tableau de Delacroix. Une référence à la culture française tempérée par l'apologie de la révolution tunisienne. Les filles passent enfin du statut de quasi-prostituées à celui d'activistes. Les avocats tunisiens ferment le banc, brillamment. La pression diplomatique et médiatique, le profil bas des filles, les plaidoiries, il a fallu tous ces ingrédients pour les sortir de là.

La bonne nouvelle tombe en fin d'après-midi. Elles sont libres ! Inna n'est pas du genre à sauter au plafond, mais s'en réjouit quand même. Je cherche à savoir où on les emmène… Ivan et Patrick sont déjà dans l'avion retour. Leïla pense qu'elles seront expulsées au petit matin. La Consule fait le tour des administrations, un sac de vivres et de vêtements à la main, pour les trouver. On les balade clairement. Les autorités veulent les libérer en toute discrétion. Soulagées mais épuisées, les filles sont conduites dans une annexe du ministère de l'Intérieur, dans une base militaire puis dans une salle près de l'aéroport. On bouge tout le temps. À 2 heures du matin, on leur rend leurs affaires. À 7 heures, on les jette dans un avion. Quand je me réveille, à l'aube, on ne sait toujours pas quand elles arrivent. J'espère que Inna en sait plus

— Tu as des nouvelles ? Elles t'ont appelée.

— Que disent les avocats ?

— Ils ne répondent pas. Mais elles doivent être dans l'avion, c'est sûr, ils ne prendraient pas le risque de les garder sur le sol tunisien... Je vais regarder les horaires des avions arrivant de Tunis et tu iras à l'aéroport.

— Pour quoi faire ?

— Comment ça, pour quoi faire ? Pour accueillir tes soldates, les réconforter et leur parler avant la presse !

Inna se garde de me dire que les filles l'ont appelée au milieu de la nuit, dès qu'on leur a rendu leur téléphone. Leur première conversation ne s'est pas bien passée. Le camarade Shevchenko, qui n'est décidément pas diplomate, a tout de suite exigé des explications au sujet des « excuses » et leur a même balancé qu'elles étaient la « honte » du mouvement. Abasourdies, Pauline et Marguerite lui ont raccroché au nez. Voilà pourquoi je dois pousser Inna pour qu'elle aille à l'aéroport. Patrick, qui m'appelle, est du même avis que moi. Il faut y être avant la presse.

— Tu peux emmener Inna ?

— Oui, mais il y a un problème..., me dit Patrick d'une voix vraiment ennuyée.

— Quoi ?

— J'ai une voiture de con.

— Pas une Porsche Cayenne quand même ?

364

— Pas loin.

— Ah mince, si con que ça…

— J'allais la vendre…

— Ah oui, ça tu as bien raison, mais fallait le faire avant de défendre Femen !

— T'inquiète pas. On y va. Et si la presse est là, je les mets dans un taxi.

On raccroche en plaisantant. C'est comme ça que j'aime combattre. Avec des gens qui savent mêler convictions et autodérision. Avec Inna, la révolution est un drame tous les jours renouvelé, qui me donne surtout envie de faire la paix. Je la laisse à ses soldates. Patrick me rappelle depuis l'aéroport.

— Bon, pour la discrétion, c'est raté.

— Y a du monde ?

— Une foule de journalistes.

— Et comment ça se passe avec les filles ?

— Inna les a accueillies façon stalinienne. Je te dis pas l'ambiance.

— Bon sang, c'est quand même pas si dur d'être humain quand on a trois filles qui sortent de taule !

— Tu ne veux pas venir à Roissy pour déminer ?

— Non, c'est trop tard. Je vais les attendre au Lavoir pour essayer d'amortir.

— Oui, je crois que ça s'impose.

*

Nadia est allée en moto à Orly, mais n'arrive pas à approcher les filles à cause de la foule de journalistes et de policiers qui les escorte. Elle capte quand même le visage des trois prisonnières, un très léger sourire au coin des lèvres, tandis que le camarade Shevchenko opte

365

pour un masque sévère. On ne pourra pas dire qu'elle joue la carte de l'émotion… Son groupe n'est pas une bande de gamines écervelées. Ce sont des soldates et elle les accueille comme telles. Froidement et professionnellement. Même Marguerite s'en agace.

— C'est tout ce que tu trouves à dire, Inna !

Dans le taxi, on s'explique fraîchement. Inna garde la ligne. Son accueil brutal est calculé, pour les secouer, les culpabiliser et pouvoir les mettre en situation opérationnelle dès la conférence de presse, qui a lieu dans trois heures. Elle déteste m'apercevoir depuis le taxi, en train d'attendre au soleil devant la porte du Lavoir. Moi, ma mièvrerie bourgeoise, et cette part d'humanité qui l'encombre, surtout aujourd'hui. Nadia vient d'arriver et se met à filmer la scène. On s'en passerait. Les filles sont épuisées Avec leurs sacs à dos, on dirait trois randonneuses arrivant d'un camp scout qui aurait mal tourné. Je prends Pauline dans mes bras.

— On sent mauvais. On n'a pas pris de douche depuis un mois…

— Arrête, viens là.

— Bravo les filles, dit Nadia tout en tenant la caméra.

— Merci à vous, pour tout, disent-elles en chœur.

Visiblement, le consulat leur a parlé de la lettre ouverte à Hollande, de nos mobilisations. Elles ne savent pas tout, mais elles savent déjà que le « sauvetage » n'est pas le fort de leur mouvement, et nos regards suffisent. On se prend dans les bras avec Marguerite, puis Joséphine, que je rencontre pour la première fois.

*

366

Sitôt son sac posé sur le sol de la galerie, dans cette grande pièce vide, sans confort ni prisonnières à entasser, Pauline s'agenouille de fatigue et commence à craquer. Je passe ma main dans son dos pour la réconforter. Le chat de Marguerite nous fait rire. Inna redevient un instant la grande sœur qu'elle sait être, quand elle arrête de jouer au général.

— Ce satané chat. Marguerite... J'ai tout essayé. Je lui ai acheté toutes sortes de boîtes mais non, il ne voulait manger que mon thon, mon thon à moi...

Elle a dit ça d'un air d'enfant triste, comme pour glisser qu'elle a fait de son mieux. Et bien sûr, elle ne parle pas que du chat. J'ai envie de la prendre dans mes bras. Ici, dans ce squat parisien délabré, où elle ne s'achète rien, que du pain et du thon à disputer avec le chat de Marguerite... Pendant que ses soldates partageaient une gamelle et dormaient au milieu des cafards. Comme elles doivent avoir envie d'un bon lit, d'un bon bain, d'un chez-elle, et non de retrouver le squat du Lavoir. Quand je pense aux ordures sur Internet qui les imaginent en enfants gâtées et payées ! Inna, qui ne veut décidément pas s'attendrir, met brutalement fin à la séquence émotion.

— Allez, on doit aller là-haut pour préparer la conférence de presse, dit-elle en nous faisant comprendre qu'elle veut rester seule avec les filles.

Elles montent à l'étage et je pars faire les courses, moi qui ne les fais jamais. Au fond, Inna a réussi son pari. Me transformer en femme au foyer, pendant qu'elle joue au général. Et dire qu'elle voulait des gosses... Comme si Amina, Pauline, Joséphine et Marguerite, ce n'était pas assez !

*

Dans les rues de la Goutte d'Or, c'est jour de marché. Je passe à la pharmacie pour ramener les produits désinfectants et anti-puces que Pauline et Marguerite m'ont demandés, puis au primeur pour une razzia de fruits. Je ne sais pas comment font les ménagères sans caddie. Moi, je n'ai plus assez de bras pour tout porter. Quand je reviens au Lavoir, d'autres militants sont arrivés. Inna est en conciliabule avec Nadia dans la galerie, pendant que Joséphine finit de se doucher. Pauline et Marguerite se jettent sur mon buffet.

— Attention, il ne faut pas qu'on mange trop, sinon je sens qu'on va être malades, dit Pauline.

Fin de la pause déjeuner. Inna remonte au studio avec les filles pour les briefer hors de ma présence. En m'interdisant même d'y assister.

— On en reparlera…, lui dis-je, la mâchoire serrée.

Je redescends dans la galerie, avec les militants chargés de préparer les chaises et les posters pour la presse, donne mes conseils pour que les slogans réclamant la libération d'Amina soient dans le champ lorsque les caméras filmeront. Mon téléphone n'arrête pas de sonner. Des journalistes me demandent d'intercéder auprès de Femen pour les avoir en plateau. Je monte en grade : après mère au foyer, me voilà attachée de presse !

Certains confrères sont surpris en me voyant descendre au rez-de-chaussée pour donner le feu vert à des dizaines d'équipes qui envahissent la galerie. À 15 h 30, la conférence commence enfin, retransmise en direct sur BFM TV. Joséphine, Pauline et Marguerite parlent bien. Précises, émues, professionnelles. Le seul détail qui tue est ailleurs. Dans la posture d'Inna, assise légèrement en hauteur sur un accoudoir. Une vraie statue du Commandeur surveillant ses troupes. Assez beau, à condition d'aimer l'esthétique soviétique.

Joséphine s'exprime en premier, dans un anglais parfait.

— Nous avons pris la décision d'exprimer des regrets mais, bien entendu, Femen ne regrette jamais. Nous sommes fortes et nous continuons selon l'idéologie de Femen.

Pauline raconte le pire. Le fourgon, les fouilles au corps, les humiliations...

— Quand on est arrivées, on nous a clairement donné le message de qui commandait en nous frappant violemment pendant la première fouille au corps.

Marguerite complète, la voix coupée par l'émotion.

— Quand on parle de charia, on a plus en tête des pays comme l'Égypte et l'Iran, mais en fait la charia est également appliquée en Tunisie. Notre premier procès a clairement été fait selon le Coran et pas selon une loi qui tient de la raison [...] C'est un combat qu'on ne lâchera pas, pour Amina, pour la personne, pour ce qu'elle représente, et toutes les femmes qui sont dans cette prison pour des motifs injustes.

On sent qu'elles ont morflé. Elles ne jouent pas. Elles sont vraiment émues et fatiguées. Mais dans leur obsession à justifier leurs excuses, elles se mettent à charger le consulat, à qui elles reprochent de les avoir coupées de l'extérieur pour les encourager à s'excuser. J'imagine leurs têtes, eux qui se sont démenés pendant des semaines pour les sortir de là... Mais il y a bien plus grave que l'amour-propre des diplomates. Il y a l'ego des avocats. À Tunis, on n'apprécie pas vraiment de voir les avocats français ramasser toutes les fleurs et se vanter d'avoir pu libérer les filles en français. Après y avoir contribué, maître Ben Debba dénonce cette faveur accordée par le tribunal dans la presse tunisienne et menace de déposer plainte contre Patrick auprès du bâtonnier ! Hallucinant. Je dois l'appeler pour la raisonner, tout en insistant auprès des avocats français pour qu'on rende un hommage appuyé à la défense tunisienne. Ce qu'ils font volontiers. Encore une guerre inutile d'évitée.

*

Les journalistes ont plié bagages. Les militants sont remontés dans le studio d'Inna, où l'ambiance est enfin meilleure. On raconte aux filles ce qu'elles ont manqué. Elvire est arrivée du boulot et met enfin un peu de joie. Elle passe en boucle la vidéo de la prière de rue le jour de leur procès : « Amina Akbar ». Comme je m'en doutais, Joséphine, Pauline et Marguerite adorent. On leur montre l'action des Femen belges. Mais la vidéo qui a le plus de succès est un clip tourné par quelques jeunes Turcs pour parodier Femen et leur vidéo soutenant les manifestants de la place Taksim. J'aime les voir rire d'elles-mêmes, surtout après une telle journée. Seule Inna, affalée sur son lit, ne parvient pas à se décrisper.

— Caroline... Je crois que je vais avoir besoin d'écrire sur ce qui s'est passé aujourd'hui pour le livre.

— Fais-le et je l'intégrerai.

Bien sûr, elle ne le fera jamais. Inna est incapable de s'accorder ce temps de recul, dont elle aurait pourtant besoin. À un moment, elle redescend dans la galerie. Je la trouve assise sur le rebord de la grande verrière. Visiblement, elle m'attendait.

— Je suis désolée de t'avoir exclue du briefing tout à l'heure. Je sais que tu as dû le prendre pour quelque chose de personnel... Mais c'était politique. Je ne suis pas à l'aise quand tu es là, pour leur parler comme je dois le faire.

— Je n'ai pas pensé que c'était personnel. Je sais bien que c'est politique, mais c'est pire, Inna.

— Pourquoi ? me demande-t-elle doucement.

— Parce que tu ne comprends toujours pas qu'un mouvement suppose de la confiance et des alliés. Parce que la façon dont tu as traité les filles aujourd'hui me rend malade.

— Je devais les préparer pour la conférence de presse... Tu n'as pas vu comment elles sont arrivées ? Il fallait les secouer. Sinon, elles auraient parlé en victimes, pas en activistes...

— Mais elles ont parlé en victimes... du consulat ! Quelle blague. Elles voulaient sortir, c'est tout.

— On n'est pas d'accord sur ça, Caroline. Le consulat leur a caché des informations, qui les auraient aidées à tenir, et les a encouragées à s'excuser.

— Personne ne les a forcées à accepter cette stratégie. Si tes soldates l'avaient voulu, elles auraient pu ne jamais s'excuser. Elles ont choisi la vie et de sortir, c'est tout.

Inna ne dit plus rien et m'écoute la juger, sévèrement, d'un ton calme et posé. Des gens du Lavoir passent à nos côtés et comprennent qu'il faut nous laisser.

— Les humains sont si décevants, me dit-elle.

— Les humains sont humains... Ils te décevront tant que tu attendras d'eux d'être inhumains. Pour le reste, ne t'en fais pas. Tout le monde s'en fiche de cette histoire d'excuses. Amina, elle, ne s'excusera jamais. C'est elle qui compte et qui aura le dernier mot dans cette affaire.

— Je sais. Politiquement, tout va bien. C'est à l'intérieur de moi que quelque chose est cassé.

*

Le soir, nous partons dîner toutes ensemble, puis je rentre, après avoir de nouveau serré Joséphine, Pauline, et Marguerite dans mes bras, en leur faisant promettre d'aller voir Patrick Pelloux, le médecin des Femen, dès le lendemain.

*

Plus tard, bien plus tard, j'écrirai une longue lettre à Inna, de rupture politique, et sans doute amoureuse.

« À propos de nos déceptions… Oui, les humains sont décevants, Inna, quand ils répètent les démons de l'histoire. Combien de jeunes fanatiques, avant toi, prétendaient se sacrifier pour les autres et ont fini par tuer l'humanité. Je n'aime pas ton désir morbide d'absolu, qui passe sur les corps et marche sur les sentiments.

Et d'abord, qui es-tu pour te croire si supérieure à l'humain ? Tu me penses "religieuse" parce que je veux vivre dans un État laïque, où les libertés de chacun trouvent leur place sans s'asseoir sur l'autre. C'est toi qui l'es à force de "fanatisme".

Je me méfie de ceux qui prétendent ne rien vouloir posséder matériellement car ils le disent souvent pour mieux posséder les êtres… Avant de les traiter comme des esclaves.

Tu dis que c'est moi l'esclave. Parce que j'aime la beauté et l'apaisement qu'elle procure ? Mais que faut-il pour être révolutionnaire à tes yeux, souhaiter la laideur ?

Tu ne me penses ni activiste ni guerrière parce que j'utilise ma plume et non mes seins. Pourtant toi-même tu es descendue dans la rue pour gagner ce droit à la parole ?

Contrairement à toi, je n'oppose pas la rue et la pensée. Les corps, comme les mots, sont des passerelles que l'on peut emprunter pour aller vers l'autre. Tu ne veux emprunter ni l'une ni l'autre pour partager, et tu prétends vouloir changer le monde autour de toi ? En quoi ? Une armée d'ascètes autistes, sans plaisir, sans amours ni confort ? Ta révolution sans amour ne me fait pas envie, Inna, et tue mon désir pour toi. »

Inna n'a jamais reçu cette lettre. En revanche, elle s'est adoucie avec Pauline et Marguerite. Elles sont même plus proches que jamais. Tandis que Inna et moi ne cessons de nous éloigner.

Amina, elle, tient bon. Même lorsque le directeur de la prison tente de la briser pour avoir dénoncé les coups portés sur une détenue enceinte. Tous les chantages pour alléger sa peine se heurtent à un mur. Elle refuse de s'excuser, jette son sefseri à terre devant le juge, et déclare n'avoir pas peur de rester en prison : « Être derrière les barreaux n'est pas plus dur que d'être à l'extérieur à regarder la dictature religieuse s'emparer de la Tunisie. »

CHAPITRE 11

Épilogues

Depuis quelques jours, je fuis Inna. Elle ne me parle pas de ses grandes manœuvres, je ne lui parle plus des miennes. Par exemple de ce rendez-vous à l'Élysée, suggéré par deux militants socialistes que j'ai connus au moment du soutien au mouvement Vert en Iran. Ils doivent rencontrer le conseiller diplomatique du président en vue de sa visite en Tunisie et me proposent de me joindre à eux, avec Hind Meddeb, pour parler d'Amina et du sort des rappeurs. Le rendez-vous se déroule dans l'un des bâtiments adjacents au Palais. Les deux militants insistent pour que le président rencontre des activistes de l'opposition. Le conseiller se montre à l'écoute, mais ne veut pas exclure les islamistes qui restent, selon lui, incontournables. Hind s'agace.

— Vous savez, contrairement à ce qu'on dit ici, les Tunisiens ne supportent plus Ennahda. Vous n'imaginez pas la colère qu'il y a dans ce pays contre eux, surtout chez les jeunes.

— Bien sûr, je ne dis pas le contraire.

J'enchaîne.

— Je me doute que vous allez marcher sur des œufs après l'attitude tragique de la France au moment de la révolution. Mais ce temps est déjà révolu. Aujourd'hui, les Tunisiens démocrates se demandent où est la France ? Pourquoi elle ne parle pas ? Les islamistes ont le Qatar, les autres ont l'impression d'être abandonnés... C'est une occasion historique de parler haut et fort des droits universels.

— Nous sommes d'accord.

— Il faut parler des rappeurs et d'Amina, reprend Hind au vol. Il y a des camarades à moi qui croupissent en prison pour des chansons.

J'insiste.

— Il y a le cas de Jabeur Mejri, qui purge sept ans pour une caricature de Mahomet. Et bien sûr Amina.

Le dossier d'Amina intéresse le conseiller. Il nous confirme la motivation présidentielle et celle de la ministre des Droits des femmes. Je suggère une déclaration forte et de rencontrer les membres de son Comité de soutien. Le conseiller ajoute leurs noms à la liste des personnalités à inviter.

Nous sortons plutôt contents du rendez-vous. Je ne m'attends pas à des déclarations fracassantes, ce n'est pas le genre de la maison, mais au moins la délégation française recevra la Tunisie des Lumières, celle de demain, et non uniquement celle avec qui l'on signe les contrats. Ce n'est pas grisant, mais pas si mal quand on connaît la force d'inertie du corps diplomatique. On se salue en promettant de se tenir au courant, et je marche vers mon scooter. Les gardes postés aux quatre coins du quartier sont plus nerveux qu'à l'arrivée, la circulation étrangement perturbée. Fiammetta m'appelle.

— Ça s'est bien passé ? Tu n'es pas arrêtée ?

— Pourquoi je serais arrêtée ?

— Les Femen viennent d'attaquer l'Élysée.

— C'est pas vrai... Elles m'auront tout fait !

*

Moins d'une heure plus tôt, Inna marche en direction de l'Élysée, flanquée de Pauline et Marguerite. Une action pour Amina et pour se ressouder. Oksana leur a confectionné de fausses muselières en fer. Elles s'élancent vers la lourde porte du Palais, la plus gardée de France. À peine leur geste esquissé, des gardes accourent de partout pour les plaquer au sol, sans ménagement. Les barbelés qu'elles ont tressés pour mimer leur musellement s'enfoncent dans leur chair, leurs bouches et leurs seins.

Inna, comme toujours, est la plus dure à maîtriser. Elle se débat comme si elle devait en mourir. Y prend-elle encore goût ? Son corps ne répond plus, il ne sent plus l'excitation, juste la douleur. Des genoux lui brisent le dos, le sien frotte le bitume mouillé pendant qu'on la traîne. Un policier lui marche dessus dans le panier à salade. La garde à vue va durer toute la nuit, différente des autres. Le 8ᵉ arrondissement n'est pas le 4ᵉ. Ici, on ne veut pas d'autographe, mais l'humilier. Attaquer l'Élysée est un beau prétexte. On l'interroge pendant trois heures. Toujours les mêmes questions. Sans écouter les réponses.

— Tu vas voir ce que c'est que de vouloir foutre la merde dans ce pays, menace l'un d'eux.

Que se dit-elle, au petit matin, quand on la libère enfin ? Qu'après un an d'actions en France, le traitement de faveur est terminé. Qu'elle se sent comme en Ukraine. Sans se remettre, une seconde, en question. Ce n'est pas elle qui tourne en rond, c'est le monde qui ne tourne pas rond. Elle détient la vérité, elle mène un combat juste, et le mènera jusqu'au bout, tant pis si elle

377

risque de perdre ses papiers, son asile, son refuge, le peu qu'elle a construit.

Sa fuite en avant m'insupporte. Je déteste la voir se détruire. Notre relation se meurt. Dans quelques jours, je pars passer l'été en Afrique. J'en ai besoin. Bien entendu, je pars avec Fiammetta. Et bien sûr, Inna m'en veut.

*

Quatre jours avant mon départ, la nouvelle tourne au bas des écrans des chaînes d'info continue : « La leader des Femen a obtenu l'asile politique en France. » Pourquoi maintenant, alors que nous le savons depuis deux mois ? Ni elle, ni moi n'en avons la moindre idée. Petit indice tout de même, la fuite semble venir de la presse russe… En pleine affaire Snowden. Au même moment, les sites pro-russes titrent : « La France refuse l'asile politique à Snowden mais l'accorde à la porte-parole des Femen. » Poutine joue les grands seigneurs. Après Depardieu, il se dit prêt à accueillir l'informaticien ayant fait fuiter les techniques d'espionnage de la NASA. On en reparlera le jour où Snowden s'attaquera aux secrets du Kremlin.

*

Trois jours avant mon départ, je m'accroche pour ne pas sauter dans l'avion en avance. Inna fait feu de tout bois, comme si elle voulait embraser la France pour me punir. Elle qui ne tweete presque jamais tire une roquette de cent quarante signes toutes les dix minutes. À force, une balle perdue finit bien par ricocher…

378

Lorsqu'elle comprend qu'on risque de forcer Amina à suivre le ramadan en prison, elle dégaine : « Qu'est-ce qui peut être plus stupide que le ramadan ? Qu'est-ce qui peut être plus laid que cette religion ? ».

Une phrase idiote, écrite sous l'effet de la colère, dans un mauvais anglais. On ne devrait jamais classer les religions sur un podium allant du plus beau au plus laid, surtout si on est antireligieux... Inna les met sur un pied d'égalité, au plus haut dans la liste de ses ennemis jurés. Elle a scié une croix, vomi le christianisme, et se moque éperdument du judaïsme, mais trop tard, c'est parti, l'accusation « d'islamophobie » est enclenchée. Inna corrige le tir : « Je ne suis pas islamophobe, je suis religiophobe. »

*

L'avant-veille de mon départ, j'en suis à prier pour que l'actualité Femen prenne un rythme d'été. Raté. Le président de la République vient de choisir le nouveau timbre national. Une Marianne plébiscitée par des lycéens, signée Olivier Ciappa, qui déclare : « *Pour tous ceux qui demandent le modèle de Marianne, c'est un mélange de plusieurs femmes mais surtout Inna Shevchenko, fondatrice des Femen.* » Je ne peux pas m'empêcher de trouver mon amazone bien plus puissante que cette blonde stylisée, mais ses faux airs d'Inna suffisent à créer la polémique.

Les ultra-nationalistes, qui trouvaient le timbre plutôt joli quand ils le croyaient inspiré de Brigitte Bardot, se mettent à vomir. Les intégristes catholiques, qui se moquent bien de Marianne, verraient mieux la Vierge Marie et crient à la consécration d'une « idéologue christianophobe ». Les royalistes, qui de toute façon collent ce timbre à l'envers pour symboliser le renversement de la République, ont doublement envie de pendre la « Gueuse ». Inna achève de les choquer par un tweet gracieux, qui me fait rire : « Maintenant les homophobes, extrémistes, fascistes devront lécher mon cul quand ils voudront envoyer une lettre ! » La formule est plus distinguée en anglais, les timbres sont autocollants, mais c'est drôle quand même.

*

La veille de mon départ, je ne ris plus. La polémique du timbre a relancé la polémique du Tweet. Internet s'interroge : « Marianne serait-elle islamophobe ? » Pour une fois qu'elle cherche à s'expliquer, Femen commet un communiqué consternant. Pour justifier leur rejet de toutes les religions, elles s'en prennent à la laïcité, qu'elles considèrent comme « une façon de tolérer l'intolérable ». Toujours cette incapacité à dissocier l'idéologie du cadre légal. On peut être athée pour soi et laïque pour tous. Combattre la religion au niveau des idées, sans pour autant vouloir gagner ce combat par la force ou la loi. Le cadre laïque permet cette confrontation d'idées, la liberté de conscience et de blasphème, de façon démocratique et non lâche. Si Femen se met à attaquer la laïcité, elles me trouveront sur le chemin... Mais à la rentrée !

En attendant, je prends mes distances. Je sens Inna prête à tweeter comme ça tout l'été. Je la soupçonne même de le faire exprès. Sur Twitter, ça s'agite de partout. On me demande des comptes, de réagir. J'allume un court-circuit : « Les Tweets des Femen n'engagent qu'elles. Je n'ai pas l'intention de passer mon été à commenter des provocations taillées pour 140 signes. »

Un message qu'on peut décrypter grâce à mon statut Facebook où, luxe suprême, on a le droit de penser plus de 140 signes : « Chacun a le droit d'attaquer les religions en tant que dogme et système de croyances, c'est même très sain pour équilibrer les intégrismes, grâce à la démocratie et à la laïcité. Elle n'a rien d'une faiblesse. Bien au contraire, c'est le seul cadre permettant la coexistence de tous et le respect de la liberté de conscience. Sans accepter l'inacceptable que sont la dérogation à la loi commune au nom du religieux et l'incitation à la haine envers quelqu'un en raison de sa religion... Et mince, ça fait plus de 140 signes... Allez, bonnes vacances. »

Un journaliste de l'ère nouvelle, de ceux qui ne bâtissent leurs articles qu'à coups de copiés-collés sur Tweeter, titre : « Fourest lâche les Femen. » Sans avoir compris ou pris la peine de m'appeler. Un ancien confrère du *Monde* proche de Tariq Ramadan, terrifié à l'idée de ne plus pouvoir m'accuser d'« islamophobie » à longueur de journée sur Twitter, se rassure en me traitant de « lâche ». Allez vite, l'aéroport...

*

Quinze jours après mon départ en Afrique, je lévite de bonheur, quelque part entre deux arbres où j'aime être le plus au monde. Les pieds dans la savane, casquette à l'envers, je tourne et retourne les charbons du barbecue sous le regard curieux de six girafes. Le spectacle me fascine mais je reste concentrée sur ma mission, griller des poivrons, quand je reçois un texto d'Inna, le premier depuis des jours. Son été est bien plus chaud que le mien : « Mon appartement a brûlé au Lavoir. On va bien, mais la pièce a entièrement brûlé. J'ai tout perdu, une nouvelle fois. »

La trêve est finie. J'abandonne les girafes, si paisibles, pour appeler Inna. D'une voix lasse et triste, elle me raconte. Pauline qui a senti les flammes lui mordre le bras vers 5 heures du matin. Marguerite qui a couru avec les extincteurs. Trop tard. La chambre d'Inna est partie en fumée, calcinée jusqu'au toit, et donne désormais sur le ciel. Par chance, elle dormait pour quelques jours chez un militant parti en vacances. Quand elle arrive à l'aube, il ne reste plus rien du peu qu'elle possédait. Ni vêtements, ni couvertures de magazines, ni papiers. Ni ce qu'elle avait amené d'Ukraine, ni le peu qu'elle avait pu s'acheter. Seulement les affaires qu'elle avait prises avec elle. Deux shorts, deux T-shirts, deux paires de chaussures. Sa carte provisoire de réfugiée… Mais pas le reste du dossier. Sa petite boîte à musique en carton rose, bizarrement, n'a pas cramé. Elle l'a retrouvée, presque intacte, au milieu des décombres et la tourne désormais sans discontinuer. La police ne sait pas déterminer s'il s'agit d'un accident, dû à la vétusté de l'installation électrique, ou d'un acte criminel. Sur Internet, les fascistes pro-russes se désolent à l'idée que Inna ait survécu. Pour une fois que Jeanne d'Arc échappe au bûcher.

*

Quelques jours plus tard, je suis sortie de ma réserve (une vraie) pour chercher du Wifi et me reconnecter, pour la première fois depuis des semaines, sur le site de

Femen. Les photos du studio cramé, celles d'Inna au milieu des décombres, me broient. Et voilà que Viktor, en Ukraine, a été tabassé ! Le mot est faible. Quatre molosses l'ont suivi et se sont acharnés à coups de poing américain sur son crâne. Sa tête a triplé, son visage est lacéré, ses yeux gonflés et violets, sa mâchoire défoncée. Il doit s'appuyer sur Sasha pour marcher. Je le plains. Lui qui se démène depuis des années dans l'ombre, le voilà massacré au moment où il n'est plus qu'un simple conseiller… Les filles hésitent sur la façon de le présenter dans leur communiqué. Pour certains journalistes, c'est tranché, c'est un homme, donc le « cerveau ».

Quelques jours plus tard, c'est au tour d'Anna d'être agressée. On la frappe au visage, on lui vole son ordinateur, puis son chien. Bizarrement, personne ne la qualifie de « cerveau » ou d'« idéologue ». Sasha publie un communiqué paniqué : « Un chien des Femen kidnappé. » Inna l'appelle pour rectifier : « Tu ne voudrais pas insister plutôt sur Anna que sur le chien. On dirait que l'une de nos activistes a été enlevée ! »

Deux jours plus tard, Sasha, Oksana et une troisième activiste disparaissent. On les croit kidnappées. Elles ont été arrêtées par la police, ainsi qu'un journaliste, sévèrement battu, en marge de la cérémonie commémorant le 1 025e anniversaire du baptême de la Russie. Poutine le tsar, Loukachenko le tyran biélorusse et Kirill le patriarche sont à Kiev pour célébrer la Sainte Union du pouvoir temporel, spirituel et cruel. Pas question qu'une Femen vienne gâcher la fête. Les voyous de SBU ou du KGB (y a-t-il encore une différence ?) se sont chargés de faire passer le message.

Des gros bras bien plus organisés vont même insister. En tabassant de nouveau Viktor et Anna quinze jours plus tard à Odessa. Surtout Viktor, qui a encore pris des coups sur le crâne. Ces brutes semblent persuadées de pouvoir tuer Femen en ruinant le cerveau de Viktor… Anna a pris un coup dans le nez en essayant de le défendre. Jamais le groupe ukrainien ne s'est senti aussi en danger. Sasha, Oksana et Yana songent à venir à Paris pour demander l'asile politique. Inna se demande comme chercher son oxygène ailleurs. Elle est à bout, elle étouffe, son corps lui fait mal. Je lui écris sur « Viber ».

— Je vais rentrer plus tôt.

— Tu n'es pas obligée.

— Je sais. Mais le paradis n'a plus de sens si tu vis l'enfer.

*

Inna est perdue, mais répète sa phrase préférée : « Toute fin est un commencement. »

*

Six jours avant la fin prématurée de nos vacances, Fiammetta et moi avons décidé d'aller dans une réserve avec des amis sud-africains. D'habitude, nous n'emportons que nos appareils photo. Mais cette fois, nous gardons les yeux rivés sur nos téléphones. À tout moment, la nouvelle peut tomber. Elle jaillit devant un lac où le soleil se couche dans un reflet rosé, tandis qu'un crocodile se met à l'eau, et qu'une famille d'éléphants s'approche pour boire. Ça y est. Amina est libre ! Elle est sortie tête haute, un drapeau tunisien dans la main.

Comme en Égypte, la révolution a repris. Les Frères

musulmans sont haïs et rejetés. Le gouvernement illégitime, issu d'une Assemblée constituante qui a largement dépassé sa date limite, est sommé de rendre le pouvoir au peuple. Si l'armée ne transforme pas les islamistes en martyrs en Égypte, un vent d'été va pouvoir succéder au printemps démocratique. Amina est entrée en hiver, seule et décriée de toute part. Elle est sortie sous un soleil radieux, entourée d'alliés, décidés à tenir tête ensemble aux imposteurs. Le courage d'Amina, celui de tous ses camarades Femen, est le maillon de cette résistance, en train d'écrire l'histoire... Mais un maillon humain.

Trois semaines après être sortie, fatiguée de tourner en rond en attendant son visa pour la France, de subir les cris de sa mère et une pression de toutes parts, Amina tend l'oreille à la propagande anti-Femen qui circule sur Internet et dans les rues de Tunis. Elle a besoin d'argent et lit que les Femen rouleraient sur l'or. Elle déclare ne plus vouloir s'associer à un mouvement qu'on dit « islamophobe » qui est peut-être financé par Israël. Ses ennemis sont ravis. Amina comprend et s'en mord les doigts, trop tard.

Sitôt arrivée à Paris, elle demande à voir Inna, qui vient de passer une semaine à répondre à ses accusations dans la presse. La scène est surréaliste. Emmenée par Nadia qui l'héberge, Amina embrasse les filles pour la première fois, émue d'être là. Touchant quand on sait que ces filles ont retourné le monde ensemble pour s'entraider. Triste quand une seule phrase dans la presse a suffi à gâcher ces retrouvailles que nous attendions toutes. Amina ne pense qu'à visiter ce Lavoir, dont elle a tant rêvé : le studio cramé, ses fenêtres cassées, les matelas posés par terre...

— Tu vois, on ne vit pas dans un palace… lui glisse gentiment Pauline.

Marguerite serre les dents pour rester polie. Elle ne digère pas ce qu'elles ont pris dans la figure ces derniers jours à cause d'une icône pour qui elles ne regrettent pas d'avoir fait de la prison, mais qui aurait pu les quitter de façon plus élégante. Les filles arrivent quand même à se parler, échangent des anecdotes sur l'enfer de la prison, ces fourgons fous où elles ont cru mourir, et où Amina trichait pour desserrer ses menottes. Jeffrey Tayler, le journaliste américain qui écrit aussi sur Femen, vient d'arriver. Nous avons le même réflexe. Servir à boire pour détendre l'atmosphère. La générale Shevchenko, qui a été exceptionnellement patiente, sonne la fin de la récréation.

— Amina, je crois qu'il est temps qu'on parle. Tout d'abord, je voulais te dire que nous faisons la part des choses entre l'humain et le politique. Du point de vue humain, nous sommes très heureuses de te voir enfin, de te savoir à Paris. Tu verras, c'est une très belle ville pour se battre…

Inna se tourne vers moi, comme un clin d'œil à notre première rencontre et à nos conversations plus récentes… Puis reprend :

— Côté politique, j'avoue que je n'ai pas compris ce qui s'est passé. Tu as le droit de quitter Femen, bien sûr, ça arrive tous les jours. Moi-même un jour, je quitterai Femen. Mais pourquoi nous attaquer dans la presse. Si tu avais des questions, sur le financement par exemple, pourquoi tu ne me les as pas posées ? Tu vois où nous vivons, je t'aurais répondu sans problème…

Amina regarde ses pieds, confuse, embarrassée.

— Inna, tu dois comprendre, j'avais une telle pression là-bas... En plus, ils ont déformé mes propos. Je n'ai pas dit que Femen était peut-être financée par Israël. J'ai dit que je ne savais pas qui finançait Femen. Peut-être les États-Unis, l'Allemagne, Israël... et le journaliste a bloqué sur Israël.

Le débat se poursuit sur les actions comme la prière de rue, que Amina n'a pas apprécié tout en regrettant d'avoir employé le mot « islamophobe ». La soirée se finit sur un adieu tendre et meurtri, entre des guerrières qui ont changé le monde à 18, 23, 24 et 26 ans. Avec un panache et une bravoure que leurs ennemis communs ne pourront pas salir.

*

Inna pense souvent à cette phrase : « Seuls les jeunes et les fous peuvent faire la révolution. »

Une semaine après Amina, c'est au tour de Sasha, d'Oksana (qui était repartie) et de Yana de débarquer au Lavoir. Trois jours plus tôt, la police ukrainienne a fait irruption dans le local de Femen. Elle dit avoir découvert un vieux pistolet dans le faux plafond, ainsi que deux posters ridicules ciblant Kirill et Poutine. Une grotesque mise en scène pour pousser le groupe à fuir. Anna est partie se réfugier en Suisse chez sa sœur. Viktor, qui n'est jamais sorti du pays, l'a suivie. Le reste des troupes espère obtenir l'asile en France. Le Lavoir ressemble de plus en plus à un radeau échoué, chargé d'héroïnes se partageant pâtes et matelas posés par terre, en redoutant l'hiver et le jour où l'on va les expulser.

Inna, qui tient plus que jamais les rênes du mouvement, rêve toujours de conquête. Sans savoir si elle doit fuir la France pour un nouvel objectif ou se considérer enfin chez elle. Désormais, quand elle voyage, elle est heureuse de revenir dans « son » Paris.

Son nom a été cité lors d'un séminaire organisé par le directeur de l'OFPRA pour penser la réforme de l'office et de l'asile. À sa demande, j'ai pu formuler des suggestions devant l'ensemble de ses agents : un guichet unique pour que l'on cesse de ballotter les demandeurs d'une administration à l'autre, sans jamais leur dire clairement quelle serait la prochaine étape, et surtout délivrer l'équivalent du passeport en même temps que les papiers d'identité, sous peine de clouer au sol des activistes qui ont besoin de voyager pour défendre leurs idées.

Inna est incroyablement fière à l'idée que son parcours puisse aider à améliorer le sort de milliers d'autres réfugiés. Elle a adoré son stage d'intégration. La responsable leur a raconté la polémique autour du nouveau timbre national, sans reconnaître Marianne, assise au fond de la classe en train d'apprendre la France… Un pays qu'elle aime de plus en plus. Sur son buste, les rubans de son tatouage en forme de couronnes de fleurs ukrainiennes sont désormais gravés d'une devise : « Liberté, Égalité, Femen. »

*

Je ne sais toujours pas ce qui finira par l'emporter chez elle, de l'engagement à vie ou de l'engagement à mort. Mais je sais que ses adversaires, les miens, ceux d'Amina, les nôtres, peuvent trembler. Nous n'avons pas toujours les mêmes stratégies, mais nous nous battrons tant qu'ils continueront à nous faire la guerre. Nous vendre comme des objets, faire rouler des poussettes contre le droit d'aimer, attaquer à l'acide notre choix d'enfanter, utiliser leur pénis comme des couteaux pour nous violer, tisser des prisons de toiles pour nous ligoter. Ils ont besoin de nos corps pour opprimer, mais des âmes leur tiennent tête, seins nus ou cheveux libres, fières et fortes de cette rage que leur poison a semée. Ce sont les femmes de demain, et non celles du passé. Le pouvoir est au bout de leurs seins. L'étendard de nos victoires, partout, va flotter.

*

À Paris, quelques jours après mon retour d'Afrique, je finis de lire le manuscrit à Inna.

— Alors qu'est-ce que tu en penses ?

— Tu as décidé de me faire passer pour une fanatique...

— C'est un peu vrai, non ?

— Parfois. Il le faut.

— Sinon ?

— Tu en dis trop sur nous. Atténue, enlève. Garde un peu de mystère. Qu'on ne sache pas jusqu'où est allée notre relation.

— Quoi d'autre ?

— Caroline, je crois que je vais mourir. Mais c'est bien. Avec ce livre, au moins, tu te souviendras de moi.

Table

Cet ouvrage a été imprimé en France
par CPI Bussière
à Saint-Amand-Montrond (Cher)
en janvier 2014

Mise en pages PCA
44400 Rezé

Grasset s'engage pour
l'environnement en réduisant
l'empreinte carbone de ses livres.
Celle de cet exemplaire est de :
1,200 kg éq. CO$_2$
Rendez-vous sur
www.grasset-durable.fr

PAPIER À BASE DE
FIBRES CERTIFIÉES

N° d'Édition : 18163. — N° d'Impression : 2007077.
Dépôt légal : janvier 2014.